D0902205

CHRONIQUES DU BOUT DU MONDE

Chroniques du bout du monde

La trilogie de Spic

1. *Par-delà les Grands Bois*
2. *Le Chasseur de tempête*
3. *Minuit sur Sanctaphrax*

La trilogie de Rémiz

1. *Le Dernier des pirates du ciel*
2. *Vox le Terrible*

Titre original : *The Edge Chronicles/Vox*
Text & illustrations copyright
© 2003 *by Paul Stewart and Chris Riddell*
The rights of Paul Stewart and Chris Riddell to be identified
as the authors of this work have been asserted in accordance
with the Copyright, Designs and Patents Act 1988.
This édition is published by arrangement
with Transworld Publishers, a division
oh The Random House Group Ltd. All rights reserved.

Pour l'édition française :
© 2005, Éditions Milan, pour le texte et l'illustration
300, rue Léon-Joulin, 31101 Toulouse Cedex 9, France,
Loi 49-956 du 16 juillet 1949
sur les publications destinées à la jeunesse
ISBN : 2-7459-1331-X
www.editionsmilan.com

PAUL STEWART & CHRIS RIDDELL

Chroniques du bout du monde

tome 5
Vox le Terrible

Traduit de l'anglais
par Jacqueline Odin

Milan

GRANDS BOIS

FORÊT DU CLAIR-OBSCUR

LANDE

LA FALAISE

L'ANCIENNE INFRAVILLE

LE PALAIS
DES
STATUES

LE PORTAIL
DU BOURBIER

ET DE LA FLOTTE
GRANDE BIBLIOTHÈQUE

LES CORNETS

ENTRÉE
OUEST
DES ÉGOUTS

LE MARCHÉ
AUX
ESCLAVES

ILLE

L'ORÉE

BOURBIER

LE

Pour Jack, Katy, Anna, Joseph et William

permet d'écarter la menace des pies-grièches). Selon la rumeur, Vox Verlix est presque réduit à l'état de prisonnier dans le Palais des statues délabré ; alcoolique, faible et obèse.

Il est vrai que, la plupart du temps, Vox a l'esprit brouillé par la liqueur d'oubli que lui fournit continuellement sa gouvernante. Il a néanmoins des moments de lucidité. Des moments durant lesquels (bien qu'il ait du mal à se rappeler le moindre détail de la veille) les souvenirs de sa gloire ancienne lui reviennent à la mémoire, avec une netteté parfaite.

Et, pendant ces rêveries sur le passé, Vox élabore des plans pour l'avenir. Des plans compliqués. Des plans de vengeance. Car il a beau être seul et impuissant, Vox espère toujours prendre sa revanche sur ceux qu'il juge responsables de son malheur présent : les pies-grièches qui se pavanent et s'époumonent sur la Grand-Route du Bourbier, les gobelins qui défilent dans les rues d'Infraville, les sinistres gardiens de la Nuit toujours aux aguets du haut de leur tour.

C'est une époque étrange. L'air est si étouffant, si humide, si lourd de menace que chacun a l'impression d'être enfermé dans un chaudron bouillonnant prêt à déborder d'un instant à l'autre. Les esclaves dépérissent dans la chaleur suffocante. Les gardes se querellent. Les créatures qui peuplent Ébouliville et la forêt de Sanctaphrax sont d'humeur inquiète, imprévisible.

Il va se produire quelque chose. C'est certain. Mais quoi ?

Les rumeurs abondent. Les doutes augmentent. Les questions se multiplient, sans réponse. Que cherchent Orbix Xaxis et ses gardiens de la Nuit, lorsqu'ils se ras-

Introduction

LOIN, TRÈS LOIN, SURPLOMBANT LE VIDE COMME LA PROUE d'un grand bateau de pierre, se dresse la Falaise. Une cascade, l'Orée, plonge par-dessus la corniche rocheuse qui la borde. La rivière est large, mais lente et molle. Il y a trop longtemps que les tempêtes venues du ciel infini n'ont pas apporté de véritable pluie… même si, aujourd'hui, la couverture nuageuse et la chaleur moite laissent peut-être entrevoir, enfin, un changement.

À l'extrémité de la Falaise, enveloppé dans le nuage sombre et tourbillonnant, se trouve le Jardin de pierres. Il était jadis la source des roches flottantes qui permettaient la navigation aérienne ; y poussaient aussi les gros rochers de Sanctaphrax. À présent, le jardin est mort, car la maladie de la pierre a frappé la Falaise : les navires du ciel sont cloués au sol, le rocher de la nouvelle Sanctaphrax est rongé, le Jardin de pierres s'est transformé en un désert stérile de débris et de blocs fracassés. Même les corbeaux blancs qui le protégeaient autrefois se sont envolés.

Là-haut dans la tour de la Nuit, perchés sur la sphère effritée de Sanctaphrax, les gardiens, conduits par

l'impitoyable Orbix Xaxis, restent persuadés que la foudre d'une Grande Tempête guérira le rocher malade. Prêts à l'accueillir, ils attendent avec impatience, depuis de longues années, le jour où elle arrivera.

En revanche, leurs ennemis (les érudits bibliothécaires), réfugiés dans les profondeurs des égouts, ne croient pas que la foudre puisse guérir la roche. Sous la direction du Bibliothécaire supérieur, Fortunat Lodd, ils étudient, s'instruisent, émettent des hypothèses, expérimentent sur des fragments du rocher contaminé dans le but de trouver un autre remède. Et, en parallèle, ils veillent à se défendre contre tous ceux qui voudraient s'emparer, pour leur intérêt personnel, de la bibliothèque et de ses secrets.

Or, sans même parler d'Orbix Xaxis, ces ambitieux ne manquent pas. Il y a, par exemple, le général Banderille, gobelin-marteau brutal, qui rêve encore et toujours de tenir à sa merci les habitants des égouts comme les Infravillois, et qui mettrait ce projet à exécution si seulement s'attaquer au réseau souterrain était moins dangereux. Il y a la mère Griffedemule, reine pie-grièche du Perchoir est ; elle aussi souhaite la destruction de la bibliothèque, afin de briser définitivement le lien entre les bibliothécaires et les peuples des Clairières franches, ennemis jurés des oiselles.

Les chevaliers bibliothécaires, toujours vigilants, patrouillent dans le ciel à l'aube et au crépuscule ; parmi eux, le jeune Rémiz Gueulardeau, frais émoulu des Clairières franches, mais déjà aussi expérimenté dans l'art du vol que tous ses camarades qui assurent par petits groupes les patrouilles quotidiennes. Juchés sur leurs esquifs en gâtinier, dissimulés par la pénombre, ils parcourent la splendeur fanée d'Infraville, tournoient au-dessus des ruines et des immenses crevasses d'Ébouliville, voltigent entre les grands étais et piliers en bois de la forêt de Sanctaphrax, cet échafaudage tentaculaire qui empêche le rocher de toucher le sol.

Leur inspection terminée, ils rentrent à la bibliothèque et font le récit, étrange et inquiétant, de leurs observations : les boules de feu dans le ciel, les énormes créatures mutantes à Ébouliville, l'atmosphère qui semble, au fil des jours, devenir plus humide et plus oppressante.

Vox Verlix, maître des Ligues et Dignitaire suprême de Sanctaphrax (en principe, du moins), connaît l'atmosphère dans ses moindres détails. Il fut par le passé l'apprenti scrute-nuages le plus prometteur de sa génération. Tyran et génie à la fois, il arracha le pouvoir à Séraphin Pentephraxis, alors Dignitaire suprême de la Nouvelle Sanctaphrax, et s'appropria la grande chaîne de la haute fonction ; ce fut lui qui prit le contrôle de la puissante Ligue des marchands, lui qui supervisa la construction de la tour de la Nuit, de la Grand-Route du Bourbier de la forêt de Sanctaphrax.

Pourtant, aujourd'hui, malgré ses titres prestigieux ses réalisations exceptionnelles, Vox Verlix a perdu autorité – conséquence de multiples trahisons. Orbix Xaxis a investi la tour de la Nuit, la mère Griffedemule pris le contrôle de la Grand-Route du Bourbier, tandis le général Banderille, épaulé par son armée de gobelins mène Infraville d'une poigne de fer (même s'il se fé de maintenir sur le trône un pantin sans pouvoir, c

semblent le soir et scrutent le ciel ? Que complote le général Banderille derrière les murailles de ses Cornets ? Pourquoi la mère Griffedemule a-t-elle réuni les sœurs fauchard dans sa cour royale, installée aux portes de la Grand-Route du Bourbier ? Quant aux bibliothécaires, du fond de leurs égouts, toujours attentifs à ceux qui vivent au-dessus d'eux, quel danger perçoivent-ils ?

Un seul individu est négligé, oublié, isolé dans son palais délabré, apparemment indifférent au monde extérieur et perdu dans ses rêves amers. Un seul personnage, qui semble ne pas se soucier qu'Infraville bouille dans une chaleur insupportable. Un seul.

Vox Verlix.

Les Grands Bois, le Jardin de pierres, l'Orée. Infraville et Sanctaphrax. Autant de noms sur une carte.

Pourtant, chaque nom recèle un millier d'histoires consignées sur des manuscrits ancestraux, des récits transmis oralement de génération en génération – des récits que l'on raconte encore aujourd'hui.

Comme en témoigne ce qui suit.

CHAPITRE 1

La patrouille de l'aube

I L FAISAIT FROID DANS LA GRANDE SALLE, UN FROID GLACIAL. EN hauteur, à travers les vitres du dôme bordées de givre, les étoiles scintillaient comme de la poudre de phrax dans le ciel noir. Au-dessous, installé à une immense table circulaire en bois de fer, un personnage massif était penché sur une liasse de cartes célestes, une chope sculptée devant lui, une longue-vue posée au pied de son fauteuil. Des ronflements résonnaient tandis que le personnage piquait lentement du nez, une goutte de salive rouge sur les lèvres.

Un courant d'air glacé siffla dans la pièce et les cartes s'agitèrent telles des feuilles mortes. L'érudit frissonna dans son sommeil ; le cliquetis d'un médaillon de phrax qui tapotait sa lourde chaîne de fonction se mêla aux ronflements.

Il s'affaissa encore, les joues tremblantes, la graisse de son cou formant des plis dodus comme des asticots. Le pendentif heurta le pourtour de la chope presque vide. Les ronflements devinrent sourds, profonds, et, alors que

Introduction

LOIN, TRÈS LOIN, SURPLOMBANT LE VIDE COMME LA PROUE d'un grand bateau de pierre, se dresse la Falaise. Une cascade, l'Orée, plonge par-dessus la corniche rocheuse qui la borde. La rivière est large, mais lente et molle. Il y a trop longtemps que les tempêtes venues du ciel infini n'ont pas apporté de véritable pluie… même si, aujourd'hui, la couverture nuageuse et la chaleur moite laissent peut-être entrevoir, enfin, un changement.

À l'extrémité de la Falaise, enveloppé dans le nuage sombre et tourbillonnant, se trouve le Jardin de pierres. Il était jadis la source des roches flottantes qui permettaient la navigation aérienne ; y poussaient aussi les gros rochers de Sanctaphrax. À présent, le jardin est mort, car la maladie de la pierre a frappé la Falaise : les navires du ciel sont cloués au sol, le rocher de la nouvelle Sanctaphrax est rongé, le Jardin de pierres s'est transformé en un désert stérile de débris et de blocs fracassés. Même les corbeaux blancs qui le protégeaient autrefois se sont envolés.

Là-haut dans la tour de la Nuit, perchés sur la sphère effritée de Sanctaphrax, les gardiens, conduits par l'impitoyable Orbix Xaxis, restent persuadés que la foudre d'une Grande Tempête guérira le rocher malade. Prêts à l'accueillir, ils attendent avec impatience, depuis de longues années, le jour où elle arrivera.

En revanche, leurs ennemis (les érudits bibliothécaires), réfugiés dans les profondeurs des égouts, ne croient pas que la foudre puisse guérir la roche. Sous la direction du Bibliothécaire supérieur, Fortunat Lodd, ils étudient, s'instruisent, émettent des hypothèses, expérimentent sur des fragments du rocher contaminé dans le but de trouver un autre remède. Et, en parallèle, ils veillent à se défendre contre tous ceux qui voudraient s'emparer, pour leur intérêt personnel, de la bibliothèque et de ses secrets.

Or, sans même parler d'Orbix Xaxis, ces ambitieux ne manquent pas. Il y a, par exemple, le général Banderille, gobelin-marteau brutal, qui rêve encore et toujours de tenir à sa merci les habitants des égouts comme les Infravillois, et qui mettrait ce projet à exécution si seulement s'attaquer au réseau souterrain était moins dangereux. Il y a la mère Griffedemule, reine pie-grièche du Perchoir est ; elle aussi souhaite la destruction de la bibliothèque, afin de briser définitivement le lien entre les bibliothécaires et les peuples des Clairières franches, ennemis jurés des oiselles.

Les chevaliers bibliothécaires, toujours vigilants, patrouillent dans le ciel à l'aube et au crépuscule ; parmi eux, le jeune Rémiz Gueulardeau, frais émoulu des Clairières franches, mais déjà aussi expérimenté dans l'art du vol que tous ses camarades qui assurent par petits groupes les patrouilles quotidiennes. Juchés sur leurs esquifs en gâtinier, dissimulés par la pénombre, ils parcourent la splendeur fanée d'Infraville, tournoient au-dessus des ruines et des immenses crevasses d'Ébouliville, voltigent entre les grands étais et piliers en bois de la forêt de Sanctaphrax, cet échafaudage tentaculaire qui empêche le rocher de toucher le sol.

Leur inspection terminée, ils rentrent à la bibliothèque et font le récit, étrange et inquiétant, de leurs observations : les boules de feu dans le ciel, les énormes créatures mutantes à Ébouliville, l'atmosphère qui semble, au fil des jours, devenir plus humide et plus oppressante.

Vox Verlix, maître des Ligues et Dignitaire suprême de Sanctaphrax (en principe, du moins), connaît l'atmosphère dans ses moindres détails. Il fut par le passé l'apprenti scrute-nuages le plus prometteur de sa génération. Tyran et génie à la fois, il arracha le pouvoir à Séraphin Pentephraxis, alors Dignitaire suprême de la Nouvelle Sanctaphrax, et s'appropria la grande chaîne de la haute fonction ; ce fut lui qui prit le contrôle de la puissante Ligue des marchands, lui qui supervisa la construction de la tour de la Nuit, de la Grand-Route du Bourbier, de la forêt de Sanctaphrax.

Pourtant, aujourd'hui, malgré ses titres prestigieux et ses réalisations exceptionnelles, Vox Verlix a perdu son autorité – conséquence de multiples trahisons. Orbix Xaxis a investi la tour de la Nuit, la mère Griffedemule a pris le contrôle de la Grand-Route du Bourbier, tandis que le général Banderille, épaulé par son armée de gobelins, mène Infraville d'une poigne de fer (même s'il se félicite de maintenir sur le trône un pantin sans pouvoir, qui lui permet d'écarter la menace des pies-grièches). Selon la rumeur, Vox Verlix est presque réduit à l'état de prisonnier dans le Palais des statues délabré ; alcoolique, faible et obèse.

Il est vrai que, la plupart du temps, Vox a l'esprit brouillé par la liqueur d'oubli que lui fournit continuellement sa gouvernante. Il a néanmoins des moments de lucidité. Des moments durant lesquels (bien qu'il ait du mal à se rappeler le moindre détail de la veille) les souvenirs de sa gloire ancienne lui reviennent à la mémoire, avec une netteté parfaite.

Et, pendant ces rêveries sur le passé, Vox élabore des plans pour l'avenir. Des plans compliqués. Des plans de vengeance. Car il a beau être seul et impuissant, Vox espère toujours prendre sa revanche sur ceux qu'il juge responsables de son malheur présent : les pies-grièches qui se pavanent et s'époumonent sur la Grand-Route du Bourbier, les gobelins qui défilent dans les rues d'Infraville, les sinistres gardiens de la Nuit toujours aux aguets du haut de leur tour.

C'est une époque étrange. L'air est si étouffant, si humide, si lourd de menace que chacun a l'impression d'être enfermé dans un chaudron bouillonnant prêt à déborder d'un instant à l'autre. Les esclaves dépérissent dans la chaleur suffocante. Les gardes se querellent. Les créatures qui peuplent Ébouliville et la forêt de Sanctaphrax sont d'humeur inquiète, imprévisible.

Il va se produire quelque chose. C'est certain. Mais quoi ?

Les rumeurs abondent. Les doutes augmentent. Les questions se multiplient, sans réponse. Que cherchent Orbix Xaxis et ses gardiens de la Nuit, lorsqu'ils se rasle visage flasque du dormeur s'inclinait vers la table, le médaillon s'enfonça dans le récipient.

Tout à coup, il y eut un ronflement volcanique, et le personnage avachi s'effondra. Son front percuta le bord de la table dans un bruit mat – et il se redressa comme un ressort. Devant lui, un sifflement, un crépitement, une odeur d'amandes grillées... et la chope explosa soudain.

Le personnage fut expulsé de son fauteuil. Il s'affala de tout son poids à l'autre bout de la pièce, se tordit une jambe et se cogna la tête sur le carrelage.

Loin au-dessus de lui, pareil à un écho déformé, un fracas de verre retentit, puis un vacarme assourdissant, au moment où un bloc lourd et dur trouait le dôme et atterrissait au milieu de la table circulaire, qu'il brisa en deux.

L'érudit se releva tant bien que mal, pris d'une toux rauque. L'air était chargé de poussière et de fumée. Ses tempes palpitaient, ses oreilles bourdonnaient et, partout où il regardait, il revoyait l'explosion, image tantôt rose, tantôt verte. Il toussa encore et encore, le corps entier secoué de convulsions.

Enfin la quinte se termina, et il chercha un mouchoir en soie d'araignée pour essuyer ses yeux larmoyants. Il constata que plusieurs vitres avaient été soufflées au-dessus de sa tête. À ses pieds, les éclats brillaient dans le clair de lune. Il fronça les sourcils en apercevant le bloc parmi les débris de verre et les échardes. C'était une tête en pierre, détachée d'une statue du toit, et le givre qui l'enveloppait fondait déjà, ruisselait sur le sol.

« De qui s'agit-il, cette fois ? se demanda l'érudit. Quel vénérable dignitaire a dégringolé ce soir ? »

Il s'accroupit, saisit la tête glissante à deux mains, la retourna... et un brusque pressentiment le suffoqua. Il tenait dans les mains son propre visage.

Minuit approchait, la pleine lune semblait jaunâtre et huileuse derrière la brume qui s'épaississait, pourtant l'air demeurait tiède et moite, même au sommet de la tour de la Nuit. Le Gardien suprême, Orbix Xaxis, s'avança sur la principale plate-forme supérieure, promena un regard inquiet autour de lui et se mit aussitôt à tripoter l'appareil métallique qui lui couvrait la bouche et le nez.

Dès que la gaze en soie d'araignée bouchait les orifices, la sueur inondait la figure d'Orbix et sa voix prenait des accents étouffés, grinçants, mais le masque avait le mérite de le protéger des germes néfastes de la nuit. Le Gardien suprême bloqua le dispositif de sûreté. Lorsque la Grande Tempête purificatrice arriverait enfin, pensa-t-il avec une satisfaction calme, l'air redeviendrait respirable, mais d'ici là...

– Les prisonniers choisis attendent votre ordre, maître, lança une grosse voix derrière lui.

Orbix se retourna et vit Mollus Leddix, le responsable de la cage. Sur ses talons, de robustes gobelins à tête plate encadraient deux jeunes bibliothécaires, au visage blême et tendu. L'un, les cheveux roux emmêlés par une entaille dans le sourcil, s'efforçait de rester droit, mais les muscles de sa mâchoire, crispés, trahissaient sa peur. L'autre, plus petit et légèrement voûté, gardait ses yeux bleu pâle fixés sur le sol. Ils avaient les bras ligotés dans le dos.

Orbix plaqua son masque devant le visage du plus petit et renifla longuement, profondément. Une larme perla sur les cils du bibliothécaire et roula sur sa joue.

– Très bien, déclara enfin Orbix. Mignon. Tendre... Capturés dans les égouts, je suppose ?

– Le premier, maître, confirma Leddix. Mais l'autre a été abattu au-dessus d'Infraville.

Orbix Xaxis claqua la langue, désapprobateur.

– Incorrigibles bibliothécaires, dit-il doucement. Ne comprendrez-vous jamais que nous sommes ici les maîtres, nous, les gardiens de la Nuit ? Mettez-les dans la cage ! commanda-t-il aux gobelins. Et retirez leurs bâillons. Je veux les entendre chanter.

Les têtes plates arrachèrent la corde nouée autour de la bouche des prisonniers, qu'ils traînèrent vers le bord de la plate-forme, où une lourde cage se balançait à l'extrémité d'une poulie surélevée. L'un des gardiens ouvrit la porte grillagée. Un autre poussa les captifs à l'intérieur. Le bibliothécaire aux cheveux roux se tint immobile, la tête haute. À côté de lui, son compagnon l'imita.

Orbix grogna. Tous les mêmes, ces jeunes bibliothécaires. Des efforts terribles pour être courageux, pour dissimuler leur terreur – jamais ils n'auraient imploré d'avoir la vie sauve. Une fureur glacée envahit le Gardien suprême. Ils n'allaient pas tarder à chanter !

– Descendez la cage ! ordonna-t-il.

Leddix lança un signal, et un gardien s'avança, déverrouilla la roue puis se mit à tourner la manivelle. La cage fit un écart et entama sa longue descente. Orbix Xaxis leva les bras, dressa le menton. La lune brilla sur son masque et ses verres teintés.

– Ainsi périssent tous ceux dont le vol sacrilège profane le grand ciel ! annonça-t-il de sa voix grinçante. Car nous, les gardiens, purifions les cieux en vue de cette nuit exceptionnelle. Salut à la Grande Tempête !

La plate-forme s'emplit de voix qui reprirent :

– Salut à la Grande Tempête ! Salut à la Grande Tempête !

Loin au-dessous des spectateurs, la cage continuait à descendre. Le long de la sombre tour anguleuse, du rocher rongé de Sanctaphrax et du vaste échafaudage construit pour le soutenir, puis en direction d'Ébouli-ville.

Les deux bibliothécaires prisonniers s'évertuaient à garder l'équilibre tout en observant les environs.

– Évite de regarder en bas, conseilla le rouquin.

– Je… je ne peux pas, répondit son compagnon. J'ai aperçu quelque chose là-bas dans le noir… qui guette…

Créée lorsque d'énormes blocs s'étaient détachés du rocher malade et avaient écrasé dans leur chute le quartier d'Infraville juste au-dessous, Ébouliville était un désert jonché de décombres. Le moindre édifice avait été détruit, la moindre rue éventrée, tandis que la puissance des ondes de choc avait creusé d'immenses gouffres dans le sol.

C'était dans l'un de ces abîmes que s'enfonçait la cage. Soudain, la descente s'interrompit. Les deux jeunes bibliothécaires percutèrent les barreaux alors que, là-haut, la voix du Gardien suprême résonnait.

– Venez, démons des profondeurs ! invita-t-il. Et débarrassez le ciel de ses profanateurs !

Il se tourna vers Leddix.

– Libère-les, siffla-t-il.

Leddix tendit le bras et actionna un gros levier en bois près de son épaule. La corde chuinta sur la roue de la poulie, puis il y eut un claquement étouffé. Loin en contrebas, le plancher de la cage s'ouvrit et, dans un cri d'effroi, les bibliothécaires tombèrent sur la pente raide et caillouteuse.

– Ah, ils commencent à chanter ! se félicita Orbix derrière son masque.

Il s'avança et scruta le gouffre. Il parvint à distinguer les jeunes condamnés qui glissaient et trébuchaient, dans leur tentative pour enrayer leur chute vers le fond de l'abîme.

Et, sortant des fissures et des crevasses alentour, dans une agitation confuse d'ailes battantes et de griffes alertes, se dessinaient les gigantesques formes sombres des créatures aux aguets.

Blêmes, les jeunes garçons lancèrent des hurlements perçants. Tel l'iris d'un œil monstrueux qui se contracte, les formes noires encerclèrent leurs victimes et les dérobèrent à la vue. Des profondeurs du gouffre monta un chœur assourdi de glapissements et de feulements, de bruits de chairs lacérées. Les hurlements cessèrent.

Orbix se détourna.

– Quelle chanson mélodieuse, murmura-t-il. Je ne m'en lasse pas.

– Maître ! s'exclama Leddix, montrant le ciel et tombant à genoux. Regardez !

Orbix fit volte-face : une boule de feu éclatante traversait la voûte céleste dans un flamboiement rouge sang. Elle passa au-dessus de lui avec une plainte sinistre, survola le Jardin de pierres et s'éloigna dans le ciel infini. Sans ciller, Orbix la regarda rapetisser – joyau du marais, tête d'épingle – puis disparaître.

Il retint son souffle.

Une seconde plus tard, il y eut une explosion lointaine et un éclair. La couche brumeuse parut s'épaissir, obscurcir la lueur jaune de la lune. Orbix se cramponna au levier en bois. L'atmosphère s'alourdit plus que jamais.

– C'est un signe, souffla le Gardien suprême. Regarde comme les nuages deviennent denses, combien l'air même qui nous entoure devient brûlant. Le ciel se prépare à l'arrivée de cette nuit miraculeuse.

– Salut à la Grande Tempête ! brailla Leddix.

Et les gardes reprirent de plus belle :

– Salut à la Grande Tempête ! Salut à la Grande Tempête !

Plusieurs étages au-dessous, dans son bureau, Xanth Filantin, assistant du Gardien suprême, quitta des yeux un rouleau d'écorce et frissonna. Une nouvelle cérémonie purificatrice devait avoir eu lieu – sans doute les deux bibliothécaires qu'il avait interrogés durant l'après-midi. Et dire qu'il avait expressément défendu à Leddix de disposer d'eux ! Xanth donna un coup de poing sur sa table. Cette sale limace du ciel l'avait court-circuité pour parler au Gardien suprême – et personne n'ignorait à quel point Orbix Xaxis aimait ces petits rituels…

Xanth s'approcha de la fenêtre à grandes enjambées pour regarder dehors.

– Salut à la Grande Tempête, murmura-t-il, amer.

Juché sur la selle du *Frelon de tempête*, Rémiz Gueulardeau se pencha et fronça les sourcils. Il se passait quelque chose au portail du Bourbier. D'ordinaire, à cette heure matinale, une demi-douzaine de pies-grièches au maximum montaient la garde. Aujourd'hui, elles étaient des centaines.

D'un geste habile, il baissa la voile voltigeuse et tira fortement la corde de la voile inférieure vers la droite, afin de descendre en piqué aussi près qu'il l'osait. Il comptait sur l'épaisse brume suffocante pour le dissimuler. En vol rasant, il longea les docks flottants. Puis il prit les deux poignées de commande dans une main et, de l'autre, colla sa longue-vue contre son œil.

– Par le ciel ! s'exclama-t-il.

D'interminables colonnes d'oiselles s'étiraient sur la Grand-Route du Bourbier. Présage plus sinistre encore, d'après leur équipement (plastrons brillants, casques de combat emplumés, multitude d'armes terribles), ce n'était pas une simple réunion de clans. Les pies-grièches semblaient se mobiliser pour la guerre.

Rémiz savait qu'il fallait rentrer à la bibliothèque annoncer la nouvelle. Ce serait ensuite au Bibliothécaire supérieur, Fortunat Lodd, de prescrire les meilleures mesures. Rémiz donna un coup sec sur la corde de la voile voltigeuse, imprima un demi-tour au *Frelon de tempête* et, toujours à basse altitude, repartit vers Infraville.

C'était bel et bien une étrange époque. Des rumeurs invérifiables circulaient : atrocités commises par les gobelins à Infraville, révolte d'esclaves réprimée dans la forêt de Sanctaphrax, créatures monstrueuses sorties du rocher malade. Et il y avait ce climat étrange. Comme tous les chevaliers bibliothécaires, Rémiz avait reçu la consigne d'observer l'atmosphère avec soin durant les patrouilles.

Mais que dire ? se demanda-t-il. Que l'aube était un petit peu plus chaude que la précédente ? Un petit peu plus humide, plus étouffante, plus oppressante ? Que l'épaisse barrière de nuages paraissait un petit peu plus basse dans le ciel et le soleil derrière elle un peu plus terne ? Certes, Rémiz pouvait confirmer tous ces détails. Mais après ? La cause de ces phénomènes demeurait un mystère. Rémiz savait simplement que le lever du soleil était devenu un spectacle fade ; les couleurs éblouissantes et les volutes nuageuses semblaient appartenir au passé.

Continuant sa pénible avancée dans l'air chaud et accablant, Rémiz décrivit des cercles près des hautes tours craquelées du Palais des statues, puis replongea vers la misère noire d'Infraville. Il remarqua les boutiques délabrées, les ateliers vétustes qui ouvraient leurs portes, les usines et les fonderies qui crachaient leur fumée, ainsi que, dans la moindre rue, les colonnes d'esclaves enchaînés que les gobelins conduisaient d'un quartier à l'autre : les équipes de jour remplaçaient les équipes de nuit.

– Pauvres créatures, chuchota Rémiz, l'estomac retourné.

Toute cette ville nauséabonde l'écœurait. Pourtant, alors qu'il filait, inaperçu, il ne nota rien d'exceptionnel dans la brutalité des gobelins. Et lorsqu'il atteignit l'enchevêtrement de poutres et de piliers qui formait la forêt de Sanctaphrax, il ne put déceler aucun signe de rébellion récente. Tout se déroulait comme à l'accoutumée : les esclaves trimaient et les gobelins les astreignaient à leur tâche éreintante, usant au hasard de violence impassible.

À l'écart du chantier, un calme sinistre enveloppait les lieux. Seul le léger grincement continuel du bois rompait le silence. Rémiz, mal à l'aise, voleta entre les échafaudages obscurs. Il n'avait jamais aimé cet endroit. Dès le début de sa construction, des foules de créatures déplaisantes avaient envahi la forêt : volées d'oisorats, colonies de fromps farouches, de kéçakos, de filelames...

Soudain, sur sa droite, il entendit un bruit de succion sonore. Il jeta un coup d'œil : sur une large poutre horizontale, un pourrivore nain était accroupi près d'un petit cocon en forme d'œuf. De son museau fouisseur, le charognard avait déjà percé un trou sur le côté et aspirait maintenant la soupe putride de sa victime, en état de décomposition totale.

La puanteur de la mort remplit l'air. Le pourrivore interrompit son repas et ses yeux luisants scrutèrent les ombres, soupçonneux. Rémiz passa discrètement son chemin.

Tandis qu'il perdait encore de l'altitude et se laissait porter par la brise légère au-dessus des eaux de l'Orée, il songea à la bibliothèque souterraine : comme il était heureux de se trouver dehors !

Après toutes ces années cloîtré dans les profondeurs sombres et suintantes des égouts, il avait une soif intarissable du monde extérieur. Il aimait tant la liberté, l'espace, le vent dans ses cheveux, le soleil sur son visage – et, chaque fois qu'il partait à l'assaut des hauteurs sur *Le Frelon de tempête*, il s'émerveillait de l'étendue prodigieuse du ciel qui l'entourait.

Il baissa les yeux et avala sa salive, inquiet. Ébouliville.

Rémiz embrassa du regard le décor désolé au-dessous de lui. Les débris, les ruines, les crevasses obscures

ouvertes dans le sol. Il frissonna. Partout, des ombres mouvantes se glissaient entre les rochers ; de curieuses lueurs brillantes ressemblaient à des yeux fixés sur lui, avidement écarquillés, jaugeurs. Il sentait l'esprit malfaisant de ce lieu l'accabler. Il tira sèchement sur les cordes des voiles et son esquif monta dans le ciel.

Il vola plus haut, dépassant le rocher de Sanctaphrax et la tour de la Nuit. Loin sur sa gauche, le Jardin de pierres apparut. Rémiz tendit la voile voltigeuse, fit virer *Le Frelon* de bord et se prépara pour la longue descente en piqué vers les empilements déchiquetés, à l'extrémité de la Falaise.

Alors qu'il laissait Ébouliville derrière lui, son cœur redevint léger. C'était si bon de retrouver les hauteurs du ciel, le monde entier déployé sous lui comme une vaste carte compliquée. Sa vraie place était ici, dans l'air immense. Pas enfermé sous terre, comme un rat tacheté.

Un bruit interrompit soudain ses pensées : un rugissement énorme, plaintif, qui se rapprochait à toute vitesse dans son dos. Une seconde plus tard, vacarme, chaleur et lumière se mêlèrent confusément. *Le Frelon de tempête* se cabra sous son pilote et tournoya. Rémiz ne voyait plus rien. Le vent sifflait autour de lui, le ballottait comme un fragment de parchemin. Une odeur âcre de soie d'araignée brûlée et d'amandes grillées lui emplit les narines.

– Que le ciel me sauve, murmura-t-il, et la bourrasque emporta ses paroles.

Le fragile esquif était parti dans une chute en vrille précipitée ; ensemble, *Le Frelon* et Rémiz fonçaient vers le sol à l'allure d'une roche de vol contaminée.

CHAPITRE 2

Ébouliville

ALORS QU'IL SE CRAMPONNAIT AVEC DÉTERMINATION, Rémiz lutta de toutes ses forces pour ralentir la plongée du *Frelon de tempête*. Il appuya sur les étriers, tenta désespérément de redresser la proue. Mais c'était en vain. L'esquif ne réagissait plus. Le sol, mosaïque de ravins et de rochers empilés, grossissait à vue d'œil.

La dernière pensée qui vint à Rémiz fut de détendre ses muscles en préparation au choc, comme il l'avait appris durant sa formation de pilote. Il lâcha le cou en bois sculpté, dégagea ses pieds des étriers, et sentit *Le Frelon de tempête* s'éloigner sous lui.

Pendant un instant, tout sembla défiler dans des traînées floues. L'air rugit, la lumière l'éblouit... puis ce fut le noir.

Rémiz ouvrit les yeux. Sa tête lui faisait mal, il avait un poids oppressant sur la poitrine et la bouche pleine d'une poussière infecte. Mais il était vivant.

Au-dessus de lui, les silhouettes chaotiques de rochers escarpés se découpaient sur le ciel grisâtre tels

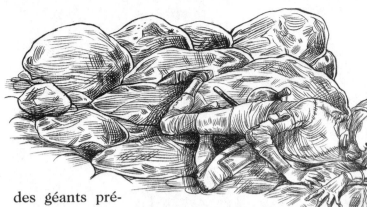

des géants pré-
occupés. « Où suis-je ? » se demanda
Rémiz. Où était *Le Frelon de tempête* ? Et
que s'était-il passé, au nom du ciel ? Il volti-
geait dans les hauteurs, et une seconde plus
tard...

Ébouliville !

Un frisson glacé le parcourut. Les vents perfides l'avaient ramené en arrière. Il se trouvait
maintenant au cœur de ce désert stérile, bâtiments en ruines et chutes de pierres gigantesques, territoire des goules, des paludicroques
et de monstres plus terribles encore. Loin dans le
ciel, un corbeau blanc esseulé qui fendait l'air
trouble lança un croassement rauque.

Rémiz savait que l'important était de ne pas
s'affoler. Il devait rester calme. Il devait se rappeler sa formation. Après tout, il était un chevalier
bibliothécaire, l'un des meilleurs compagnons de
Violetta Lodd. Il survivrait. Il fallait qu'il survive.
Violetta n'en attendrait pas moins de lui.

Première chose, vérifier qu'il n'était pas blessé.
Il tâta maladroitement sa tête, son cou, sa poitrine...
La pression sur ses côtes, découvrit-il, venait d'un
gros bloc qui gênait sa respiration. Rémiz grogna, le

saisit, le retira lentement et le déposa près de lui. Le bloc disparut dans le vide.

Rémiz se tourna, effaré : sous ses yeux, une cavité sombre et profonde apparut. Il était étendu à l'extrême bord d'un immense gouffre. Il entendit, loin en contrebas, le fracas du bloc qui dégringolait. Alors que celui-ci rebondissait de rocher en rocher, des chocs sourds résonnèrent – forts au début, puis de plus en plus bas. Du fond de l'abîme, un appel monta en réponse ; un cri plaintif, qui enfla, enfla, jusqu'au moment où l'air vibra de hurlements sinistres.

Inquiet, Rémiz se leva et s'écarta du ravin. La créature qui rôdait dans ces profondeurs infernales demeurait mystérieuse, mais il l'avait incontestablement réveillée. Les cris augmentèrent, et Rémiz crut entendre un bruit d'éboulis remués alors que la bête grimpait.

Il n'attendit pas de la voir surgir. Tournant les talons, il entreprit de se frayer un chemin parmi les amas rocheux, aussi vite qu'il l'osait. Sous ses pieds, les gravats traîtres roulaient, glissaient. L'air était chargé de poussière suffocante.

« Trouve un abri, chuchota une voix dans sa tête. Une cachette. »

Rémiz escalada le paysage de rochers pointus, s'égratignant les doigts et s'écorchant les jambes. De hautes montagnes de gravats se dressaient dans toutes les directions ; un désordre de voûtes fissurées, de murs écroulés, de colonnes inclinées, avec des poutres saillantes qui se détachaient sur le ciel sépia comme les côtes de créatures gigantesques.

Le vent, presque réduit à un courant d'air chaud, nauséabond, chuintait entre les rochers, telle une très vieille gobeline aspirant entre ses dents écartées. Le soleil était bas derrière la couche nuageuse, déjà le ciel s'assombrissait, pourtant l'atmosphère était plus brûlante que jamais. Rémiz épongea la sueur sur son front ; il peinait toujours pour respirer. Il avait mal à la tête et le moindre os de son corps souffrait du choc ; mais il n'osait pas s'arrêter, pas même un instant.

Les hurlements se rapprochaient, et la mystérieuse créature n'était plus seule, manifestement. D'autres bêtes l'avaient rejointe, dans un chœur de glapissements et de cris stridents. Il devait trouver une cachette, de toute urgence.

Quelques mètres devant lui, une voûte en ruine dépassait d'un éboulis. Au-dessous, Rémiz discerna une crevasse qui paraissait juste assez large pour qu'il puisse y ramper. Pourvu qu'elle ne soit pas déjà occupée ! Il vérifia son matériel : gourde, grappin, calepin, aérovermicide, couteau…

Les cris semblaient encore plus proches : lugubres, aigus, accompagnés par un étrange froufrou raboteux. Rémiz avala sa salive avec angoisse.

Il était traqué.

Tirant son couteau, il se dirigea vers la crevasse. Il s'accroupit, avança la tête dans l'entrée, aux aguets. Rien. Il huma l'air. Si l'endroit servait de refuge à une créature, les effluves rances de sa litière ou les relents de ses crottes seraient perceptibles. Rien non plus : seule l'odeur sèche et aigre de la roche effritée elle-même.

Derrière lui, les hurlements culminèrent, tourbillon discordant.

– Que la terre me garde et que le ciel me protège, murmura Rémiz, alors qu'il se faufilait dans la petite ouverture.

Elle était plus étroite qu'il ne l'avait cru et se resserrait à mesure qu'il avançait dans le boyau sombre et poussiéreux. Bientôt, il dut se mettre à plat ventre et ramper entre les grandes plaques rocheuses. L'épaisseur des fentes diminua, le jeune chevalier fut pressé de part et d'autre, presque

écrasé. Il arrachait de courtes respirations minuscules, il tremblait, suait, souffrait… Tout ce qu'il espérait, c'était qu'il parviendrait à ressortir. N'avait-il échappé aux créatures hurlantes que pour s'enfoncer dans sa propre tombe ? Mais il devait se placer hors de portée d'une griffe ou d'un tentacule explorateur.

– Encore un peu, s'encouragea-t-il. Encore…

Il ne pouvait pas aller plus loin. Devant lui, les gravats formaient une paroi compacte. Il se retourna tant bien que mal, se cogna le genou contre un rocher pointu. Sans prêter attention à la douleur aiguë, il tendit le bras et ramassa en hâte des poignées de poussière âcre, dont il imprégna ses vêtements, son visage et ses cheveux. La poudre colla aux gouttes de sueur, le couvrit de la tête aux pieds, masquant son odeur, selon ce qu'il avait appris – c'était du moins la théorie.

Tout à coup, à l'entrée de la crevasse, Rémiz entendit flairer, renifler. Il se figea. Le reniflement augmenta. Puis il y eut un grattement rude, et un bruit de débris qui tombaient. Quelque chose (museau, griffe, tentacule) cherchait à pénétrer dans l'ouverture, en quête de sa proie insaisissable. Rémiz se mordit nerveusement la lèvre inférieure.

Le grattement cessa. Le reniflement reprit – puis cessa, lui aussi. Rémiz entendit le froufrou raboteux tandis que la grosse bête mystérieuse repartait d'un pas lourd, hurlant de rage et de frustration, tout en allant fureter ailleurs. Une douzaine de créatures répondirent à son appel. Le froufrou raboteux s'atténua ; les hurlements diminuèrent. La traque sembla s'estomper dans le lointain.

Lorsqu'il fut certain que les prédateurs avaient quitté les lieux, Rémiz entama sa progression difficile vers la sortie. À proximité du but, il repoussa les rochers que les créatures avaient déplacés, puis il pointa le nez, couvert de poussière et tremblotant. Il chassa les particules âcres collées sur ses lèvres et aspira l'air du soir avec avidité. Puis il scruta les environs, prêt à replonger dans la crevasse à la moindre alerte.

Le sol oscilla légèrement ; les gravats bougèrent et un nouveau nuage poudreux s'éleva.

« Il faut que je me repère », pensa Rémiz avec détermination, alors qu'il se hissait sur ses pieds. Il devait s'en aller d'ici au plus vite.

Le rocher de Sanctaphrax se dessinait dans le ciel derrière lui et, à l'opposé, les tours lézardées des hauteurs nord d'Infraville apparaissaient tout juste. À sa droite et à sa gauche, des carcasses de bâtiments affleuraient dans les décombres telles des mains mutilées. Devant lui s'étendait un énorme amoncellement de blocs pierreux. Il était impossible de marcher. Il lui faudrait s'aider des mains pour escalader les rochers en équilibre précaire.

Rémiz connaissait la marche à suivre, bien sûr. Vérifier chaque prise avant de faire porter tout son poids. Et toujours y regarder à deux fois si sauter s'imposait.

Lorsqu'il atteignit le sommet du premier monticule de gravats, il ruisselait de sueur et haletait comme le rôdailleur d'une sœur fauchard après une longue patrouille. Il s'arrêta et se redressa. Il voyait toujours, devant lui, les tours des quartiers nord, mais il lui semblait que l'après-midi se terminait déjà. À un tel rythme, la perspective d'une nuit à Ébouliville s'annonçait bien réelle. Il avala sa salive avec angoisse.

Soudain, une énorme secousse le projeta à terre. Les gravats semblèrent bouillonner sous lui ; de gros nuages de poussière masquèrent le ciel, irritant ses yeux, emplissant sa bouche. Il se recroquevilla et attendit que l'agitation s'apaise.

Progressivement, les gravats se tassèrent, et le fracas des cailloux qui s'entrechoquaient se tut. La poussière épaisse restait en suspension dans l'air chaud et humide ; cependant, alors que Rémiz s'essuyait les yeux, elle aussi commença de se dissiper. Lorsqu'il fut certain que c'était fini, il se hissa une nouvelle fois sur ses jambes vacillantes et regarda autour de lui.

Les montagnes de gravats juste derrière lui s'étaient écroulées, révélant une série de poutres fendues, vestiges d'un édifice enseveli depuis des lustres. À côté d'elles, à demi découverte seulement, la statue d'un grand artisan d'Infraville (dont le souvenir s'était perdu) se dressait de travers, un bras, cassé au poignet, tendu vers le ciel. Et, au beau milieu, tel un énorme poing serré, trônait un bloc colossal. Rémiz leva les yeux vers l'imposant rocher de Sanctaphrax, étayé par sa forêt de poteaux, comme une gigantesque pomme de chêne malade.

Malgré les éternels travaux réalisés sur les échafaudages, des fragments rocheux tombaient sans cesse. La plupart étaient petits, insignifiants, mais, de temps en temps, un gros bloc se détachait et s'abattait sur Ébouliville.

Rémiz frissonna.

– C'est passé près, murmura-t-il. Trop près.

Il se tourna pour partir… et resta pétrifié. Il eut l'impression qu'un étau glacé lui broyait le cœur.

– Non, chuchota-t-il. Non, ce n'est pas possible.

Et pourtant si. Sur le sol, à moins de six foulées, gisait *Le Frelon de tempête* – ou ce qu'il en restait. Le mât noirci était cassé en deux. Il ne subsistait des voiles qu'un tortillon de corde et un pan de soie d'araignée carbonisée. Quant à la proue... Rémiz avança avec précaution sur le sol inégal et, s'accroupissant près de son esquif, tendit une main hésitante.

Ses doigts confirmèrent ce que ses yeux, espérait-il, avaient seulement imaginé. Le cou du *Frelon de tempête* était presque en deux morceaux. Au sommet du moignon, des échardes déchiquetées brillaient dans la lumière faible, tandis que la tête anguleuse, à peine retenue par quelques fibres, pendait en avant.

Une boule douloureuse se forma dans la gorge de Rémiz. Les voiles et les cordes auraient pu être remplacées ; le mât aussi. Mais le cou de l'esquif était brisé : Rémiz savait que son âme s'était enfuie. *Le Frelon de tempête* ne volerait plus jamais.

Rémiz s'agenouilla. Il souleva la tête en bois, la replaça délicatement et enlaça la proue. Les souvenirs des Clairières franches lui revinrent en foule : Brutécorce Duchêne, le troll maître sculpteur, qui l'avait aidé à trouver le frelon de tempête – son frelon de tempête – caché dans la bille de bois qu'il devait tailler ; le vernissage dans les Jardins de lumière ; l'art des voiles et des cordes. Il l'avait façonné peu à peu, avait appris à le piloter...

– Je... je t'ai sculpté, chuchota-t-il d'une voix entrecoupée. Je t'ai baptisé. Nous avons parcouru le ciel ensemble, toi et moi.

Il renifla.

– Adieu…

Il sentait un poids sur sa poitrine, comme si le rocher appuyait à nouveau dessus, l'oppressait et gênait sa respiration.

– Frelon de tempête…

Rémiz savait que l'esquif adoré était redevenu un simple morceau de bois. Son âme était morte. Le cœur gros, il se leva et reprit sa route.

Il ne se retourna pas.

Rémiz poursuivait lentement sa pénible progression. Se frayer un chemin parmi les gravats hérissés, inégaux, devenait de plus en plus difficile, et sa gorge ne tarda pas à être aussi sèche que le paysage rocheux qu'il traversait. De temps à autre, il rencontrait d'immenses cratères qu'il mettait une éternité à franchir. Il descendait d'abord dans la cuvette pleine d'échos puis remontait le versant opposé, avec l'espoir que, lorsqu'il atteindrait la crête, la distance avec les tours d'Infraville aurait diminué.

– Cette fois-ci, chuchota-t-il, curieusement rassuré par le son de sa voix alors qu'il gravissait la pente d'une très vaste dépression. Cette fois, elles paraîtront plus proches, c'est obligé…

Mais il fut de nouveau déçu. Les tours semblaient plus éloignées que jamais. Et, par-dessus le marché, les ombres s'épaississaient.

« Je dois garder mon calme, se rappela-t-il. Je peux réchapper d'une nuit à Ébouliville, à condition de respecter les consignes et de ne pas perdre la tête – si la terre et le ciel le veulent », pensa-t-il, inquiet, tandis qu'un cri

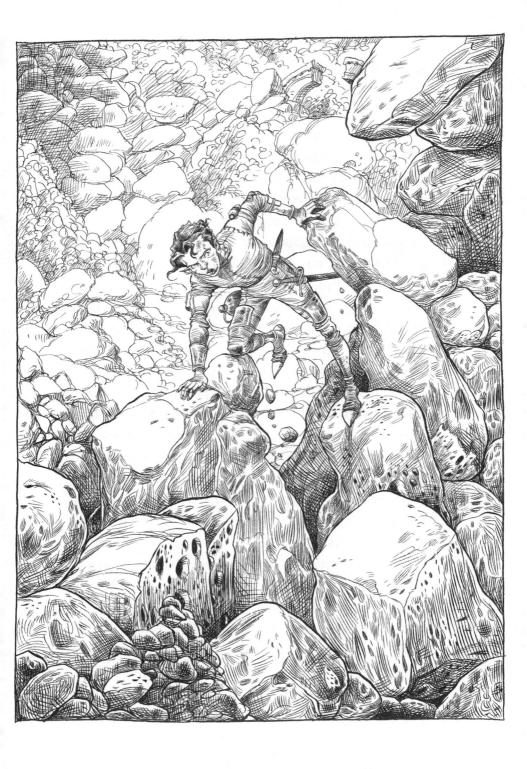

rauque résonnait dans le paysage désolé. Les créatures nocturnes s'éveillaient.

Il chercha sa gourde et porta le goulot à ses lèvres... avant de se souvenir qu'elle était vide.

– Idiot, murmura-t-il, replaçant le récipient.

Violetta serait désappointée qu'il n'ait pas réussi à ménager ses pauvres rations. Il secoua la tête avec tristesse. Il découvrirait peut-être un endroit où reconstituer sa réserve. Mais en attendant...

Il ramassa un caillou rond et lisse, le glissa dans sa bouche. La pierre aurait dû le faire saliver, attirer assez de liquide pour soulager sa gorge brûlante. Mais le truc ne fonctionna pas. Rémiz cracha le galet collant avec dégoût et, comme il se forçait à continuer sa route, le tourment de la soif ne le quitta plus, à présent qu'il n'avait aucun moyen de l'apaiser.

Il faisait si chaud. Si humide. Il passa doucement ses mains sur son front et suça la sueur au bout de ses doigts. Les gouttelettes salées lui donnèrent encore plus soif.

Bien sûr, malgré son apparence aride et poussiéreuse, Ébouliville renfermait de l'eau. Rémiz savait qu'il s'agissait simplement de la trouver. Les tuyaux sectionnés, les fontaines cassées en contenaient toujours ; les puits autour desquels, jadis, les Infravillois se rassemblaient pour s'approvisionner et bavarder, demeuraient reliés à la nappe phréatique. Rémiz devait chercher la mousse, l'herbe, les buissons rabougris dont les racines, qui s'enfonçaient dans les fissures entre les gravats, témoignaient de la présence de l'eau – chercher la végétation, donc, et les créatures d'Ébouliville qui avaient besoin de boire, elles aussi.

Alors qu'il cheminait, leurs cris et leurs appels résonnaient dans le crépuscule étouffant. Il longea une tour lézardée, dont le dôme autrefois magnifique manquait en partie, telle une succatille géante à moitié croquée. Sur sa gauche, du coin de l'œil, il perçut un mouvement, se tourna et vit quelque chose onduler dans les ombres. Il pressa le pas.

Il franchit des colonnes écroulées qui formaient des ponts provisoires, se glissa sous un viaduc délabré, aux deux étages plus ou moins effondrés, passa par la fenêtre inférieure d'une haute façade branlante, traversa un tapis d'ardoises déchiquetées – un ancien toit, aujourd'hui devenu un dangereux plancher. Un faux pas et ce serait la chute dans les crevasses qui s'ouvraient de part et d'autre. Rémiz savait que, en pareil cas, personne ne le retrouverait – ou seulement lorsque les charognards viendraient nettoyer ses os.

Les tours d'Infraville se dessinaient toujours devant lui, mais sans relief désormais dans la lumière déclinante. Malgré tous ses efforts, il avançait avec une lenteur désespérante. La moindre respiration lui coûtait ; la moindre enjambée représentait un risque. Haletant, il glissait et trébuchait, s'égratignait les doigts, se cognait les tibias. Et, à l'instant même où il pensait que la situation ne pouvait plus empirer, il remarqua quelque chose devant lui ; quelque chose qui lui rappela que, à Ébouliville, la situation pouvait toujours empirer.

La forme gisait sur un rocher plat : bleu vif, pelucheuse, écrasée. Il s'approcha avec précaution, les tempes envahies par une crainte paralysante. À son museau crochu et à ses doigts recourbés, Rémiz reconnut aussitôt la créature morte.

– Un minaki, souffla-t-il.

Il poussa du pied le corps desséché. Une fine poussière blanche coula de la bouche et des orbites vides. Rémiz détourna la tête, non sans remarquer la mousse gris-vert qui s'accrochait au rocher. Il devait y avoir de l'eau à proximité ! Peut-être que le minaki était venu boire… et avait péri dans l'aventure. Rémiz dégaina son épée et scruta les ombres.

Il entendit, sur sa gauche, un doux clapotis murmurant. De l'eau, de l'eau ruisselait. Un tuyau cassé, peut-être ; ou une petite source. Rémiz se laissa guider, les sens en feu, la tête prise de vertige ; la promesse de l'eau fraîche, désaltérante, le disputait à la nécessité de rester vigilant.

Il se hissa sur un bloc arrondi et trapu qui évoquait un hammel au pâturage. Le clapotis augmenta. À l'abri de deux rochers couverts de mousse, une petite source bouillonnait. Elle jaillissait et se répandait avant de pénétrer à nouveau dans la terre. Alentour, le sol boueux portait les empreintes de nombreuses créatures – prédateurs et proies. Rémiz venait de constater ce qui était arrivé au minaki. Il n'avait pas l'intention de subir le même sort.

Sans relâcher sa surveillance, il s'accroupit (l'épée dégainée à son côté), mit ses mains en coupe et les plongea dans le petit bassin ; encore, et encore…

L'eau ne lui avait jamais paru aussi bonne !

Sa soif enfin étanchée, Rémiz décrocha sa gourde et l'immergea dans l'eau limpide. Des bulles glougloutantes éclatèrent à la surface tandis que le récipient se remplissait, et Rémiz observa les environs avec nervosité, redoutant qu'une créature rôdeuse d'Ébouliville ait pu l'entendre.

N'y avait-il pas une lueur dans les ombres ? se demanda-t-il, le cœur battant la chamade. Et quelle était cette odeur ? Moite… Rance…

– Vite ! marmonna-t-il.

Il secoua la gourde, tâchant d'accélérer le remplissage. Un chapelet de bulles s'échappa, puis s'interrompit lorsque l'eau afflua. Rémiz remit le bouchon. Il s'apprêtait à rattacher la gourde à sa ceinture lorsqu'il entendit un bruit dans son dos. Un glissement furtif ; et l'odeur moite, rance, sembla augmenter.

L'épée à la main, Rémiz fit volte-face. Tout d'abord, il ne vit rien de fâcheux. Que des ombres et des rochers.

« Il n'y a rien, tenta-t-il de se rassurer. C'est juste mon imagination qui me joue des tours. »

Mais, à cet instant même, il comprit que non. Son regard tomba sur une lueur. C'était un tentacule : un tentacule suintant, translucide, qui se tortillait hors d'une crevasse noire et tâtait le rocher au-dessus. Et, alors que Rémiz regardait – horrifié, pétrifié –, un deuxième tentacule apparut. Ensemble, ils saisirent le rocher, vibrèrent et tirèrent. Un instant plus tard, un dos luisant, gélatineux, émergea de l'étroite crevasse. La créature se dégagea de la faille, comme de la graisse de tilde s'écoulant d'un tonneau fendu.

– Par la terre et le ciel ! s'exclama Rémiz en reculant.

Avec un bruit de succion gluant, la grosse bête gélatineuse finit de s'extirper de la fissure. Tremblotante et oscillante, elle retrouva une forme plus normale. Dans une prise de conscience brutale, Rémiz identifia le monstre. Les trois bosses oculaires frémissantes, la peau transparente et visqueuse sous laquelle battaient les veines, les tentacules explorateurs, le jabot du ventre, l'énorme corps frissonnant d'impatience…

– Une goule des éboulis, chuchota le jeune chevalier.

Ce simple nom suffisait à lui faire dresser les cheveux sur la tête. Il avait longuement étudié les descriptions des créatures dans les traités de la bibliothèque, descriptions qui lui avaient répugné, même sur le papier. Maintenant, face à la bête, il sentait la nausée l'envahir.

Avec des aspirations sonores, la goule rampa sur le rocher, ses trois yeux brillant dans la pénombre. Rémiz fit un nouveau pas en arrière. Arrivée au bord du rocher, la créature agita son jabot et, aussi légère qu'une plume, se

souleva. Elle palpitait en avançant, tel un soufflet (plié, déplié, plié, déplié), inspirant l'air humide, puis le rejetant, aussi brûlant et sec qu'une fournaise.

Rémiz recula encore. La créature se rapprocha. Elle était assoiffée, visiblement – mais les goules des éboulis étaient assoiffées en permanence. Néanmoins, les cours d'eau ne les intéressaient pas. Alors même qu'il se repliait discrètement vers la source babillante, Rémiz savait que celle-ci ne le sauverait pas. Car les goules s'abreuvaient aux corps vivants, déshydrataient leurs victimes jusqu'à la dernière goutte. Minakis, chevaliers bibliothécaires, peu leur importait.

Rémiz fit un nouveau pas incertain et son dos heurta la roche. Il ne pouvait plus reculer. Il était bloqué.

La goule se dressait devant lui, aspirant et sifflant. Elle avançait, tantôt pliée, tantôt dépliée. Pliée, dépliée. L'air autour de Rémiz devint plus chaud, plus sec ; l'odeur rance lui donna des haut-le-cœur.

Soudain, l'énorme créature palpitante s'inclina en arrière : un immense orifice, semblable à un diaphragme, apparut au milieu de son ventre tremblotant. Horrifié, Rémiz regarda l'orifice qui, lentement mais sûrement, commençait à s'ouvrir. Une foule de tentacules à ventouses rose vif se déployèrent et dansèrent dans l'air brûlant.

Les joues de Rémiz perdirent leur couleur. Que faire ?

Tel un bouquet de champignons vénéneux au cœur d'un terrain vague d'Infraville, les Cornets (qui abritaient le général Banderille et la troupe d'élite de ses gobelins-marteaux) luisaient dans le crépuscule. Les lampes étaient déjà allumées, dedans comme dehors. Une faible

lumière jaune, vacillante, brillait derrière les petites fenêtres des tours et des toits coniques ; les torches fixées aux murs et aux montants des sinistres portes du désespoir flamboyaient. L'âcreté de la graisse consumée se mêlait à la crasse des lieux – relents de moisi, miasmes, émanations malodorantes.

À l'intérieur, le bâtiment sombre comportait une vaste salle unique, dépouillée. Au centre brûlait un grand feu, alimenté par les bûches de nauséabois qu'affectionnaient les gobelins-marteaux. Les flammes dégageaient une chaleur intense ; la fumée, une odeur piquante. Au-dessus du foyer bouillonnaient une série de marmites que surveillaient des esclaves nabotons, enchaînés au sol. Sur les côtés, des escaliers conduisaient à des plates-formes successives, toutes fixées aux murs inclinés, mais sans cloisons pour délimiter des pièces. Le secret n'avait pas sa place dans les Cornets.

Les lieux fourmillaient. Il y avait des gobelins-marteaux partout : féroces et fielleux, haussant le ton, cherchant la bagarre. Même ceux qui dormaient dans les hamacs suspendus sous les poutres de la charpente ronflaient, grognaient, s'agitaient et juraient bruyamment dans leurs rêves.

Certains, en faction, gardaient les portes, les murs et les toits. D'autres étaient attablés dans les coins à pâtée ; d'autres encore, assis sur des bancs de bois, s'occupaient de leur équipement : ils rapiéçaient des accrocs dans leurs vestes, ressemelaient leurs bottes, nettoyaient leurs épées sanglantes et aiguisaient les dents pointues de leurs faux.

Alors qu'une nabotonne passait en hâte devant un de leurs groupes, serrant un pichet dans ses bras squelettiques, un individu tatoué, un anneau à la narine, tendit sa botte. La nabotonne s'étala de tout son long ; son visage heurta l'ignoble paille moisie, son pichet vola en éclats et le lait de hammel qu'il contenait se répandit.

– Lèche-le, sale esclave empotée ! gronda le gobelin-marteau.

Dehors, au moins une douzaine de spécimens massifs, vêtus de lourdes cuirasses et portant les cicatrices de nombreuses batailles impitoyables, s'entraînaient à la lutte, avec un tel acharnement qu'on aurait juré un combat réel.

Un bataillon de gardes qui rentraient, chargés d'armes confisquées, passa au milieu d'eux et gravit l'escalier vers l'armurerie débordante. Leurs voix victorieuses résonnèrent dans la salle.

– Ces rebuts d'Infraville comprendront qu'il ne faut pas nous embêter, grommela l'un d'eux. Ils s'imaginaient pouvoir fabriquer des armes en toute tranquillité, peut-être ? Juste sous notre nez !

Son voisin gloussa.

– Tu as entendu ce directeur d'usine hurler quand nous l'avons pendu ? dit-il. Des cris de vorisson qu'on égorge.

– Il a saigné comme un vorisson, d'ailleurs, ajouta un autre.

– Ces armes nous seront pourtant bien utiles, marmonna le premier gobelin, tapotant le gros bouquet de faux, d'épées, de masses et d'arbalètes que lui et ses compagnons transportaient. Selon la rumeur, un nouveau contingent arrive des Nations gobelines.

Plus bas dans l'escalier, deux gobelins grognèrent avec dédain.

– Les Nations gobelines ! s'exclama l'un des deux, avant de se racler la gorge et de cracher sur les marches.

– Des chiffes molles, tous autant qu'ils sont, renchérit l'autre. Installés dans des villages comme ces rebuts des Clairières franches, voilà !

Tout gobelin-marteau qui se respectait s'enorgueillissait de son indépendance : une arme à son flanc, un sac sur le dos, il était toujours prêt à réunir ses quelques affaires et à partir. En principe, du moins. Car depuis peu, certains renonçaient au nomadisme, pour s'établir à titre définitif dans les Nations gobelines : ils devenaient marchands, trappeurs… voire se lançaient dans l'agriculture !

– Le fouet du général Banderille ne tardera pas à leur remettre les idées en place, dit une voix en contrebas, et des acclamations moqueuses, impatientes, résonnèrent dans le bâtiment.

Le général Banderille lui-même ne savait pas que ses gardes avaient cité son nom. Il n'entendit pas les acclamations rauques, ni le martèlement de bottes spontané qui suivit. Perché sur la plate-forme en surplomb du premier niveau, il n'avait d'yeux et d'oreilles que pour son prisonnier.

– Tu vas parler, Touffic ! dit-il d'une voix bourrue et menaçante, tandis qu'il renversait la tête du tractotroll en arrière dans un geste brutal. Je te le garantis.

Du revers de son blouson de cuir, il sortit une épingle rouillée qu'il approcha du visage terrifié de sa victime.

– Mais... mais je ne... je ne sais rien, protesta le prisonnier, dont les chaînes s'entrechoquèrent. Rien du tout. Vraiment. Je suis à l'entière disposition de ceux qui emploient mes services...

– Taratata, désapprouva Banderille en secouant la tête.

Il effleura le nez bulbeux du tractotroll avec la pointe de l'épingle.

– Tu me déçois, Touffic.

Et il continua d'une voix plus dure :

– Je n'aime pas être déçu.

– Vous devez me croire ! implora le tractotroll.

– Lorsque tu commenceras à me dire la vérité, toute la vérité, Touffic, alors peut-être que je commencerai à te croire, répliqua le général.

Il se détourna pour inspecter trois petits pots alignés sur une table à tréteaux. Il en prit un au hasard, le déboucha et huma l'épais liquide orange au-dedans.

– Je me demande quels sont ses effets.

Les yeux écarquillés, le corps tremblant, Touffic regarda le général enfoncer l'épingle dans le pot, puis la retirer. Une goutte orange resta en suspens à la pointe.

– Donne-moi ton bras ! ordonna Banderille.

Touffic obéit, et la chaîne à son poignet cliqueta. Le général lui saisit le bras, enfonça l'épingle dans la chair et recula pour observer.

Presque immédiatement, Touffic sentit la minuscule piqûre devenir cuisante et regarda, impuissant, son bras se mettre à enfler.

– Intéressant, commenta le général. Excuse-moi, Touffic, je croyais t'avoir entendu affirmer que les pots contenaient des cosmétiques pour les sœurs fauchard. Un baume pour les plumes, disais-tu. Un vernis à bec. Une crème de beauté...

Il tâta le bras enflé.

– Pourtant, cette pommade semble agir comme... du poison.

Touffic grimaça.

– Je... je ne savais pas. Elle m'a dit que...

– Qui, elle ? tonna le général.

Sa voix furieuse couvrit le vacarme ; dans les niveaux supérieurs et au rez-de-chaussée, les gobelins-marteaux s'interrompirent et regardèrent autour d'eux.

– Je... je ne sais pas comment elle s'appelle, chuchota Touffic.

Sans un mot, le général attrapa le deuxième pot, en retira le bouchon et y plongea l'épingle. Cette fois-ci, lorsqu'il piqua la peau du tractotroll, une éruption rouge vif se produisit, monta vers l'épaule et descendit jusqu'au bout des doigts. Puis, sous les yeux du bourreau et de sa victime, l'immense plaque rouge devint une masse de petites pustules. Banderille enfonça une nouvelle fois l'épingle dans le pot et la brandit près du visage de Touffic.

— Esther, avoua celui-ci. Esther Prunelline.

— Je le savais ! s'écria le général, triomphant. Esther Prunelline...

Il savoura le nom.

— Esther Prunelline. La vieille sorcière qui soigne ce gros lard parasite, Vox Verlix.

Il se tourna pour héler un garde gobelin assis sur un banc de bois, occupé à durcir des flèches d'arbalète dans le feu :

— Je te dois un tonneau de grog des bois, Rotang. Il venait bel et bien du Palais des statues.

Le gobelin leva la tête et eut un sourire édenté.

— Ça oui ! lança-t-il en réponse.

Le général se retourna vers Touffic. Comme un rictus s'épanouissait sur sa figure tannée, une dentition incomplète, marron et irrégulière, apparut entre ses lèvres minces.

— Il me semble que nous avons trouvé un trésor, se réjouit-il.

— Mais je ne sais rien, croyez-moi. Je suis son esclave. Je dois exécuter ses ordres, bredouilla Touffic. Je devais livrer ces pots aux pies-grièches, comme je vous l'ai expliqué, puis rapporter une fiole en échange.

Banderille frémit.

— Les pies-grièches, marmonna-t-il. Un jour, je le jure, je leur tordrai leur cou décharné jusqu'à la dernière. Elles n'y couperont pas.

Il leva la tête, les yeux flamboyants.

— Une fiole de quoi ?

Touffic haussa les épaules.

– Vos gardes m'ont arrêté avant…

Le général cracha.

– C'est en rapport avec ce Vox Verlix, aucun doute, gronda-t-il. L'idée d'une nouvelle visite à ce gras du bide me chatouille depuis un moment.

Ses doigts caressèrent son couteau dans un sens et dans l'autre.

– Affaire en suspens, si je puis dire. Il est temps qu'il apprenne qui est le véritable maître d'Infraville. Ah ! conclut-il, sourcils froncés, je voudrais tant m'introduire dans son fichu palais truffé de pièges…

Il se tut, plongé dans ses pensées. Puis il considéra Touffic. Sa mine était sinistre, sa voix menaçante.

– Mais bien sûr ! s'exclama-t-il, un sourire malveillant jouant sur ses lèvres. L'esclave d'Esther Prunelline, dis-tu. Je suis certain que tu connais comme ta poche le palais de Vox ; l'emplacement de ces fameux pièges et la manière de les éviter. Par exemple, poursuivit Banderille avec un regard mauvais à l'infortuné tractotroll, la façon dont un gobelin qui voudrait rendre une visite discrète à notre prétendu Dignitaire suprême pourrait s'introduire dans sa chambre personnelle.

– Une visite discrète ? répéta Touffic. Une chambre personnelle ? Je… dit-il, tremblant. Je ne suis qu'un esclave de la cuisine.

Le général Banderille se détourna. Il prit le troisième pot et ôta le bouchon. Une odeur âcre, qui rappelait du sapichêne pourrissant et du musc de tilde, emplit l'air. Le tractotroll blêmit lorsque le général plongea l'épingle dans la potion. Ce dernier remua trois fois, puis revint vers le tractotroll et plaça l'épingle à quelques centimètres du nez bulbeux.

– Non, non ! hurla Touffic. Pas celle-ci ! Je vous en supplie ! Pitié ! Je vous dirai tout ! Tout !

Saisissant son épée, Rémiz lança des coups désespérés en direction de l'ignoble créature gélatineuse qui se dressait devant lui, tentacules frémissants autour de l'énorme bouche. Mais c'était inutile. Dans un sursaut inattendu de son jabot, la goule se jeta en avant et avala tout rond le jeune chevalier. Rémiz eut l'impression d'étouffer dans du goudron brûlant.

Il ne pouvait pas crier. Il pouvait à peine respirer. Il sentait les tentacules se coller à son visage, à ses bras, à ses jambes. Il se débattit, mais en vain. La bête lui arracha son épée. Bientôt, son cœur s'arrêterait et les ventouses commenceraient leur œuvre. Il serait déshydraté comme une carcasse de hammel pendante.

Il regarda, impuissant, à travers le corps translucide de la créature asphyxiante. Il distinguait tout juste les tours d'Infraville. Dans un violent accès de désespoir, il se dit qu'elles lui paraissaient plus lointaines que jamais...

Tout à coup, il y eut un sifflement, une secousse – et la bouche de la goule s'ouvrit soudain dans un spasme involontaire. Rémiz fut expulsé avec tant de violence qu'il se trouva projeté dans les gravats, près de la source. Un objet rond, en cuir, faillit lui cogner la tête lorsque la créature eut un nouveau hoquet et sembla se recroqueviller sur elle-même. Rémiz baissa les yeux. C'était sa gourde : vide maintenant, aussi sèche qu'un os.

À cet instant, la goule lança un hurlement effroyable et vira du carmin au vermillon, trois jets de vapeur sonores lui sifflant par les yeux. Son corps translucide bouillonna et cloqua, comme de l'eau en effervescence

dans un chaudron. La
goule, tordue de
convulsions, cracha
une fiole de verre,
qui vola en éclats
sur la roche à côté
de Rémiz.

– L'aérovermicide,
murmura Rémiz.

L'équipement de
tout chevalier
incluait obligatoire-
ment l'antidote à la mor-
sure de l'aérover, ce
terrible prédateur des
Grands Bois. Ici à Infraville, ils étaient peu fréquents,
mais la petite fiole de verre passait pour un porte-bonheur. Rémiz lui devait une fière chandelle. De toute évidence,
l'antidote qui empêchait l'horrible gonflement provoqué par
la morsure de l'aérover avait été fatal à la goule.

Dans un léger soupir, la créature s'effondra sur le
rocher. Les ultimes traces d'humidité s'évaporèrent. Il ne
resta qu'une fine membrane sèche et, au beau milieu,
l'épée de Rémiz.

Celui-ci se releva et s'approcha du rocher. Déjà l'air
moite changeait en poussière l'enveloppe de la goule.
Rémiz se pencha vers son épée, essuya la lame sur son
pantalon et rengaina son arme. Puis, alors qu'il se tournait pour partir, il aperçut quelque chose.

Il s'arrêta.

Ce n'était pas quelque chose, mais quelqu'un : une
silhouette qui se découpait sur le ciel juste devant lui.

Rémiz tomba à genoux. Il avait été traqué, il avait failli mourir de soif, il avait été gobé puis recraché, tout cela pour être maintenant acculé… Par qui ?

– J'abandonne, murmura-t-il. Je n'en peux plus…

Le personnage tendit la main.

– Violetta serait très déçue d'entendre un pareil discours, dit une voix bien connue.

CHAPITRE 3

Le palais enseveli

RÉMIZ EN CROYAIT À PEINE SES OREILLES. CETTE VOIX ! IL reconnaissait cette voix. De la main, il s'abrita les yeux et leva la tête vers la lumière. Il vit des cheveux blonds ébouriffés, un nez retroussé, des sourcils arqués au-dessus d'un regard bleu, pétillant…

– Félix ? demanda-t-il. Est-ce toi ? Est-ce vraiment toi ?

Le personnage s'avança. Rémiz hésita, puis saisit la main tendue : poigne ferme, chaleureuse, qui le hissa sur ses pieds. Là, devant lui, resplendissant sous un plastron en os blanchi et une tenue grise en peau de paludicroque, se dressait son vieil ami Félix Lodd.

Il avait de petits sacs en cuir et des lanières attachés à sa ceinture. Un couteau recourbé, aiguisé, pendait contre son flanc, à côté d'une robuste arbalète glissée dans un étui gris pâle. Dans la poussière cendrée d'Ébouliville, sa haute silhouette aux cheveux blonds, en tenue claire, avait un aspect fantomatique.

– Je dois ressembler à un spectre, rit Félix, comme s'il lisait dans les pensées de Rémiz. Mais je suis bien réel, mon vieux copain.

– Félix ! s'écria Rémiz, et il l'embrassa vivement. Je croyais que tu étais mort ! Nous le croyions tous. Même Violetta. Selon elle, personne ne peut survivre longtemps à Ébouliville…

– Navré de détromper ma sœur chérie et les savants bibliothécaires que vous êtes, dit Félix, tout sourire, mais il est bel et bien possible de survivre ici. À condition de ne pas s'attarder près d'un trou d'eau, à bavarder comme deux vieilles lavandières un jour de lessive.

Il lança un clin d'œil.

– Viens, Rémiz, dit-il, se tournant pour escalader avec aisance une montagne d'éboulis. Ce soir, je t'invite à dîner dans le palais enseveli !

Rémiz se démena derrière lui.

– Attends-moi, Félix, implora-t-il, haletant. Pas si vite !

La nuit tombait, les ombres et le crépuscule se mêlaient, pourtant Félix s'orientait avec adresse et assurance dans le paysage accidenté. Il gravissait les rochers, contournait les crevasses béantes et se frayait un chemin parmi les rocs et les éboulis inégaux, tel un minaki agile et solide.

Rémiz le suivait de près – d'aussi près que ses efforts trébuchants, malhabiles le lui permettaient. Chaque fois qu'il perdait trop de terrain, Félix se perchait sur un rocher ou s'adossait, nonchalant, à un pilier en ruines, souriait avec indulgence et attendait que son compagnon le rattrape. La progression était difficile pour Rémiz qui, ruisselant, poussiéreux et à bout de souffle, commençait à flancher.

– Nous sommes un certain nombre maintenant, expliqua Félix tandis que Rémiz, une nouvelle fois, le rejoignait. Nous ne courbons l'échine devant personne, ni les pies-grièches, ni les gardiens de la Nuit, ni les gobelins-marteaux. Nous avons choisi le nom de fantômes d'Ébouliville, termina-t-il en souriant.

– Je... je comprends pourquoi, dit Rémiz, s'efforçant de reprendre sa respiration. Mais que fais-tu, concrètement, dans ce lieu sans merci ?

Félix se tourna, repartit, grimpa sans aucun mal un éperon rocheux chaotique.

– Je chasse les paludicroques, rit-il. Entre autres.

– C'est-à-dire ? demanda Rémiz, le suivant avec peine.

Ils atteignirent une vaste étendue de blocs déchiquetés.

– Eh bien, reprit Félix, j'organise parfois des attaques avec d'autres fantômes, pour libérer ces pauvres esclaves de la forêt de Sanctaphrax. Nous les amenons à Infraville, où vous, bibliothécaires, les aidez à se rendre dans les Clairières franches. Pour mettre un peu de sel, il m'arrive de tendre une embuscade à une patrouille de gardiens ; le reste du temps, je chasse et je piège. Toutes sortes de créatures, des minakis sauvages dans les ruines d'Ébouliville jusqu'aux paludicroques dans les égouts.

Il s'interrompit et jeta un regard en arrière.

– Attention, Rémiz. Le passage à venir est dangereux.

Rémiz hocha la tête d'un air sombre. Il faisait de son mieux.

Ils empruntèrent un défilé obscur, jonché d'éboulis instables qu'il fallait traverser, de rochers impraticables qu'il fallait éviter, et arrivèrent enfin près d'un gros pilier cannelé, effondré sur le côté. Un tout petit peu plus loin, Rémiz vit une statue penchée, au bras (cassé au poignet) levé vers le ciel...

– Je reconnais cet endroit, laissa-t-il échapper d'une voix déçue. Nous sommes simplement revenus à mon point de départ.

Félix fit oui de la tête mais ne dit rien. Puis il s'avança et repoussa d'un coup d'épaule une dalle rocheuse : un tunnel resserré apparut.

– C'est par là, indiqua-t-il.

Rémiz suivit Félix dans le boyau obscur et attendit que son ami remette le rocher en place.

– Je vais ouvrir la route, chuchota Félix. Pose ta main sur mon épaule. Et ne fais pas de bruit.

Obéissant, le jeune bibliothécaire amorça des pas traînants derrière Félix. Le sol était bosselé, très pentu. Malgré le soutien de son ami, Rémiz redoutait de glisser et de piquer du nez. L'air devint plus frais, plus humide, et s'emplit d'une odeur âcre qui augmentait à chaque enjambée. S'il avait été seul, Rémiz aurait aussitôt rebroussé chemin, mais à présent qu'il était avec Félix, il avait, pour la première fois depuis son terrible accident, une impression de sécurité.

Il crut deviner sous ses pieds le bord d'une marche en pierre. Félix se déroba soudain. Les doigts de Rémiz s'agitèrent dans le vide.

– Doucement, dit la voix de son compagnon.

Et Rémiz sentit une main secourable. Il la saisit avec soulagement et descendit, précautionneux. Un peu plus bas, il y avait une deuxième marche, une troisième… Puis une longue volée, qui semblait s'enfoncer dans les éboulis. L'odeur s'accentua.

– Quelle est cette puanteur horrible ? chuchota Rémiz.

– Un perchoir d'oisorats, répondit tout bas Félix. Et c'est l'odeur la plus agréable d'Ébouli-ville, crois-moi.

Pendant que Félix parlait, Rémiz perçut des gazouillis grinçants loin au-dessus de sa tête et, lors-qu'il leva les yeux, il eut l'illusion que les rochers eux-mêmes remuaient. Il y avait des milliers de petites créatures. Il frissonna.

– Un abri serait médiocre sans per-choir d'oisorats, expliqua Félix dans le vacarme croissant (les volatiles donnaient l'alerte). Si un indésirable s'avise de nous rendre visite en cati-mini, les oisorats nous avertissent à la seconde.

Il fai-sait plus sombre

que jamais au pied de l'escalier, mais le sol devenu plat facilitait la marche. Les lieux évoquaient un ancien couloir. Félix accéléra. Rémiz, toujours accroché à lui, trotta dans son sillage.

– Nous y sommes presque, annonça Félix.

Quelques instants plus tard, ils arrivèrent devant une épaisse tenture de cuir, que Félix écarta pour révéler un linteau sculpté surmontant une embrasure. Rémiz glissa un regard à l'intérieur… et resta stupéfait.

Il se trouvait sur le seuil d'une vaste salle. Les yeux écarquillés, il entra à la suite de Félix. Malgré les murs sales et les poutres noircies, la splendeur originelle des lieux demeurait visible. Il y avait des piliers en marbre et des mosaïques au sol ; des lampes anciennes pendaient du haut plafond à moulures. Un riche personnage avait habité ici, manifestement ; peut-être un ligueur de premier plan, ou un marchand prospère. Toutefois, le contenu de la salle ne correspondait ni à l'un ni à l'autre.

Des peaux de paludicroques séchées, petites ou amples, couvraient tous les murs ; des rangées de grands crochets recourbés supportaient le matériel que Félix avait sans doute utilisé pour abattre les bêtes en question : épées incurvées, longs javelots minces, lourds filets garnis de poids sphériques. Dans un coin s'amoncelaient des défenses, des fourrures, des cornes et des crânes, empilés, suspendus ou rassemblés en tas. Dans l'angle opposé, une très vieille citerne sculptée occupait un renfoncement éclairé par une torche dansante. La cuve, pensa Rémiz, ressemblait aux fontaines de Sylvania que les trolls utilisaient pour leurs fêtes – mais celle-ci était en pierre, pas en bois. D'une fente dans le rocher coulait un ruban d'eau cristalline.

– Bienvenue dans le palais enseveli, lança Félix avec un geste large. Un petit palais sans prétention, mais je l'appelle ma maison, gloussa-t-il. Tu le sais bien, Rémiz : quand on a grandi dans les égouts d'Infraville, n'importe quel endroit au plafond étanche représente le summum du luxe !

Rémiz secoua la tête.

– C'est stupéfiant, murmura-t-il.

Félix frappa dans ses mains.

– Allons, au travail, mon vieil ami. Tu dois être affamé. Puise-moi une marmite d'eau à la citerne ; pendant ce temps, je m'occuperai du feu.

Rémiz obéit avec joie. Il plongea le grand récipient dans la citerne, le remplit presque à ras bord ; puis il le prit à deux mains, repartit en chancelant sur les dalles poussiéreuses, répandant de l'eau en route, et vint jusqu'à la cheminée, où d'énormes bûches avaient autrefois flambé.

Félix était à quatre pattes. Il avait préparé le bois à brûler (poutres, planches et meubles débités), dénoué l'un des sacs de cuir attachés à sa ceinture, et en disposait maintenant le contenu dans l'âtre. Il y avait un silex, un bout d'acier, de l'écorce de chêne en poudre et une pelote de laine d'amadou.

Sous les yeux de Rémiz, Félix tira quelques brins de laine orange, qu'il plaça sur une pierre plate. Il les saupoudra d'écorce de chêne. Puis, le silex dans une main, la petite barre métallique dans l'autre, il les entrechoqua. Une vive étincelle tomba et l'écorce de chêne devint incandescente. Félix se pencha, souffla doucement. D'abord, rien ne se produisit. Puis, dans un panache de fumée et un léger crépitement, la flamme jaillit.

– Le truc, c'est de l'intégrer sans déséquilibrer la pile, murmura-t-il en poussant la pierre.

Les flammes léchèrent les branches et les brindilles. Félix centra la pierre. Le bois s'embrasa.

– Bien, sourit-il. À présent, où est cette eau ?

– Voilà, dit Rémiz, et à eux deux, ils soulevèrent la marmite jusqu'au crochet central.

Alors que le feu rugissait (Rémiz, chargé de l'entretenir, ajoutait des bûches de la réserve contre le mur) et que l'eau commençait à bouillir, Félix réunit ses divers ingrédients et entreprit la confection du repas.

Il hacha, coupa et versa des poignées successives de légumes dans la marmite : racines et tubercules en dés, oignons des bois et ail du pin, feuilles tranchées de querchoux et vertécorces, touffes de la succulente cristepalustre qui poussait sur les berges marécageuses de l'Orée. Il écorcha et désossa trois petites créatures : un oiseau des neiges, un lézard des rochers ainsi qu'un animal qui avait tout l'air d'un rat tacheté ; il les découpa puis, après avoir rôti la chair dans les flammes, il les jeta aussi dans l'eau bouillonnante et compléta par une tasse d'avoinorge pour épaissir.

– La touche finale... murmura-t-il tandis qu'il dénouait un second sac à sa ceinture. Un petit assaisonnement.

Il ouvrit le lacet et plongea les doigts dans le sac.

– Des grains de poivre des bois, me semble-t-il. Quelques délises séchées, des feuilles de sauge des taillis...

Il fronça les sourcils.

– Et une pointe de tigelles...

– Oh non, pas de tigelles, dit Rémiz. Je les déteste, tu te souviens ? Vinaigrées, séchées, salées ; sous n'importe quelle forme, elles me dégoûtent.

– Moi, je les ai toujours adorées, rit Félix. Mais très bien, puisque c'est toi, pas de tigelles.

À l'aide du manche de son couteau, il écrasa sur une pierre les graines, les baies et les feuilles sélectionnées, puis jeta le tout dans le bouillon fumant. Une délicieuse senteur aromatique emplit aussitôt la pièce, parfuma l'air humide et fit saliver Rémiz.

Le front plissé, pensif, Félix explora d'autres sacs à sa ceinture. Rémiz le regardait, intrigué.

– Où est-il ? marmonnait son compagnon. Ah, le voici ! Un tire-bouchon ! s'écria-t-il en brandissant, dans un moulinet, l'ouvre-bouteille au manche en os. Rémiz, buvons un gobelet de liquorine ensemble, toi et moi, et portons un toast à nos retrouvailles !

Il saisit une bouteille dans une caisse rugueuse en ricanier, retira le bouchon et versa deux gobelets de liquide épais, sombre et ambré. Il en tendit un à Rémiz.

– Déguste-moi ça, dit-il.

Rémiz porta le verre à ses lèvres et but. Un sourire radieux illumina son visage alors que le liquide suave et fruité nappait sa langue et glissait dans sa gorge. Au bout d'une minute, une impression de chaleur rayonnante se répandit dans tout son corps. Il prit une deuxième gorgée et hocha la tête.

– Délicieuse, apprécia-t-il. La meilleure que j'aie jamais goûtée.

– Pas étonnant, répondit Félix. Elle était destinée au général Banderille. Qui ne boit que la meilleure liquorine, eh oui monsieur. Malheureusement pour lui, gloussa-t-il, un petit incident s'est produit sur les docks flottants il y a quelques semaines, et tout un envoi en partance pour les Cornets a disparu…

Il leva son verre et sourit à Rémiz.

– Au succès des fantômes d'Ébouliville !

– Aux fantômes d'Ébouliville, dit Rémiz, levant bien haut son propre gobelet, avant de le vider d'une traite.

Quelle joie de revoir son meilleur ami ! Une émotion bien connue lui serra le cœur lorsqu'il se remémora la Proclamation durant laquelle Félix avait appris qu'il ne deviendrait jamais chevalier bibliothécaire. Il s'était volatilisé aussitôt après la cérémonie, sans un mot.

– Ils souffrent de ton absence, tu sais, dit Rémiz avec douceur.

– Souffrent de mon absence ? répéta Félix, le regard fixé sur son gobelet.

– Ton père, dit Rémiz. Ta sœur, Violetta. N'as-tu jamais envisagé de revenir ? Ou, au moins, de nous informer que tu étais toujours vivant ?

Le visage de Félix s'assombrit.

– Bien sûr que si, Rémiz. Maintes fois, j'ai songé à retourner dans les égouts. Mais…

Sa voix se brisa et il avala bruyamment sa salive.

– Il faut que tu comprennes. J'étais le fils du Bibliothécaire supérieur, et pourtant je n'ai pas été désigné chevalier bibliothécaire ! J'ai déçu tout le monde. Mon père et Violetta. Mes tuteurs. Même toi, Rémiz…

– Non, protesta celui-ci. Tu ne m'as jamais déçu, Félix…

– Tu es un ami précieux, dit Félix. Tu as fait de ton mieux pour m'aider à réussir les examens, en veillant avec moi, soir après soir. Mais tu connais mes réactions face aux traités, rouleaux d'écorce et compagnie. Je n'avais pas l'étoffe d'un chevalier bibliothécaire, et j'avais trop honte pour l'accepter ; alors je me suis enfui. Et il a fallu que je m'en accommode.

Il haussa les épaules.

– Par ailleurs, j'adore vivre ici. C'est l'existence qui me convient : je ne suis plus enfermé dans une bibliothèque suintante, entouré de bouquins et de manuscrits moisis, décatis, et de professeurs encore plus moisis et décatis !

– Mais comment peut-on aimer Ébouliville ? demanda Rémiz. Cet endroit grouille de pourrivores et de goules.

Il frissonna.

– Et de monstres pires encore.

– Pires ? dit Félix, levant les yeux.

– Bien pires, confirma Rémiz. Je me suis écrasé près d'un gouffre immense au nord d'ici, et j'ai dérangé les créatures qui l'habitent. Je n'ai pas eu l'occasion de les apercevoir… mais à leur bruit, elles semblaient énormes, Félix. D'immenses griffes fouisseuses, des ailes raboteuses…

– Intéressant. Ce gouffre était-il juste au-dessous du grand rocher, près de l'endroit où les gardiens font descendre leurs cages ?

– Oui.

– C'est un triste lieu, Rémiz. En général, je l'évite.

Il se tut, rêveur.

– Mais les créatures dont tu me parles m'intriguent. Je voudrais bien quelques nouveaux trophées pour décorer ma maison.

Un sourire éclaira le visage de Rémiz.

– Tu es incorrigible, dit-il.

– Mais je ne m'ennuie jamais ! Bon, assez parlé de moi. Voyons où en est notre ragoût, et ensuite, Rémiz, tu me raconteras tes aventures. Je veux tout savoir ! En particulier comment un jeune chevalier admirable tel que toi s'est retrouvé à batailler avec une goule dans les profondeurs d'Ébouliville.

Pendant que Félix remuait le bouillon épaissi, Rémiz se resservit en liquorine. Il secoua la tête. Comment avait-il donc échoué ici ? L'épisode était si déroutant…

– Je me souviens que je patrouillais, dit-il. J'avais fini l'inspection d'Ébouliville et je me dirigeais vers le Jardin de pierres lorsqu'un projectile a dû heurter *Le Frelon de tempête* (mon esquif) et moi.

Félix quitta des yeux la marmite bouillonnante.

– Le harpon d'un gardien, peut-être, suggéra-t-il.

– J'étais trop loin de la tour de la Nuit, répondit Rémiz. Et c'était plus puissant qu'un harpon ; beaucoup plus puissant. Je volais dans les airs, voiles déployées, poids oscillants…

Le désir envieux de faire lui-même cette expérience brilla dans le regard de Félix alors qu'il remuait la tête. Rémiz fronça les sourcils.

– Et soudain, continua-t-il, du bruit. Un bruit assourdissant. Une chaleur extrême. Une lumière aveuglante. La puanteur de la soie d'araignée en feu… J'ai été projeté à travers ciel ; je me cramponnais toujours à la proue du *Frelon de tempête*, j'essayais désespérément de l'empêcher de décrocher…

Les yeux débordants de larmes, il regarda Félix.

– Nous nous sommes écrasés. Je…

Il baissa le menton.

– J'ai survécu, mais *Le Frelon de tempête*… Oh, Félix, je l'avais sculpté moi-même dans un bloc de gâtinier. Nous…

Félix s'écarta du feu et posa la main sur l'épaule de Rémiz.

– Allons, allons, mon vieux. Je comprends. Tu as reçu un don précieux, le don de voler. Puis tu en as été dépossédé. C'est le sentiment que j'ai éprouvé lors de la Proclamation, il y a si longtemps…

À cet instant retentirent un croassement sonore, un froufrou d'ailes battantes, et un oiseau blanc aux yeux étincelants, à la patte abîmée, piqua du haut des marches et atterrit sur l'épaule de Félix. Il considéra Rémiz avec méfiance.

– Est-ce un corbeau blanc ? demanda celui-ci. Je croyais qu'ils avaient tous quitté pour de bon le Jardin de pierres.

– Tous, excepté Gaharn que voici, répondit Félix, chatouillant la gorge du volatile au bec acéré. Il a eu un petit accident quand ses camarades sont partis. Je l'ai trouvé sur le sol, à peine plus gros qu'un oisillon ; assoiffé, affamé, la patte immobilisée sous une lourde pierre. Je l'ai soigné jusqu'à ce qu'il reprenne des forces ; depuis, il m'est fidèle, hein, Gaharn ?

– Kouark ! cria l'oiseau. Félix Gaharn amis.

Rémiz sursauta.

– Il sait parler ! s'étonna-t-il.

– C'est moi qui lui ai appris, répondit Félix. Je ne suis sans doute pas capable de voler comme toi, Rémiz, mais Gaharn est ma paire d'yeux aériens. Il voit tout et me fait le compte-rendu de ses découvertes… En réalité, poursuivit-il après un silence, je suis sorti à la recherche d'un jeune chevalier bibliothécaire que Gaharn avait vu tomber sur Ébouliville.

– Voilà comment tu as su où j'étais !

Félix approuva de la tête.

– Mais je ne savais pas que c'était toi, Rémiz, mon vieil ami.

– Ami ! Ami ! croassa le corbeau blanc.

Félix revint vers la marmite bouillonnante et remua le ragoût avec une longue louche en bois. Il préleva un morceau de viande, en mastiqua la moitié et donna le reste à Gaharn.

– Je crois que c'est prêt, annonça-t-il.

– Prêt ! confirma Gaharn.

– As-tu faim, Rémiz ? demanda Félix.

– Faim ? répliqua Rémiz. Je pourrais dévorer un tilde !

Félix éclata de rire.

– Moi aussi, dit-il d'un ton mélancolique. Mais je crains qu'il faille nous contenter d'oiseau des neiges, de lézard des rochers et...

– Ce sera parfait, l'interrompit Rémiz.

Le ragoût avait un délicieux parfum. Et s'il contenait du rat tacheté, Rémiz préférait l'ignorer.

Dans les profondeurs d'Infraville, le doux clapotis irrégulier de l'eau et le murmure étouffé des voix emplissaient les tunnels des égouts. En cette fin de journée, les professeurs et les sous-bibliothécaires s'activaient.

Sur le pont en ricanier, Fortunat Lodd discutait ferme avec Spiritix Mirax. Un attroupement de pilotes plaisantaient ensemble tandis qu'ils amarraient leurs radeaux. Au sommet d'un portique en surplomb, deux gardes se relayaient. Sur les lutrins flottants rattachés par bouquets au lourd pont en noirier, les érudits bibliothécaires terminaient leur travail ardu : ils apportaient les dernières touches à leurs manuscrits, rebouchaient leurs encriers, demandaient aux tourne-chaînes de les ramener à terre.

– Dépêche-toi, là en bas ! lança une voix irritée. J'ai un rendez-vous important avec le professeur de Lumière.

– J'arrive, monsieur, répondit un tractotroll aux grandes oreilles tandis qu'il se hâtait sur le pont, saisissait la manivelle du treuil et se mettait à tourner. Sans délai, monsieur. Désolé, monsieur...

À l'extérieur de la grande salle de lecture pluviale, où les poêles à bois et les hélices à vent asséchaient l'air, l'humidité des tunnels et des pièces périphériques était plus prononcée que d'habitude. La chaleur intense qui régnait à Infraville semblait s'être infiltrée dans les égouts, devenus moites, collants, très déplaisants. Hormis les rats tachetés frétillants qui paraissaient apprécier les températures élevées, les habitants des égouts (du plus humble brique-lutrin aux professeurs de Lumière et d'Obscurité eux-mêmes) trouvaient l'atmosphère de plus en plus oppressante.

Non loin du tunnel central, deux jeunes chevaliers bibliothécaires regagnaient leurs chambres. Ils s'effondrèrent en chœur dans leurs hamacs.

– Il fait si chaud, dit l'un.

– Tu peux le dire, Pépin, répliqua son compagnon. Et ces lampes à huile n'arrangent rien.

Il agita une main molle devant son visage.

– Brûlantes, nauséabondes, fumantes ; et elles créent plus d'ombre qu'elles n'en dissipent, j'en suis convaincu...

Plus loin dans le tunnel, une ouverture cintrée conduisait à une longue chambre voûtée. L'air y était plus lourd et plus brûlant qu'ailleurs ; s'y mêlait une odeur musquée de fourrure tiède. Un rat tacheté s'avança hardiment sur le sol en pierre humide, sans même chercher à se cacher, comme s'il savait que les occupants de la pièce ne représentaient aucune menace. Il renifla les griffes d'une grosse patte poilue, remua les moustaches et enfonça deux incisives jaunes dans la chair. Des gouttes de sang coulèrent dans sa bouche avide.

– *Ouaou !* grogna sa victime, moins par douleur que par surprise, et elle donna un coup de patte sans conviction.

C'était un ours bandar, énorme mâle dont l'épaisse cicatrice à l'épaule transparaissait sous la fourrure grasse et emmêlée – l'un des quatre ours pelotonnés dans un coin de la pièce. Il donna un nouveau coup de patte, plus violent cette fois, et le rat tacheté s'éloigna de mauvaise grâce.

– *Ouarra ouolla ouira-ouir*, gémit-il.

« Maintenant, la vermine boit ma sève de vie. Mon existence ici est bien sombre. »

Sa voisine, une vieille ourse décharnée, le nettoya gentiment : elle peigna les tiques dissimulées dans les replis de peau et les écrasa entre ses dents.

– *Ouaou-ouaou-ouarrouma*, chuchota-t-elle.

« Patience. Bientôt la pleine lune remplira de nouveau tes yeux. »

– *Ouaou ?* grogna la troisième ourse, qui frissonna. *Ouira-ouor-iouraloa…*

« Mais quand ?…. »

La quatrième hocha la tête et ses étranges zébrures faciales brillèrent dans la lumière jaune.

– *Ouarra*, dit-elle, tremblante. *Ourrel-lourragoul-iouraloa* ?

« Tes paroles sont vraies. Si celui qui a reçu la flèche-poison est tombé, que deviendrons-nous ? »

À cet instant, la tenture de la porte claqua et une jeune bibliothécaire fit irruption, les joues luisantes de larmes, les yeux rougis.

– Dites-moi que ce n'est pas vrai ! implora Magda Burlix.

Les ours bandars la regardèrent.

– Par pitié, dit-elle. Pas Rémiz. Ce n'est pas possible.

Ouaoumi, l'ourse qui avait sympathisé avec Rémiz pendant le voyage d'études du chevalier, se hissa sur ses pattes et s'approcha de Magda.

– *Ouaou-ouaou-ouirala. Iouraloa. Ouarra-ouaou*, dit-elle doucement.

La jeune fille baissa la tête. Elle connaissait assez le langage des ours bandars pour comprendre Ouaoumi. Les dires de l'ourse confirmaient ce que Magda avait entendu au cours de l'échange entre le Bibliothécaire supérieur et Spiritix Mirax.

On avait vu un jeune chevalier perdre le contrôle de son esquif pendant qu'il patrouillait. Il était tombé à pic vers le sol. Désormais, Rémiz était officiellement porté disparu.

Magda secoua la tête et s'essuya les yeux.

– Je… je ne peux pas le croire, sanglota-t-elle. Je lui ai parlé encore hier au soir. Dans le réfectoire. Il est notre meilleur pilote. Jamais il ne perdrait le contrôle du *Frelon de tempête*… Il…

De ses grandes pattes velues, Ouaoumi entoura la jeune fille en pleurs et l'étreignit chaleureusement.

– *Ouaou-ouira-loual*, dit-elle.

« Nos cœurs aussi sont lourds. »

– Oh, Rémiz, murmura Magda, d'une voix étouffée par l'épaisse fourrure. Rémiz…

Derrière elle, la tenture claqua une deuxième fois. Magda pivota : Violetta Lodd se tenait dans l'embrasure, la mine sombre.

– Je vois que tu connais la nouvelle, dit-elle, secouant la tête avec tristesse. Je plaçais tant d'espérance en Rémiz, mon meilleur élève. C'est une perte terrible.

Magda se libéra de l'étreinte de Ouaoumi.

– Vous parlez comme s'il était mort, dit-elle. Vous l'avez porté disparu, Violetta ; disparu à Ébouliville. Pas mort.

Violetta s'avança dans la pièce et posa la main sur l'épaule de Magda.

– Crois-moi, je sais combien il est difficile de perdre un camarade ; un compagnon chevalier bibliothécaire… Des témoins l'ont vu s'efforcer de reprendre le contrôle du *Frelon de tempête*, qui tombait à pic vers le sol.

– Mais personne ne l'a vu s'écraser, insista Magda. Nous ne savons pas s'il est mort.

Violetta se détourna.

– J'espère simplement qu'il n'a pas survécu à l'accident, dit-elle d'une voix douce. Car des trépas bien plus horribles attendent un chevalier bibliothécaire à Ébouliville.

– Non ! Non ! Non ! hurla Magda, qui se boucha les oreilles et courut vers la sortie. Je n'y crois pas. Il n'est pas mort ! Impossible ! Si vous avez abandonné tout espoir de le revoir, je n'ai pas renoncé, moi !

Rémiz ouvrit un œil et regarda autour de lui. Pendant une minute, la salle somptueuse dans laquelle il se trouvait ne lui évoqua rien. Il était couché sur une épaisse paillasse, recouvert par une peau de tilde. Au-dessus de lui, c'étaient d'élégants piliers cannelés, des lampes à huile décorées, un plafond dont les moulures brillaient dans la lumière dansante. Il entendit, quelque part sur la gauche, le ronflement léger d'un dormeur qui se retournait dans son sommeil... et tout lui revint à la mémoire.

Il avait veillé tard dans la nuit, pour bavarder avec son vieil ami Félix et lui raconter ses aventures sur la Grand-Route du Bourbier, dans les Clairières franches, dans l'espace aérien d'Infraville. Il regarda la silhouette près du feu mourant.

Félix continuait à dormir, la respiration rauque et basse, un petit sourire que Rémiz connaissait bien jouant sur ses lèvres. Félix avait toujours fait des rêves merveilleux. Perché près de sa tête au coin de la paillasse, Gaharn avait le bec caché sous l'aile. Rémiz décida de ne pas les réveiller. Il aurait bien voulu retrouver le sommeil, mais il savait qu'il n'y arriverait pas. Il se sentait déjà déprimé à l'idée de ce qui l'attendait.

Ils avaient tout planifié la veille, devant leurs bols de ragoût fumant. La perspective de quitter si vite Félix après leurs retrouvailles peinait Rémiz, mais il n'en demeurait pas moins un chevalier. Il devait rentrer à la Grande Bibliothèque et faire un compte-rendu de tous les événements. Car, pour se tenir informés de la vie en surface, les bibliothécaires dépendaient de leurs jeunes chevaliers. Rémiz savait que, si Félix l'aidait à regagner Infraville, lui-même pourrait dénicher un tuyau ou une évacuation à ciel ouvert, bref une entrée qui le ramènerait dans les égouts.

– Je connais comme ma poche l'immense réseau de canalisations souterraines, avait dit Rémiz.

– Je n'en doute pas une seconde, mais j'aurai le cœur gros de te voir partir, avait répondu Félix avec tristesse. Enfin, si c'est nécessaire… Je peux te guider dans Ébouliville ; tu oublies néanmoins une chose, Rémiz.

– Quoi donc ?

– La rivière, l'Orée, avait répondu Félix d'un ton lugubre. À supposer que le mot « rivière » puisse décrire ce magma infect. Il faudra la traverser à la nage, car les égouts sont infranchissables entre Ébouliville et Infraville. J'ai eu à le faire moi-même… Je ne t'envie pas, Rémiz, avait-il ajouté avec un frisson. Je ne t'envie vraiment pas.

Rémiz repoussa sans bruit la pesante couverture, se mit debout et s'étira. Après la liquorine de la soirée, il avait la bouche sèche et pâteuse. Il s'avança donc sur le sol carrelé jusqu'à la citerne ruisselante, où l'eau limpide et fraîche lui permit d'étancher sa soif. Derrière lui, Félix murmura de douces paroles indistinctes ; Gaharn ébouriffa ses plumes ; mais ils continuèrent à dormir.

Rémiz s'aspergea le visage. Puis, prenant soin de rester discret, il commença l'exploration des lieux.

Même si elle était désormais une cave, Rémiz savait bien que la pièce luxueuse avait autrefois occupé l'étage supérieur d'un magnifique bâtiment. Les fenêtres, aujourd'hui obstruées par des rocs et des débris, devaient offrir des vues splendides sur Infraville – avant que la roche malade de Sanctaphrax ne recouvre de gravats la moindre surface. Le plafond élevé, richement décoré de boucliers des ligues et de créatures dans des attitudes variées, donnait sans doute des indications sur les anciens habitants de l'édifice, mais sa hauteur empêchait Rémiz de l'inspecter en détail. Une certitude : outre l'ensevelissement, la construction avait subi un incendie terrible.

Les poutres sculptées étaient carbonisées, le carrelage craquelé, tandis que les murs, constata Rémiz, étaient noircis par la fumée. Seules les tentures en peau de paludicroque masquaient les effets les plus dévastateurs des flammes.

Rémiz s'approcha du mur, qu'il caressa de la main. Des particules de suie se collèrent au bout de ses doigts, et il les essuya sur la tenture à sa droite.

Dans l'opération, il déplaça la peau grise et spongieuse… et remarqua quelque chose sur le mur derrière elle. Il regarda de plus près et distingua la forme peinte, estompée mais caractéristique, d'un tricorne de capitaine pirate. Intrigué, il tira un mouchoir de sa poche et enleva précautionneusement la couche de suie grasse.

Au-dessous du tricorne, il y avait un visage : noble, encadré par une barbe lustrée et des favoris recourbés. Fasciné, Rémiz poursuivit son travail. Un manteau ornementé apparut. Étaient-ce des perles des marais cousues dans le col ? Des joyaux du bourbier sertis dans le fourreau de l'épée ? Des initiales, brodées dans l'ourlet du vêtement ?

Rémiz tapota la suie, soucieux de ne pas abîmer la peinture écaillée au-dessous.

– C. V., murmura-t-il.

Sa curiosité piquée au vif, Rémiz ôta la grande peau de paludicroque et la mit de côté avant de persévérer. Il découvrit bientôt que le fier pirate du ciel figurait à l'extrémité d'un portrait de famille. Son épouse se dressait à sa gauche, grande, élégante. Puis venaient six jeunes garçons, de différentes tailles mais aux visages très semblables, leurs regards intenses braqués sur l'artiste qui les avait peints – braqués sur Rémiz.

Celui-ci entreprit d'enlever la moindre trace de suie cachant leurs tenues. Ils portaient de curieux gilets démodés, des culottes bouffantes, de hautes chaussures à boucle. Et Rémiz vit qu'ils se tenaient sur un sol carrelé – le carrelage même sur lequel il était agenouillé. Il révéla l'ensemble, petit à petit, jusqu'au moment où...

– Qu'est-ce donc ? murmura-t-il lorsqu'une volute se dessina juste au-dessous des pieds du pirate.

Osant à peine respirer, Rémiz la dégagea. La peinture était sombre (presque autant que la suie qui la dissimulait), mais à l'intérieur du cadre spiralé, il y avait des lettres d'or. Rémiz les révéla l'une après l'autre.

Chacal des vents.

Le Chacal des vents. Ainsi s'appelait cet aventurier prospère qui s'était fait construire un si beau palais dans l'un des anciens quartiers chic de la vieille Infraville. Qu'était-il donc devenu ? se demanda Rémiz.

En quête d'autres indices, il se remit à la tâche. Des volutes identiques, telles des plaques, étaient peintes au-dessous de chaque personnage. L'épouse et mère se prénommait Hirmina. Les garçons, Lucius, Centix, Murix, Pellius, Martilius et Quintinius, le benjamin. Plus bas encore, à la manière d'un ruban flottant dans la brise, une volute précisait qu'il s'agissait de la *famille Orlis Verginix*.

Quel bonheur ç'avait dû être d'appartenir à cette famille, songea Rémiz, d'avoir des frères avec qui jouer, de grandir dans le fourmillement affairé de la vieille Infraville, sans subir la tyrannie de gobelins ou de gardiens. Son regard s'attarda sur le portrait du plus jeune fils. Ces yeux sombres, ce menton franc avaient un air singulièrement familier.

– J'aurais aimé te connaître, susurra-t-il, rêveur.

Il leva le bras et se lança dans le nettoyage du reste du mur. Maintenant qu'il avait commencé, il ne serait satisfait qu'une fois la merveilleuse fresque entièrement visible.

La coupe de la vaste pièce familiale était surmontée par le toit du magnifique édifice qui l'abritait : déploiement de flèches torsadées, de minarets renflés. Dans le voisinage se dressaient d'autres constructions majestueuses : tours et clochers, palais et hôtels particuliers formaient un imposant décor sur les berges de l'Orée. Au bec d'un oisoveille, une volute donnait le nom du quartier : *Quais ouest* – les quais de jadis, avant les chutes de pierres.

Rémiz examina de nouveau le sommet du toit. Du flanc d'un minaret partait... une longue chaîne ascendante, révéla la suite du décapage. Une série de maillons apparut à mesure que Rémiz frottait, jusqu'au moment où il ne put s'étirer davantage. Il interrompit sa tâche pour attraper un tabouret à proximité, sur lequel il grimpa. Il reprit son décrassage impatient et retint une exclamation : sous ses yeux, tandis que la saleté s'en allait, se dessinait la plus remarquable des peintures.

C'était la reproduction complexe, détaillée, d'un navire pirate du ciel, au degré de précision étonnant. Rémiz discernait le moindre verrou, le moindre levier, le moindre nœud des moindres cordages qui formaient le gréement entrecroisé de la coque. Les voiles se gonflaient. Le mât étincelait. La plaque de cuivre, au nom du *Cavalier de la tourmente*, brillait sous le soleil. Et Rémiz contempla, mélancolique, la roche de vol...

Une telle navigation aérienne redeviendrait-elle un jour possible sur la Falaise ? se demanda-t-il.

– Kouaaark !

Le cri puissant résonna dans la pièce.

– Aïe aïe aïe ! s'exclama Rémiz alors que ses jambes vacillaient et que le tabouret s'inclinait.

– Six heures ! Six heures ! cria Gaharn.

Boum !

– Au nom du ciel... dit une voix perplexe à l'autre bout de la pièce. Rémiz ? Qu'est-ce que tu fabriques ?

Le jeune chevalier se releva, frotta sa tête endolorie et redressa le tabouret. Félix accourut vers lui – puis s'immobilisa, la tête levée vers le mur.

– Ça alors ! dit-il. Je n'ai jamais pensé à faire le grand ménage.

– Elle est belle, non ? dit Rémiz, reculant pour admirer la peinture murale. La suie et la crasse la dissimulaient. Regarde les inscriptions, Félix. Fascinantes. Nous nous trouvons dans ce qui fut le palais d'un capitaine pirate nommé Orlis Verginix, alias le Chacal des vents. Voici son épouse. Et ses fils...

– Oui, oui, l'interrompit Félix. L'histoire ne m'a jamais passionné. Des affaires tellement lointaines, tu comprends. Moi, ce qui m'intéresse, c'est ici et maintenant, pas le passé.

– Mais le passé nous imprègne, nous façonne, objecta Rémiz. Regarde, ajouta-t-il, montrant la vaste pièce dans un geste circulaire, il est tout autour de nous.

– Si tu le dis, bâilla Félix. Bon, et le petit déjeuner ? Je meurs de faim !

Lorsqu'un moment plus tard, ils sortirent, éblouis, dans la lumière, Rémiz fut frappé par la chaleur intense de l'air miroitant. La salle souterraine avait, en comparaison, une fraîcheur humide bien agréable. Ici, malgré l'heure matinale, il régnait une moiteur suffocante.

Gaharn perché sur son épaule gauche, Félix se fraya un chemin expert parmi les ruines et les éboulis. Derrière lui, Rémiz rassemblait ses forces en vue de l'épreuve à venir.

– Là, annonça Félix un peu après, tandis qu'il atteignait la cime d'un grand monticule de pierres fracassées. L'Orée.

Rémiz grimpa jusqu'à lui et scruta le paysage. En dépit de la chaleur, il frissonna. La rivière semblait repoussante : visqueuse, paresseuse, un tourbillon de brume épaisse dansant à sa surface huileuse. Avec précaution, les deux compagnons descendirent ensemble vers la berge. Des effluves rances, végétaux putrides mêlés à une odeur de renfermé, envahirent l'air.

– Bonne chance, et salue mon père et Violetta de ma part, dit Félix à Rémiz.

– Bien sûr, répondit ce dernier, avant de faire face à son ami. Il est encore temps de venir avec moi !

– Non, refusa Félix. Je... je ne peux pas rentrer. Ce n'est pas mon univers.

Il pointa son menton carré vers la rivière.

– Pars, maintenant, Rémiz, dit-il. Nage vite et ferme. La brume ne tardera pas à se dissiper ; tu seras bien visible depuis les berges...

– Oh, Félix, dit Rémiz, serrant son ami dans ses bras. Prends soin de toi !

Félix s'écarta.

– Nous nous reverrons, dit-il. J'en suis persuadé.

Rémiz hocha la tête en silence, s'efforçant de retenir les larmes prêtes à couler sur ses joues. Il se détourna. La brume tourbillonna ; l'eau gonflée lui lécha les pieds. Gaharn lança « Bonne route ! » en guise d'adieu et s'envola.

– Oui, bonne route, dit Félix, tapotant le dos de son vieil ami.

Rémiz jeta un coup d'œil en arrière.

– Bonne route, Félix, dit-il d'une voix peinée. Tu es un véritable ami.

Il se retourna et fit un pas en avant. Puis un autre, et un autre encore...

CHAPITRE 4

Le trou de misère

UNE ÉPAISSE BOUE SPONGIEUSE GLOUGLOUTAIT AUTOUR DES bottes de Rémiz, alors qu'il pataugeait sur la forte pente descendant vers l'Orée traîtresse. Il tâta sa ceinture, vérifia que son matériel était bien attaché – même dans le cas contraire, il n'aurait pas pu y changer grand-chose, de toute façon. L'eau brune lui montait à présent jusqu'aux genoux ; encore un pas, et elle lui atteignait la taille. Rien à faire. Il allait devoir nager.

Les bras étirés, Rémiz se pencha en avant, donna une impulsion avec les jambes et s'élança dans la vaste rivière paresseuse. L'eau, tiède et huileuse au toucher, clapota mollement contre le cuir de sa combinaison de vol.

Le menton levé, il avançait à longs mouvements puissants, rejetant derrière lui l'eau visqueuse, un ruisseau de bulles minuscules dans son sillage. Des spirales de sédiments remontaient du fond. L'air alentour avait une odeur saumâtre écœurante ; des grains de sable lui rasaient les doigts. Geste après geste, il progressa en direction de l'autre rive – du moins l'espérait-il, car l'épaisse brume tournoyant autour de sa tête l'empêchait de s'en assurer.

Enfant, Rémiz avait horreur de nager. L'eau qui traversait la salle de lecture pluviale était trop souillée pour s'y aventurer sans radeau, et il avait toujours fui les ébats dans les trop-pleins, que les autres sous-bibliothécaires semblaient tant aimer. Mais dans les Clairières franches, où les ondes cristallines du grand lac offraient des conditions parfaites, il s'était pris de passion pour l'eau. Presque tous les matins, il se levait tôt, plongeait du coin du débarcadère et faisait deux tours de lac avant le petit déjeuner.

– Viens, Magda ! appelait-il. Elle est délicieuse !

Il ne pouvait pas en dire autant de l'Orée. Cependant, alors qu'il adoptait un rythme tranquille, la respiration désormais régulière et légèrement rauque, le jeune chevalier bibliothécaire devait admettre que la traversée se révélait moins horrible qu'il ne le craignait. La rivière avait la température d'un bain tiède. Et l'indéniable courant vers la gauche était si faible que Rémiz, nageur expérimenté, demeurait convaincu de gagner la berge opposée sans dériver vers l'aval.

La brume épaisse l'inquiétait plus. Il ne voyait pas où il allait, ni quelle distance il lui restait à parcourir. Il continua donc, en aveugle, à lancer les bras en avant puis à les ramener, à battre des pieds, à s'orienter du mieux possible grâce au courant. S'il conservait, se dit-il, ce rythme lent mais soutenu, il ne pourrait manquer d'arriver bientôt à destination.

Vers son milieu, toutefois, la rivière devenait plus agitée. Chaude, écœurante, elle lui éclaboussa le visage. Et, bien qu'il soit immergé, Rémiz se mit à transpirer désagréablement à l'intérieur de sa combinaison, tandis qu'il luttait contre la poussée croissante du courant. La brume qui ondulait à la surface prit une odeur fétide, immonde ; et quand les tourbillons léchèrent sa bouche haletante, la sensation huileuse et le goût de pourriture provoquèrent des frissons de dégoût dans tout son corps. Ses bras flanchèrent, ses jambes s'alourdirent ; pourtant, il s'enjoignit à continuer.

– Ce n'est plus très loin, s'encouragea-t-il, à bout de souffle. Je poserai bientôt le pied sur la terre ferme et...

Ses doigts frôlèrent alors une chose molle et gluante. Il recula involontairement la main. Il leva les yeux. Quelque chose dansait là, en partie submergé ; quelque chose qui avait une fourrure noire et blanche emmêlée. Rémiz frémit de répugnance. C'était un rat tacheté mort, amené par les égouts, nauséabond et boursouflé. L'odeur du cadavre en putréfaction lui donna un haut-le-cœur au passage et, durant un moment, Rémiz nagea la tête sous l'eau.

Barbotant et crachotant, il refit surface et s'emplit les poumons.

– Idiot ! marmonna-t-il, furieux.

Sa délicatesse exagérée l'avait rendu négligent. Il aurait pu être entraîné vers l'aval.

À cet instant, une fraction de seconde, la brume tournoyante s'éclaircit. Rémiz regarda devant lui et aper-

çut l'autre rive. Le découragement le saisit. La berge paraissait encore si lointaine… Mais pas question de faire demi-tour. Il fallait continuer.

Rémiz repartit. La brume se referma autour de lui. Il se démena bravement, toujours à angle droit par rapport au courant, mais incapable de retrouver son ancien rythme harmonieux. De vilaines touffes d'algues enchevêtrées passaient, flottantes, ainsi que des tas de branches brisées ; des corps mystérieux, durs ou mous, l'effleuraient, sous l'eau et à la surface. Des sangsues du bourbier grouillaient-elles comme des larves dans l'eau trouble au-dessous de lui ? Une goule aquatique rôdait-elle dans le lit vaseux de la rivière ?

Alors que Rémiz essayait de chasser des pensées aussi vaines, les jacassements d'un vol d'oiseaux des neiges retentirent loin au-dessus de sa tête. Ils semblaient se moquer de lui.

– Il n'y arrivera jamais, crut-il les entendre roucouler entre eux. Il va se noyer ! Il va se noyer !

Le soleil troua une deuxième fois la brume, quelques instants à peine, mais Rémiz eut le temps de constater que la berge opposée, certes encore très lointaine, était tout de même plus proche. Il distinguait les hauts

ateliers et les entrepôts, les dockers casqués portant des crochets pour youyous, un gobelin tanné qui se hâtait le long de la jetée surélevée, une immense pique recourbée à la main.

La brume s'épaissit de nouveau. Rémiz fit une pause, luttant contre le courant tenace alors qu'il reprenait son souffle. Puis il repartit. Ses jambes lui paraissaient de plus en plus lourdes, comme s'il avait eu des semelles de plomb. Chaque geste du bras lui coûtait. Chaque battement de pied brûlait une fraction de ses forces déclinantes.

– Doucement, se dit-il alors qu'il progressait dans l'eau sirupeuse. Un rythme calme et régulier. Un geste après l'autre. On lance... on ramène... on lance... on ramène...

L'éclaircie suivante fut définitive. Les grandes spirales onduleuses de brume dense se réduisirent à de minces rubans. Désormais, Rémiz voyait clairement la berge, bordée d'appontements et de jetées sur lesquelles allaient et venaient des silhouettes. Et, quoique soulagé de n'avoir plus qu'une cinquantaine de brasses à faire, il craignait à présent que quelqu'un le remarque.

Le menton baissé, il continua d'approcher, avec lenteur et prudence, soucieux de repousser l'eau sans provoquer le moindre éclaboussement. Ses jambes, plus pesantes que jamais, traînaient derrière lui. N'osant pas lever la tête, de peur d'éveiller l'attention d'un docker ou d'un garde gobelin, il nagea en aveugle comme quand la brume l'enveloppait.

Soudain, il sentit ses bottes effleurer le lit bourbeux de la rivière. Une seconde après, alors qu'il tendait le bras, ses doigts tâtonnants touchèrent la boue molle. Il s'aida des mains pour avancer dans les bas-fonds, jusqu'à émerger en partie. D'éventuels témoins croiraient à une épave rejetée sur le rivage. Toujours aussi lent et précautionneux, sans geste brusque trop voyant, il leva le menton et regarda.

Il avait eu de la chance. Beaucoup de chance. Il se trouvait dans l'ombre d'une haute plate-forme en surplomb. Elle reposait sur de robustes poteaux en bois, dont le plus proche se dressait à six foulées vers la droite. Rémiz entendait des pas lourds résonner sur les planches, qu'il scruta : des images fragmentées de gobelins et de troglos défilaient dans les interstices.

Il avait réussi ! pensa-t-il avec joie tandis qu'il se hissait sur la terre ferme. Il avait traversé l'Orée. Maintenant, il lui fallait regagner les égouts. Il tenta de prendre appui sur ses jambes… mais découvrit, horrifié, qu'elles étaient immobilisées.

Pris de panique, Rémiz se tourna sur lui-même et baissa les yeux.

– Aaaï…

Terrifié d'avoir trahi sa présence, il étouffa son cri à deux mains. Tremblant de peur, il examina ses jambes. Deux grands poissons osseux avaient englouti chacune d'elles jusqu'au genou, telles les cuissardes d'un pêcheur, et s'accrochaient fermement.

Ils avaient un corps décharné, comme une toile tendue sur un squelette, des yeux gris et froids, des bouches à ventouses, écumeuses et roses, dont l'étau lui enserrait les rotules.

– Des limonards, souffla Rémiz.

Ces poissons n'avaient pas de secret pour lui. Le traité de Pétrus Garni à leur sujet était un classique. Le

volume, rangé sur un lutrin flottant dans la grande salle pluviale, contenait deux cent
trente-deux pages, que les
sous-bibliothécaires
désobéissants de-
vaient apprendre
par cœur en
punition. Oh,
non, les
limonards
n'avaient
aucun secret
pour Rémiz. Il
savait qu'ils se
cramponnaient
à des proies

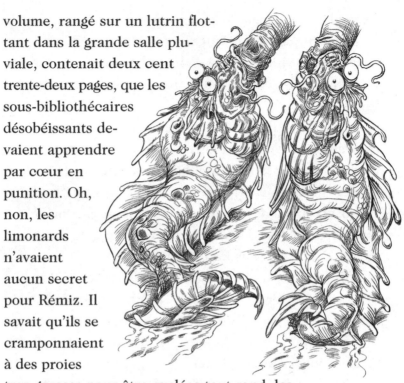

trop grosses pour être avalées tout rond, les
coulaient, les noyaient, puis les gardaient jusqu'au
moment où leurs ventouses parvenaient à déchiqueter la
chair putréfiée. Il savait qu'ils peuplaient à la fois l'Orée
et le Bourbier, car ils se déplaçaient avec la même aisance
dans l'eau et dans la boue. Il connaissait leurs rites d'ac-
couplement, la structure de leurs branchies, sans oublier
la troisième paupière dont leurs yeux étaient pourvus.
Mais, surtout, il savait comment s'en débarrasser, si
jamais l'un d'eux s'accrochait.

Remerciant le vieux professeur maussade qui l'avait
puni pour bavardage, Rémiz s'efforça d'empêcher sa
main de trembler, saisit son épée, la tendit vers sa jambe
gauche et, prenant soin de ne pas se blesser, plongea la
pointe de la lame dans les ouïes secondaires du poisson,

cachées sous l'évent bombé. Aussitôt, la ventouse lâcha prise dans un petit bruit de succion. Le limonard lui libéra la jambe en frétillant, s'agita en tous sens quelques instants sur la boue, puis s'y enfonça la tête la première.

Encouragé, Rémiz resserra le poing, se pencha une seconde fois... mais l'attitude du premier limonard avait dû alerter son congénère, car avant même que l'épée ne s'avance, le poisson, de lui-même, se détacha. Hop ! une cabriole, et il se glissa dans la boue blanche et molle à la suite de son compagnon. Rémiz regarda la queue osseuse disparaître, la boue clapoter puis retomber, inerte.

Toujours tremblant, il se mit debout. Ses jambes flageolaient, mais elles ne semblaient pas avoir souffert de leur séjour dans la gueule de ces ignobles limonards. Rémiz se repéra.

Si, comme il le pensait, les ateliers des esclaves se trouvaient au-dessus de sa tête, les docks flottants (l'accès le plus naturel aux égouts) étaient trop loin en amont. Et il ne pouvait se risquer à remonter la berge. Non, il valait mieux aller dans Infraville et dénicher un tuyau d'écoulement assez large pour s'y faufiler. Dès que sa route croiserait l'un des tunnels principaux, il regagnerait en un clin d'œil la Grande Bibliothèque souterraine.

Il se dirigea vers la limite de la vase et, toujours dans la pénombre, galopa d'un poteau à l'autre, reprenant son souffle à chaque étape. Peu à peu, la plate-forme s'abaissa. Le martèlement des bottes augmenta, mêlé de voix sonores : des cris, des jurons et des ordres vociférés. Rémiz, nerveux, se mordilla la lèvre inférieure. Les gardes gobelins, déjà de sortie, surveillaient les esclaves dont les équipes de jour remplaçaient les équipes de nuit. Il devait être autour de sept heures. Bientôt, les lieux fourmilleraient.

À cet instant, un animal gronda et hurla. Rémiz se figea. Les gobelins n'étaient pas seulement armés, mais accompagnés par des loups à collier blanc.

Tête baissée, il quitta l'abri de la plate-forme, se précipita vers une digue en retrait et escalada une vieille échelle rouillée boulonnée à la verticale. Le métal grinça et menaça de quitter ses fixations alors que Rémiz grimpait. Le jeune garçon se sentait vulnérable. Exposé. Si quelqu'un le voyait…

« Personne ne te verra ! répliqua-t-il en pensée. Remue-toi, c'est tout ! »

Arrivé au sommet de l'échelle, il jeta un coup d'œil par-dessus le mur. Puis, certain que la voie était libre, il sauta et fonça vers les bâtiments les plus proches – un fouillis d'entrepôts délabrés, d'ateliers et de hauts greniers ardoisés qui servaient jadis au séchage des voiles et du bois. Entre eux courait un réseau de ruelles étroites et sombres, labyrinthe compliqué. Rémiz inspira profondément et s'élança.

Il prit à gauche. Puis à droite. Puis encore à droite. Dans des efforts désespérés, il essaya de se représenter le plan des lieux. Mais en vain. Malgré toutes les patrouilles qu'il avait effectuées au-dessus d'Infraville, il était bel et bien incapable de se repérer au niveau du sol.

Alors qu'il continuait sa course, les hauts murs aveugles des bâtiments semblaient se resserrer autour de lui. Il faisait tellement chaud et lourd. Son visage ruisselait de sueur. Il se dit que, si jamais un obstacle surgissait aux extrémités d'une ruelle, il serait bloqué. Il regrettait tant de ne pas connaître, même moitié moins bien que les galeries et les tuyaux des égouts, la disposition des rues en surface...

À cet instant, des sons le renseignèrent précisément sur l'endroit où il se trouvait : un grincement de manivelle mal graissée, un murmure sourd de commérages. Il s'immobilisa, l'oreille tendue. Le grincement continua, suivi d'un choc et de clapotis. Rémiz sourit. Aucun doute : même s'il ne le voyait pas, il devait être à proximité du puits est. Il l'avait survolé maintes fois, notant au passage les groupes de matrones gobelines en grande conversation, qui remplissaient leurs cruches et leurs amphores au seau du puits – notant aussi le fait que la manivelle manquait d'huile !

Il s'approcha en catimini et, guidé par ses oreilles plus que par ses yeux, se glissa dans un long passage étroit entre deux bâtiments de bois et de pierre. Le babil des voix augmenta tandis qu'il progressait en crabe dans le boyau de plus en plus exigu. Enfin arrivé au bout, il s'arrêta et, tapi dans l'ombre, scruta les environs.

Devant lui, comme prévu, se dressait le puits (haut cylindre décoré, unique source d'eau pour tout le quartier), autour duquel s'agglutinaient les vieilles matrones gobelines. Rémiz s'avança encore, promena les yeux sur la place pavée, à droite, à gauche. Il se souvint d'un gros tuyau d'écoulement, clos par une grille, au bas de la rue opposée ; mais comment l'atteindre ? Fallait-il choisir un itinéraire détourné, par les ruelles étroites ? Fallait-il au contraire se précipiter droit sur la place ? Après tout, les gobelines ne tenteraient pas de lui barrer la route ; il leur offrirait même un nouveau sujet de conversation.

Il s'apprêtait à risquer une sortie lorsqu'il vit l'une des matrones lever la tête et chuchoter à l'oreille de sa

voisine, puis les deux gobelines jeter des coups d'œil à la ronde. Elles avaient entendu quelque chose. Une seconde plus tard, Rémiz l'entendit aussi… le martèlement croissant de lourdes bottes qui se dirigeaient vers lui.

Une troupe de gobelins !

Il replongea dans le boyau exigu, s'accroupit (s'égratignant les genoux contre le mur de pierre) et retint son souffle. La peur au ventre, il observa les deux premiers gardes armés passer au bout de la ruelle. Leurs plastrons, leurs casques et leurs armes pesantes étincelaient dans la lumière du petit matin. Puis ce fut, encadré par deux nouveaux gobelins, un esclave en haillons, la tête basse et le dos courbé. D'autres suivaient (douze au total, compta Rémiz), enchaînés les uns aux autres par le cou. Enfin, deux gardes fermaient la marche. Rémiz, tremblant, recula dans l'ombre autant qu'il le put. À son horreur, il constata que les derniers gardes n'étaient pas seuls, mais flanqués de deux loups à collier blanc, qui tiraient sur leur laisse.

Priant pour qu'ils ne le remarquent pas, le jeune bibliothécaire regarda le premier, puis le second gobelin avancer en s'efforçant de maîtriser les bêtes féroces à leur côté. Ils finirent par disparaître. Rémiz poussa un soupir de soulagement.

C'était passé près, se dit-il. Trop près…

La voix d'un gobelin résonna jusqu'à lui :

– Qu'y a-t-il, Molosse ? As-tu flairé quelque chose, mon brave ?

– Toi aussi, Colosse ? dit une deuxième voix. Hein ? Qu'as-tu détecté ?

Le cœur de Rémiz eut un raté. Les loups avaient senti son odeur. Ils savaient qu'il était là.

Il pivota sur ses talons et remonta la ruelle étroite au triple galop, fuyant le terrible danger. Alors qu'il filait et fonçait, il jeta un coup d'œil par-dessus son épaule et vit les gobelins, silhouettes noires dans la lumière au bout de la ruelle, se pencher pour tripoter le collier des loups. Ils étaient en train de les détacher…

Rémiz courut encore plus vite.

– Il se sauve, Cogneur ! cria l'un des gobelins.

– Oh, je te garantis que non, répondit l'autre. Colosse, pars de ce côté-ci ; Molosse, fais le tour par là, mon brave. C'est ça ! Rabattez-le au bout de la ruelle !

Le cœur battant à tout rompre, Rémiz cavalait comme un désespéré dans la venelle. Il fallait qu'il en atteigne l'extrémité avant les loups. Plus qu'une vingtaine de foulées. Pas grand-chose, mais les loups des bois étaient célèbres pour leur rapidité. Il les entendait glapir à sa gauche et à sa droite, dans des ruelles parallèles. Sa tête s'emplit d'affreux souvenirs d'enfance qu'il ne put chasser : images de preneurs d'esclaves, de loups des bois, et la dernière vision de ses parents… Les glapissements devinrent frénétiques. D'une seconde à l'autre, les terribles prédateurs allaient arriver, lui couper la route…

– Du nerf, du nerf, se pressa-t-il.

Vers son extrémité, la ruelle s'élargissait. Rémiz couvrit les quinze derniers mètres au sprint, déboucha dans une rue étroite et enfila le passage en face. Derrière lui, les deux loups se rejoignirent et continuèrent leur traque. Leurs cris enfiévrés se mêlaient, duo discordant.

Rémiz devait trouver une issue aussi vite que possible ; un tuyau qui le ramènerait sous terre. Une bouche d'égout ! Il fallait trouver une bouche d'égout. Sans délai !

La sueur lui inondait le torse et les cheveux, aplatis sur son crâne, trempés. La nouvelle journée s'annonçait chaude et humide comme jamais. Pourtant, Rémiz ne pouvait s'arrêter. Puisant dans des réserves dont il ne soupçonnait pas l'existence, il vira sur la gauche à un carrefour et se précipita dans une ruelle sombre, grouillante de marchands et de clients matinaux, bordée de petits ateliers. L'odeur du métal brûlant et du bois roussi lui assaillit les narines, alors qu'il fonçait au milieu des tourneurs et des menuisiers, des tours vrombissants et des scies circulaires hurlantes.

– Hé ! Attention ! criaient des voix furieuses. Regardez où vous allez !

Mais Rémiz les ignora. Il avait beau être un chevalier bibliothécaire, il ne pouvait se payer le luxe de la

politesse et de la civilité. Pas en ce moment. Sa seule et unique priorité était de s'échapper.

La tâche lui fut soudain facilitée lorsque troglos et trolls se dispersèrent devant lui, dégageant un chemin où il put filer comme une flèche. Il crut d'abord qu'ils lui livraient passage. Puis il comprit ce qu'ils criaient tout en se ruant à l'abri. Son cœur tressauta.

– Des loups des bois ! Des loups des bois !

Il jeta un coup d'œil par-dessus son épaule. Il espérait, follement, qu'il était en train de distancer les terribles créatures. Mais lorsqu'il vit derrière lui les yeux étincelants et la gueule baveuse du premier loup, ses espoirs s'effondrèrent. L'animal le rattrapait. D'un instant à l'autre, il essaierait de lui mordre les talons. Rémiz repartit de plus belle… Peine perdue, car le second loup avait manifestement décrit un cercle pour lui couper la route : il surgissait à présent du fond de la ruelle. Leurs regards se croisèrent, et la bête retroussa les babines en grondant, menaçante.

Sans réfléchir, Rémiz s'engouffra dans un atelier à sa gauche. Un troll ratatiné, au nez caoutchouteux et au strabisme prononcé, quitta des yeux son tour à bois, indigné.

– Au nom du carnasse, que signifie cet ouragan ? rugit-il alors que Rémiz faisait voler sur son passage broches, pieds de table et tabourets. Je… aaah ! Des loups des bois !

– Désolé ! s'excusa Rémiz.

Poussant la porte, il entra dans l'arrière-boutique et plongea dehors, par la fenêtre au bout de la pièce.

Il heurta le sol, roula sur lui-même et se releva d'un bond leste. Dans la pièce derrière lui, les loups hurlaient, assoiffés de sang. Rémiz tendit les bras, claqua les volets et les barricada.

Il y eut un fracas épouvantable et un gémissement de douleur lorsque le premier, puis le second loup se jetèrent contre les volets de bois. Les gonds grincèrent, les panneaux se déformèrent, s'arquèrent... mais les volets tinrent bon.

– Le ciel et la terre en soient remerciés, murmura Rémiz tandis qu'il reprenait sa course.

Les loups hurlèrent de rage et Rémiz les entendit traverser l'atelier du troll en sens inverse pour regagner la ruelle. Ils n'avaient pas l'intention d'abandonner.

« Moi non plus », pensa Rémiz, résolu.

Il dévala une galerie voûtée entre deux édifices assez imposants face auxquels, si sa mémoire était bonne, se dressaient l'hôtel des charrons et l'ancienne maison des ligues. Il était juste à l'endroit désiré, presque au cœur d'Infraville. La zone était sillonnée de canalisations, grosses et petites. Le passage couvert aboutissait à une nouvelle place, bien plus grandiose que celle du puits est. À gauche, la fontaine centrale, dont la cascade, jadis magnifique, n'était plus qu'une colonne basse, trapue. Et à droite...

– Merci au ciel et à la terre, murmura Rémiz.

Enfin une bouche d'égout ! Il accourut et s'accroupit. Fixée dans les immenses dalles, elle était de type ancien, circulaire et ajourée. Rémiz glissa les doigts dans les interstices de la grille en fonte et tira.

Un glapissement à l'autre bout de la place lui annonça l'arrivée du premier loup. Le deuxième ne devait pas être loin.

Les dents serrées, les jambes raidies, Rémiz grogna sous l'effort. Il y eut un doux crissement de gravier contre le métal et la grille se débloqua. Rémiz l'écarta et descendit en hâte dans la pénombre.

Les loups, sentant leur proie sur le point de leur échapper, se ruèrent à toutes pattes. Rémiz chercha frénétiquement du pied droit le premier barreau de l'échelle en fer, boulonnée quelque part sous lui à l'intérieur de l'étroite conduite… et le trouva. Il se retourna, tendit le bras et remit la bouche d'égout en place, juste à temps.

L'obscurité envahit le tunnel. Au-dessus de sa tête, les loups des bois s'acharnaient à gratter la grille métallique et hurlaient de frustration.

– Trop lents ! railla Rémiz à voix basse.

Comme s'ils le constataient eux-mêmes, les loups cessèrent soudain de gémir et s'éloignèrent au petit trot. Rémiz sourit jusqu'aux oreilles, libéré. Puis il lança un dernier coup d'œil vers la lumière qui piquetait la grille et entreprit sa descente. Barreau après barreau, il s'enfonça dans le tuyau vertical qui déboucherait sur l'un des grands tunnels transversaux, dans les profondeurs du sol. Avec un peu de chance, il regagnerait la grande salle de lecture pluviale avant…

– Aaah ! s'écria-t-il alors que son pied gauche glissait dans le vide.

Le barreau suivant manquait…

Tout se passa en un clin d'œil. Son pied droit glissa aussi, ses mains lâchèrent prise, et il se sentit tomber à la renverse.

– Ouille ! grogna-t-il lorsqu'il atterrit soudain, lourdement, avec un bruit mat, le souffle coupé par le choc.

« Où suis-je ? », se demanda-t-il.

Et une pensée horrible se présenta. Non, pas possible… Non, surtout pas…

Avec précaution, il ouvrit les yeux pour vérifier ; mais l'obscurité totale qui l'enveloppait ne dévoilait rien. Il tâtonna maladroitement. Il toucha des parois, rigides et arrondies, faites de brindilles d'osier, lui sembla-t-il, entrelacées comme…

comme une énorme nasse…

Rémiz gémit. Il savait très bien où il était.

Il avait échoué dans l'un de ces pièges tendus par les gardes gobelins pour attraper les fuyards d'Infraville. Les trous de misère, les appelait-on. Tels d'immenses casiers à homards des fonds vaseux, ils étaient placés dans des tuyaux d'accès aux égouts au-dessous d'échelles sabotées. Rémiz, chevalier bibliothécaire, aurait dû s'en douter, se méfier. Mais non ; il avait emprunté aveuglément l'échelle, persuadé qu'il ne craignait rien.

Les trous de misère. Il secoua la tête. Les pièges portaient bien leur nom, pensa-t-il, amer, et lui, Rémiz Gueulardeau, était leur dernière victime en date. Pas étonnant, comprit-il alors, que les loups des bois se soient si peu inquiétés qu'il leur échappe. Quel idiot il faisait ! En réalité, les loups ne voulaient pas le capturer ; ils le poussaient tout simplement vers le chausse-trape. Ils avaient rusé avec lui, et il s'était jeté dans la souricière. Mais il ne s'avouait pas vaincu.

Il se hissa sur ses pieds, secoua les barreaux tressés de la cage aussi fort qu'il le put et tenta de les distordre ;

il les bourra de coups de pied, de coups de poing ; il sortit son couteau et entreprit de scier le bois – mais en vain. Le trou de misère n'allait pas relâcher sa proie si facilement.

– Il doit bien y avoir une issue, grommela Rémiz.

– Non, répondit une petite voix à l'autre bout de la cage. J'ai déjà essayé.

Rémiz sursauta, surpris.

– Qui est là ? chuchota-t-il.

– Je… je m'appelle Gilda, dit la petite voix, d'un ton plaintif. Et j'ai très peur. Je suis ici depuis une éternité… (elle frissonna) et sous peu… sous peu, ils viendront nous chercher.

CHAPITRE 5

Numéro onze

RÉMIZ SENTIT SES POILS SE DRESSER SUR SA NUQUE. IL Y avait tant de terreur et de désespoir dans la petite voix innocente.

– As-tu faim ? demanda-t-il avec douceur. J'ai quelques délises sèches. Et un quignon de pain noir…

– De l'eau, dit Gilda. Avez-vous de l'eau, monsieur ? J'ai tellement soif.

– Oui, oui, s'empressa de répondre Rémiz.

Il tâtonna sa ceinture et détacha sa gourde.

– Tiens, dit-il, tendant le bras en direction de la voix.

Il sentit une main lui effleurer les doigts alors qu'elle s'emparait de la gourde, puis entendit des glouglous et des bruits de déglutition. Il sourit, heureux d'avoir pu rendre un service, même minime, à la pauvre créature.

– Merci, monsieur, dit Gilda un moment après. Merci mille fois.

Rémiz tendit de nouveau le bras. La gourde lui frôla le bout des doigts, puis, à l'instant où il allait refermer la main, elle lui échappa et tomba au fond de la cage.

– Oh, miséricorde, je suis désolée, monsieur ! s'écria Gilda. Je suis vraiment désolée !

– Ce n'est pas grave, Gilda, lui assura Rémiz. Ne t'inquiète pas.

Il s'accroupit, explora les poches (droite et gauche) de sa combinaison et sortit de chacune une petite pierre rêche. Au moment où il les réunit dans le creux de sa paume, une chaude lumière jaune illumina la cage entière. Gilda eut le souffle coupé.

– Ma parole ! s'exclama-t-elle. Des rochers magiques !

Rémiz sourit.

– Ce sont des cristaux du ciel, expliqua-t-il. Que m'a donnés le professeur de Lumière en personne, dans la Grande Bibliothèque.

– Vous êtes donc un bibliothécaire ? demanda Gilda, sa voix tremblant d'admiration.

Rémiz regarda son petit visage passionné, ses yeux écarquillés de surprise. La lueur des cristaux jouait sur ses oreilles pointues, ses courtes nattes blondes, son nez aplati...

– Mais tu es une gobelinette, dit Rémiz.

– Eh oui, monsieur, confirma Gilda, une pauvre gobelinette des ruelles est. Je faisais des commissions pour ma grand-mère, voyez-vous, monsieur, quand ces gobelins ont lâché leurs loups sur moi. Juste pour s'amuser, monsieur... Juste pour s'amuser...

La petite gobelinette se cacha la figure et sanglota.

Rémiz lui posa une main sur l'épaule et serra doucement.

Gilda leva les yeux, le visage ruisselant de larmes.

– Ma grand-mère est une pauvre couturière, monsieur, depuis toujours. Mais ces derniers temps, elle s'af-

faiblit, et sa vue baisse. Elle compte sur moi pour tout, vraiment. Oh, miséricorde, monsieur, si je ne rentre pas de mes courses...

– Tout ira bien, Gilda, dit Rémiz.

Un nouveau sanglot secoua la gobelinette, qui saisit la main de Rémiz.

– Oh, ces loups, monsieur ! frémit-elle. Ils hurlaient, ils salivaient, ils grondaient... Ils m'ont poursuivie, monsieur. Et... et je me suis crue si maligne de me réfugier sous la grille d'égout...

Elle prit une inspiration bruyante.

– Et finir là-dedans ! gémit-elle, les joues inondées de pleurs.

– Allons, allons, dit Rémiz. Je te comprends, crois-moi.

– Oh, monsieur, sanglota-t-elle.

Elle se jeta en avant pour lui enlacer le cou de ses bras maigres. Le panier oscilla et, loin dans le réseau des tunnels, Rémiz entendit des oisorats se quereller.

– Mais tout ira bien à présent, monsieur, non ? dit-elle. Puisque vous êtes un véritable chevalier bibliothécaire et que vous possédez des rochers magiques.

Elle resserra son étreinte.

– Naturellement, répondit Rémiz sans conviction, et il lui donna une tape maladroite dans le dos.

Il lança un regard en contre-haut, sur les pointes de la cage, tournées vers l'intérieur ; si facile d'y tomber, impossible d'en sortir. Ils étaient bel et bien prisonniers du trou de misère.

Les sanglots de Gilda s'apaisèrent peu à peu, elle relâcha son étreinte. Elle s'essuya les yeux du revers de la main et s'assit.

– Comment est-ce, là-bas ? demanda-t-elle de sa petite voix.

– Où donc ? dit Rémiz.

– Dans les Clairières franches, répondit Gilda. Vous êtes un chevalier bibliothécaire, alors vous les connaissez sûrement. Comment sont-elles ? Aussi belles qu'on le raconte ? Selon Grand-mère, tout le monde y est libre et protégé. Personne n'y souffre de la faim, personne n'est jamais maltraité... l'endroit le plus merveilleux au monde !

– C'est vrai, répondit Rémiz d'un ton rêveur. Un flambeau étincelant au cœur des Grands Bois sombres ; la région la plus splendide de la Falaise. Les clairières aux pins immenses, aux lacs cristallins, le ciel nocturne piqueté de milliers d'étoiles éblouissantes.

Gilda le regarda timidement.

– Croyez-vous qu'un jour je les verrai de mes propres yeux ? demanda-t-elle.

Rémiz se pencha et lui pressa les mains avec chaleur.

– J'en suis persuadé, dit-il.

Gilda eut un sourire épanoui.

– Moi aussi, dit-elle d'un ton grave. Maintenant que vous êtes ici, tout va bien se passer.

Un grand bruit retentit alors au-dessus d'eux. Grinçant. Métal frottant la pierre. Gilda étouffa un cri.

– Les voilà, chuchota-t-elle.

Rémiz fit un signe affirmatif. Il s'accroupit, rangea sur-le-champ les cristaux dans leurs poches respectives et leva les yeux. Là-haut, à mesure que la bouche d'égout s'écartait, un mince croissant de lumière s'élargissait, comme la lune qui serait passée par ses différentes phases (de l'invisibilité au disque entier) en quelques secondes. Le grincement irrita Rémiz. Soudain, une grosse tête surgit dans le trou.

– Alors, qu'avons-nous ici ? marmonna l'inconnu d'une voix rude.

La lumière entrait à flots autour de ses épaules et aveuglait les prisonniers.

– Deux créatures, il me semble. Une bonne prise ! se félicita-t-il en battant des mains.

– Eh bien, hisse-les, lança une deuxième voix, aiguë et impérieuse, et voyons ça de plus près !

Rémiz se tourna vers Gilda.

– Tout ira bien, dit-il. Je te le promets.

Gilda hocha la tête, les yeux écarquillés, confiants.

– Merci, monsieur, chuchota-t-elle.

À cet instant, la cage tressauta et descendit de quelques mètres. Gilda haleta. D'une main, Rémiz lui prit le bras et, de l'autre, s'accrocha aux brins tressés. Un chapelet de jurons violents se fit entendre, puis le claquement d'un fouet. La descente s'interrompit.

– Tire, Pignaf, gros lourdaud propre à rien ! exigea la voix aiguë, impatiente. Par le ciel, je te ferai bouillir et réduire en colle ! Tire !

La voix résonna, furieuse, dans les tunnels – où un chœur d'oisorats et de rats tachetés lui répondit, jacassements et couinements affolés. Après un cahot, une lente ascension commença. Gilda geignit et se cramponna au bord de la cage. Rémiz, qui regardait entre les barreaux, vit défiler les parois rouillées de la canalisation puis, un peu plus haut, l'échelle sabotée. Enfin, dans une secousse, la nasse s'immobilisa tout près de la bouche d'égout.

Une fine perche enveloppée de cuir s'enfonça dans la cage, sous les pointes tournées vers l'intérieur, et s'arrêta à quelques centimètres du crâne de Rémiz. Il y eut un cliquetis, et l'objet se déploya pour prendre la forme d'un robuste parapluie. Efforts et grognements accompagnèrent la remontée du parapluie ouvert, qui fit se déplier au passage la corolle de pointes, tels les pétales d'une fleur diabolique.

Une énorme main s'avança, attrapa Rémiz par le col de sa combinaison et le souleva dans les airs, Gilda cramponnée à ses genoux. Le jeune garçon rencontra les yeux injectés de sang d'un gigantesque gobelin huppé, aux

oreilles poilues, à la mâchoire saillante, dont la peau marquée témoignait des ravages d'une vie difficile et de nombreux combats féroces. Vêtu d'une lourde armure, il tenait toujours sous le bras la bouche d'égout, qui paraissait aussi légère que le couvercle d'un tonneau de bière des bois.

Derrière lui, Rémiz entraperçut un tombereau, dont la caisse était faite d'osier, comme la cage. Deux rôdailleurs fatigués composaient l'attelage ; le cocher – un naboton décharné, lui sembla-t-il – tenait un crayon dans une main, les rênes dans l'autre.

– Qu'avons-nous donc ? pépia le naboton.

Il lécha la pointe de son bout de crayon et leva la main, prêt à écrire.

Le gobelin huppé examina de la tête aux pieds les deux captifs pendus à son poing.

– Un gros et un petit, grommela-t-il, d'une voix grave et gutturale.

– Si tu pouvais préciser un peu, Pignaf... dit le naboton, sarcastique.

Le front épais de Pignaf se plissa.

– Gobelinet, indiqua-t-il au cocher, qui nota sur un petit rouleau d'écorce.

– Un gobelinet ou une gobelinette ?

– Une gamine, répondit Pignaf. Et l'autre...

Il fronça les sourcils et tourna sa figure brutale, bestiale, vers Rémiz, que l'haleine moite et malodorante du gobelin fit grimacer.

– Je n'en suis pas sûr, Clélien, dit-il alors qu'un sourire stupide s'élargissait sur ses traits, mais il a une mine de chevalier bibliothécaire.

Le naboton quitta son siège d'un bond et accourut.

– En es-tu certain ? demanda-t-il. Un chevalier bibliothécaire, dis-tu ? Montre-moi donc.

Pignaf pivota vers son compagnon et lâcha Rémiz et Gilda, qui s'effondrèrent aux pieds du naboton.

– Hé, doucement, Pignaf, espèce de balourd ! Il faut prendre soin de la marchandise. S'il s'agit d'un bibliothécaire, il a de la valeur, tu comprends ?

Clélien s'accroupit pour examiner Rémiz, étendu, le souffle coupé, sur les pavés glissants.

Le visage railleur du naboton s'approcha. L'occasion parfaite ? Rémiz sauta sur ses pieds, dégaina son épée…

Mais le naboton se contenta de rire.

– Bien, bien, bien, dit-il. C'est en effet un chevalier bibliothécaire. Pas de doute ! Occupe-toi de lui, Pignaf, tu seras gentil. Je me charge de la gamine.

Rémiz entendit le grognement sourd du gobelin huppé dans son dos. Clélien brandit son fouet cruel et frappa sur la gauche de Rémiz. Il y eut un claquement sec et Gilda poussa un cri de douleur lorsque l'extrémité de la lanière s'enroula autour de son cou.

– Monsieur… à l'aide… souffla Gilda, tandis que le naboton tirait fort sur le fouet, resserrait le nœud coulant et amenait à lui sa prisonnière.

Rémiz jeta un coup d'œil en arrière : le gobelin huppé levait ses grands bras. Il se préparait.

– Monsieur… aaarrrg… gargouilla Gilda, impuissante.

Rémiz savait qu'il fallait agir. Virevoltant, il vit Clélien traîner vers le tombereau la gobelinette sans défense. À la même seconde, Pignaf s'élança. Rémiz s'écarta d'un bond désespéré avant de faire tournoyer son arme. L'épée trancha le fouet en deux, libéra Gilda et toucha le naboton, un coup oblique au retour.

Du sang éclaboussa les dalles.

Pignaf interrompit son attaque pour regarder Clélien et, durant une minute terrible, tout sembla suspendu. Puis, alors que le naboton s'affalait par terre en se tenant le ventre, le gobelin furieux leva sa grosse tête et rugit :

– Clélien ! Tu as blessé Clélien !

Ses oreilles huppées frémirent. Le blanc de ses yeux s'empourpra.

– Cours, Gilda ! s'écria Rémiz, serrant son épée d'une main aussi ferme que possible.

Les bras en l'air, le gobelin huppé s'élança de nouveau. Il lâcha la lourde bouche d'égout, qui décrivit un grand arc de cercle sifflant. Rémiz étouffa un cri en voyant le gros bloc métallique fondre sur lui. Il restait paralysé...

Du coin de l'œil, il aperçut la robe verte de Gilda voleter alors qu'elle fuyait sans demander son reste...

Clong !

La bouche d'égout heurta le coin de la tête de Rémiz, son épée lui échappa et s'abattit avec fracas sur les pavés.

Il y eut un éclair lumineux intense, un frisson glacé – puis l'obscurité.

Rémiz se réveilla dans un soubresaut. Où était-il ? Les soubresauts continuaient.

Aucun doute, il avançait, bringuebalait sur des pavés sonores ; son corps vibrait et sa tête résonnait à la moindre secousse. Il devait rouler dans un genre de charrette. Il entendait, tout autour de lui, de faibles plaintes.

Il ouvrit lentement les yeux. La lumière entrait à flots. Il découvrit un tombereau, dont le toit en osier projetait des ombres entrecroisées sur son chargement.

– Attention aux nids-de-poule, gros abruti ! lança une voix aiguë à l'avant. Chaque cahot est un supplice. Ma nouvelle cape ruisselle de sang, et tout est ta faute, paquet de tripes propre à rien !

– Pardon, Clélien. Il a été un peu rapide pour moi. Mais j'ai fini par lui régler son compte, pas vrai ? répondit une voix bourrue.

Rémiz se haussa sur les coudes, les tempes douloureuses à gémir, et tourna la tête. Il se trouva nez à nez avec un vieil égorgeur, étendu près de lui, ses cheveux rouges striés de gris. Rémiz regarda de l'autre côté. Hormis l'égorgeur, il y avait d'autres créatures, dont les visages parurent se troubler, se brouiller, tandis qu'il s'efforçait de comprendre. C'étaient deux écoutinals, aux oreilles voltigeant comme des papillons des bois, un troglo plouc épais, bruyant ronfleur, et un étrange individu avec une peau écailleuse, de minuscules oreilles cylindriques et une crête caoutchouteuse qui lui courait du front jusqu'au milieu du dos.

– Il est réveillé, marmonna une voix à l'arrière du tombereau.

– Ouais, pauvre diable. Il reprend conscience juste à temps pour découvrir sa nouvelle maison, hein ? La forêt de Sanctaphrax…

– À moins que les pies-grièches ne le saisissent avant !

Rémiz frissonna, inquiet. Là-haut dans le ciel, un corbeau blanc solitaire tournoyait, poussait des croassements rauques. Les ailes de l'oiseau fendaient l'air dense, sirupeux, telles des pagaies. Il faisait chaud ; une chaleur suffocante. Rémiz pouvait à peine respirer. Et dès qu'il bougeait les yeux, le martèlement redoublait dans sa tête.

Il leva la main, toucha doucement sa tempe gauche. L'os était mou et, lorsqu'il inspecta ses doigts, Rémiz constata qu'ils étaient rouges de sang coagulé.

À l'extérieur du tombereau cahotant, les rues s'animaient de plus en plus. Le jeune chevalier bibliothécaire, pris de vertige, scruta entre les parois lattées et vit des marchands, des négociants et des troupes de gardes armés. Il y avait de petits groupes plantés çà et là, mais la plupart confluaient dans la même direction que le tombereau. Loin au-devant s'élevait le tumulte confus d'une grande foule : chocs, fracas, plaintes sourdes et voix fortes, et, parfois, un coup de trompe strident qui arrachait une grimace de douleur à Rémiz.

– À gauche ! À gauche ! cria le naboton. Par là ! montra-t-il.

Le gobelin huppé tira sur les rênes, et le tombereau franchit un étroit passage voûté, bas de plafond, qui l'amena sur une vaste place fourmillante, plus bruyante que jamais. Le tournis de Rémiz augmenta encore. C'était un tourbillon de mouvement et de couleur, un charivari dont l'atmosphère semblait trembler. Le tombereau fit un écart brutal et s'immobilisa. Le gobelin se retourna.

– Réveillez-vous, bande de rats d'égout fainéants ! brailla-t-il. Nous sommes arrivés !

Le naboton descendit de son siège, les mains plaquées sur le ventre, claudiqua péniblement jusqu'à l'arrière de la voiture couverte et déverrouilla la porte. Le gobelin huppé apparut à son côté, muni d'un gros gourdin, et avança le bras dans la caisse. Rémiz ne put qu'assister, impuissant, au départ de son voisin le vieil égorgeur, traîné dehors par les chevilles.

Son propre tour venait ensuite. Mais lorsque le gobelin huppé tendit le bras, le jeune bibliothécaire écarta la
grosse main poilue d'un coup de pied.

– Je peux me débrouiller, grommela-t-il.

Pourtant, alors qu'il se mettait debout et que le sang
refluait de sa tête, il défaillit et trébucha sur l'un des
écoutinals évanouis.

– Si tu n'étais pas aussi précieux, je te trancherais la
gorge illico ! lança le naboton, tressaillant de douleur et
cochant un nom sur son registre en écorce. Pignaf, sors-
le de là !

Le gobelin huppé
attrapa le jeune chevalier
par le plastron et tira.
Rémiz approcha
en titubant, se
cogna la tête
au sommet
du cham-
b r a n l e
lorsque
son geôlier le sortit du
tombereau et le déposa
sur le sol. Ses jambes
flageolaient. Ses
tempes palpitaient.

– Par ici, indi-
qua une voix
bourrue, et
deux gobe-

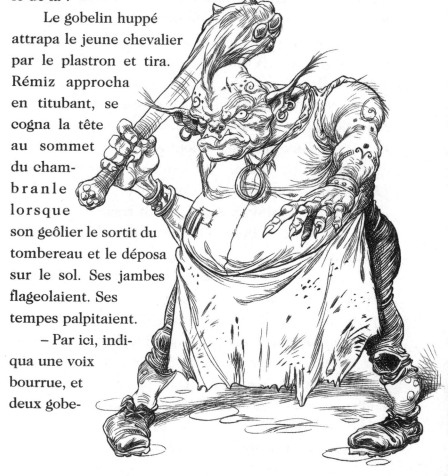

lins à tête plate lui empoignèrent les bras pour l'emmener de force.

Les pavés défilèrent, flous, sous les pieds de Rémiz, poussé vers le milieu de la place. Alentour, le vacarme enfla. Il y avait des exclamations de colère et des cris de désespoir, ainsi que, de temps à autre, la sonnerie aiguë des trompes. Sans prévenir, les gardes s'arrêtèrent.

– Nous voici, dit le gobelin de gauche (Rémiz avait l'impression que sa voix variait d'intensité). Un chevalier bibliothécaire.

– Un peu abîmé, je crois, ajouta son compagnon.

– Laissez-le-moi, dit un troisième.

S'efforçant d'y voir clair, Rémiz dévisagea le personnage face à lui. C'était un gobelin-marteau. Sa figure marquée de cicatrices semblait gonfler puis se ratatiner, ses yeux tournoyer, le nombre d'anneaux à ses oreilles changer en permanence. Soudain, Rémiz sentit que les gobelins à tête plate le lâchaient et s'en allaient. Il oscilla d'avant en arrière. Il avait le tournis, la nausée. Tout tanguait.

Le gobelin-marteau le retint par le bras et le redressa.

– Une prise de Pignaf, aucun doute, dit une voix.

– Je me demande ce qu'il leur fait, dit une autre.

Rémiz leva des yeux éteints. Quelqu'un s'approchait de lui, le bras en l'air. Il frissonna. Était-ce un poignard dans la main de l'inconnu – un poignard ensanglanté ? Allait-il mourir égorgé ?

Il essaya de crier, mais aucun son ne sortit.

Le poignard s'abaissa. Sauf que ce n'était pas un poignard, mais un simple pinceau dégouttant de peinture écarlate. À deux reprises, il barbouilla le plastron de Rémiz, laissant une paire de traits rouges verticaux.

– Numéro onze ! cria une nouvelle voix, et Rémiz sentit des mains l'expédier ailleurs.

Le décor entier lui parut valser alors qu'il se déplaçait. Il distingua un nouveau bruit, grinçant, métallique : levant la tête, il découvrit au-dessus de lui un étrange dispositif, net quelques instants, flou une seconde plus tard. Il fit un gros effort de concentration.

Luisants dans la chaleur éblouissante, de grands crochets recourbés pendaient, à intervalles réguliers, le long d'une chaîne circulaire tendue entre des poteaux de bois, hauts d'environ trois mètres. Plusieurs gobelins à tête plate, installés au centre sur des sièges surélevés, actionnaient des pédales. Au gré de leurs mouvements, la chaîne avançait, entraînant les crochets.

Hop ! Deux mains énormes emprisonnèrent les bras de Rémiz, qui perdit contact avec le sol. Dans son dos, près de son oreille, il y eut un bruit de cuir déchiré : un crochet venait de trouer l'arrière de sa veste. La pointe acérée frôla sa nuque. Aussitôt, les mains le lâchèrent et Rémiz resta suspendu, les pieds ballants, tandis que la chaîne l'emportait.

Alentour, l'atmosphère était frénétique : brouhaha confus d'insultes stridentes et de sombres jurons ; coups de coude, crocs-en-jambe sournois, jusqu'au poing brandi. Des individus couraient en tous sens, bataillaient pour obtenir une bonne place, à proximité des poteaux en bois supportant la chaîne.

Des mains, des griffes, des serres touchaient, tâtaient et palpaient Rémiz sur son passage. Juste devant lui, lors d'un arrêt momentané, un attroupement se forma autour d'une silhouette qui s'agitait au bout de son crochet. Rémiz distingua des voix fortes dominant le brouhaha.

– Numéro neuf. Un tractotroll à vendre. Des épaules robustes et un caractère docile. Idéal pour tirer chariot, char ou charrette. Quinze pièces d'or.

– Je le prends ! cria une voix.

– Vendu !

Un coup de trompe.

– À vous, monsieur…

La chaîne trembla et repartit, ballottant Rémiz comme une chemise mal lavée sur une corde à linge.

Une autre voix cria :

– Numéro dix. Qui achètera ce gobelin à tête plate ? Dans la fleur de l'âge ; idéal pour les plus rudes besognes de construction…

L'animation redoubla, des exclamations enthousiastes fusèrent, puis :

– Vendu !

Le coup de trompe résonna sur la place.

– Vendu au gobelin avec le bandeau sur l'œil !

Rémiz frissonna. Dans quelques instants, lui aussi serait vendu. Son propre marchand (le gobelin à tête plate qui l'avait suspendu au crochet) déployait des trésors d'éloquence :

– Numéro onze. Jeune, capable, robuste. Un érudit. Un chevalier bibliothécaire, rien de moins ! De qualité supérieure, vous en conviendrez, j'en suis sûr !

Des mouches à sel bourdonnaient autour de la tête de Rémiz. Elles se posaient sur ses oreilles, sur ses lèvres ; elles se promenaient vers ses yeux, pompant les gouttes de sueur. Ainsi accroché, les épaules enserrées dans sa veste de pilote en cuir, il n'était pas en mesure de les chasser. Il se tortilla et grimaça, mais les mouches continuèrent à le tourmenter, l'air de savoir qu'il ne pouvait rien contre elles. Il ferma les yeux avec lassitude.

Une question perçante lui heurta les tympans :

– Celui-ci, alors ?

Et Rémiz sentit qu'on le tâtait, qu'on le palpait avec rudesse.

– Qu'en penses-tu ?

– Je ne crois pas, maîtresse, répondit une voix aiguë. Il ne sera pas très amusant. Il paraît à moitié mort.

Les paupières de Rémiz battirent. Il aperçut deux pies-grièches : une élégante oiselle au plumage violet, armée d'un fléau en os ; un mâle terne, au bout d'une laisse. L'oiselle se détourna, pointa le bec en l'air et renifla.

– Viens, Jaseur, dit-elle en tirant sur la laisse. Bien trop cher pour ce qu'il est, de toute façon.

Rémiz frémit, soulagé que la créature aux féroces yeux jaunes et aux serres aiguisées s'éloigne. Mais son soulagement ne dura pas. Un individu sinistre apparut, vêtu d'un manteau noir orné d'un pâle luminard à bouche hurlante : un gardien de la Nuit.

– Combien ? demanda une voix faible et âpre.

– Pour vous, monsieur, soixante-dix, claironna le gobelin marchand d'esclaves.

– Trente, répliqua le gardien. Il est en mauvais état, et mon maître, le

Gardien suprême de la Nuit, exige en principe des bibliothécaires fringants…

– Soixante, dit le gobelin d'un ton ferme. C'est mon
dernier prix.

– Hum… réfléchit le gardien, le visage enfoui dans
les ombres de sa capuche.

Rémiz sentit une sueur glacée lui couler sur le front.
Vendu aux gardiens de la Nuit. Non, ce n'était pas possible. Pas ça ! Tout sauf ça…

Soudain, sa tête retomba. C'en était trop. Ses tempes
douloureuses. La chaleur suffocante. L'étau de cuir
asphyxiant autour de ses bras et de sa poitrine… Et les
pressions, les palpations, les pincements qui ne cessaient
pas – plus lointains, toutefois. De plus en plus lointains.
Comme si quelqu'un d'autre vivait ce supplice, tandis que
lui, Rémiz, oscillait au creux d'un hamac, enveloppé dans
une couverture bien chaude…

– Soixante-dix ! cria une voix.

– Vendu !

Rémiz ouvrit les yeux et promena un regard trouble
autour de lui. À côté du marchand d'esclaves se tenait un
personnage cassé, en cape brodée à capuchon ; il avait de
larges oreilles, des yeux
mornes et des doigts
osseux repliés devant lui
comme les pattes d'une
mante des bois. Il tendit le bras
pour prendre les mains de Rémiz
dans la sienne, l'une après l'autre. Il
gratta les cals sur ses paumes, il frotta ses
ongles, il examina ses doigts sous toutes les coutures et tripota d'un air pensif les poignets en cuir de sa combinaison.

– Oui, il fera l'affaire, conclut-il. Je demande la livraison.

Le gobelin à tête plate acquiesça. Il reçut les pièces d'or dans un doux tintement et leva sa trompe.

– Numéro onze ! tonna-t-il. Vendu à Esther Prunelline.

Le coup de trompe déchira les tympans de Rémiz.

Un instant plus tard, le jeune chevalier fut décroché et déposé sur le sol. Ses jambes menaçaient de se dérober. Pourtant, à mesure qu'il respirait, enfin libéré du carcan de la veste, ses idées s'éclaircirent. Derrière lui, un nocturnal tremblant l'avait remplacé à l'extrémité du crochet, les oreilles frémissantes, nerveuses, le numéro quatorze peint sur son gilet. La chaîne l'entraîna, et le marchand d'esclaves l'accompagna.

Durant une seconde, Rémiz envisagea de fuir. Mais rien qu'une seconde. Avant qu'il ait pu remuer un muscle, deux gobelins-marteaux vigoureux, qui avaient répondu à l'appel de la trompe, le saisirent par les bras et l'emmenèrent. Ils le transbahutèrent parmi la foule et le confièrent à un maître de convoi (un gobelin-marteau hâlé, avec bloc-notes et fouet), planté devant une colonne d'esclaves.

– Numéro onze, nota celui-ci, jetant un coup d'œil sur le plastron de Rémiz. La chaîne est complète ! Mettez-le au bout.

Rémiz longea la file de prisonniers déprimés : des créatures des quatre coins de la Falaise, maintenant rivées ensemble par des chaînes et des colliers de bois ; quinze au total.

Lorsque le collier se referma autour de son cou, le jeune garçon sut que c'était fini. Il n'avait plus d'identité.

Quelqu'un l'avait acheté ; Rémiz Gueulardeau n'existait plus. Il était un simple numéro. Un serf…

En tête de la colonne, le maître du convoi fit claquer son fouet.

– En avant ! lança-t-il.

Les esclaves enchaînés s'ébranlèrent, à pas trébuchants d'abord, puis à lentes foulées traînantes. Les gardes armés qui les escortaient aboyaient des ordres et distribuaient des coups de fouet. Rémiz marchait avec les autres, les jambes lourdes, la nuque rigide dans le collier de bois. Derrière lui, les bruits du marché aux esclaves diminuèrent ; loin devant, le gros rocher de Sanctaphrax, couronné par la tour de la Nuit dentelée, se découpait sur le ciel.

Rémiz gémit. Une nouvelle fois, tel un saumon luttant contre un courant redoutable, il était ramené en arrière. Pire, il n'avait désormais aucun doute sur sa destination.

La forêt de Sanctaphrax. Fatalement.

Une appréhension accablante l'envahit à la pensée de l'avenir. Comme tant d'autres avant lui, il se tuerait au travail dans la forêt de Sanctaphrax, sous la tyrannie des gobelins, car l'échafaudage qui étayait le rocher croulant réclamait autant de main-d'œuvre pour le bâtir que de nouveaux arrivages de bois pour l'alimenter. Le sang des esclaves morts sur le chantier tachait le moindre pilier, le moindre chevron, la moindre traverse.

Rémiz tripota tant qu'il le put l'agrafe de son collier, dans l'espoir de l'ouvrir, mais en vain. Il n'y avait pas d'issue. Son destin était scellé depuis sa décision de s'enfoncer dans le tuyau d'égout saboté. Il voyait déjà l'Orée paresseuse… et un gros bateau à fond plat amarré à une jetée. Assis sur la berge, sa longue perche près de lui, un passeur gobelin mâchouillait une paille en attendant, oisif, sa cargaison de condamnés.

À terre, il régnait une chaleur asphyxiante. Rémiz leva les yeux vers la fraîcheur du ciel immense, qu'il avait sillonné jadis avec son *Frelon de tempête* adoré, bien au-dessus des rues d'Infraville, et d'où il avait remarqué les minuscules points enchaînés ensemble. Même dans ses rêveries les plus sombres, il n'avait jamais compris vraiment ce que signifiait être l'un d'eux. Il flottait trop haut, exalté par le frisson du vol et le souffle du vent frais sur son visage, pour se mettre à leur place...

« Et maintenant, je suis l'un de ces points », pensa-t-il, mélancolique.

Perdu dans sa propre tristesse, il ne remarqua pas que leur colonne avait quitté la route principale menant à la rivière. Ce fut seulement lorsque le maître du convoi cria « Halte ! » que Rémiz s'aperçut de leur arrivée dans l'un des plus riches quartiers d'Infraville. Les édifices étaient hauts, élégants et, quoique vieillissants, ils conservaient la splendeur de leur somptueux passé.

– C'est ici, lança le maître du convoi. Ôtez le collier du numéro onze.

Rémiz fronça les sourcils. Le numéro onze ? Mais c'était lui ! Qui l'avait donc acheté ?

Les autres esclaves geignirent, pitoyables. Certains secouèrent leurs chaînes.

– Restez tranquilles ! ordonna le maître du convoi, qui donna un coup de fouet menaçant.

Les esclaves se turent.

Les gardes détachèrent Rémiz de la colonne et le traînèrent en direction d'une petite porte latérale, découpée au pied d'un mur. Le jeune garçon leva les yeux sur l'immense édifice et le reconnut aussitôt.

Malgré ses creux et ses fissures, la façade était très ornée : le moindre rebord, le moindre piédestal, la moindre niche abritait une statue. Des dizaines, des centaines de personnages, qui s'étageaient à perte de vue.

Le Palais des statues. Sous cet angle, il paraissait différent : plus impressionnant, plus sinistre, mais impossible de s'y tromper.

– Avance ! grommela l'un des gobelins, et il poussa son prisonnier dans le dos.

Rémiz fit un pas maladroit, buta sur un objet en travers du chemin et s'étala de tout son long sur les pavés.

Le premier garde atteignit la petite entrée voûtée, leva le poing et tambourina contre le battant. Le deuxième saisit Rémiz par le trou dans le col de sa veste, le redressa sans ménagements et l'emmena *manu militari* jusqu'à la porte. Rémiz eut toutefois le temps d'apercevoir ce qui avait causé sa chute.

C'était la statue d'un antique ligueur, disloquée en tombant d'une corniche supérieure surchargée. Son regard fixe et aveugle rencontra les yeux de Rémiz, qui éprouva un serrement de cœur familier.

« Tu es comme moi, pensa-t-il. Je suis tombé à terre aussi. »

À cet instant, il entendit le frottement des verrous qui glissaient de l'autre côté de la porte. En bas. En haut. Il y eut un léger cliquetis, et le battant s'entrouvrit...

Chapitre 6

Esther Prunelline

LES GONDS ROUILLÉS GRINCÈRENT, LUGUBRES, TANDIS QUE la porte s'ouvrait lentement. Rémiz scruta la pénombre qui s'élargissait. Pourquoi les gardes l'avaient-ils conduit à l'antique Palais des statues ?

Soudain, un long bras osseux surgit de l'ombre et une main nerveuse, toute en articulations noueuses et en griffes jaunes déchiquetées, lui saisit le poignet et tira. Une boule dans la gorge, Rémiz franchit le seuil.

Il entendait derrière lui les fouets claquer, les gardes hurler, les esclaves enchaînés gémir de consternation… Puis, une fois la porte refermée dans un claquement sonore, plus rien.

Rémiz eut le souffle coupé. Un lourd silence l'enveloppait. Il semblait lui palpiter aux oreilles, oppressant, anormal, pas un seul bruit extérieur ne venant troubler le calme absolu des lieux. Après la lumière aveuglante du dehors, ses yeux s'efforçaient de s'adapter au demi-jour obscur du vaste vestibule où il se trouvait désormais. Comparé à l'air si étouffant et si humide des rues, l'atmosphère ici était délicieusement fraîche. Rémiz sentit l'étau se resserrer autour de son poignet.

Devant lui, seul dans la spacieuse salle opaque, se tenait un gobelin maigre et cassé – vieux, à en juger par les rides profondes qui plissaient son grand front et l'extrémité blanchie des poils sur ses oreilles. Mais Rémiz n'avait aucune intention de le sous-estimer. Car, en dépit de son apparence branlante, le gobelin avait une résistance manifeste ; au fil des ans, il s'était endurci et affermi, comme le cuir.

– Numéro onze, c'est bien ça ? marmonna-t-il, examinant les chiffres peints sur la veste de Rémiz. Numéro onze ! Eh bien, Lumiel ferait mieux d'emmener sur l'heure numéro onze à la cuisine. Lumiel ne veut pas d'ennuis, oh, non ! Lumiel obéit aux ordres.

Le gobelin fit signe à Rémiz de le suivre et s'avança sur le dallage en marbre froid de l'entrée.

Rémiz lui emboîta le pas. À mesure que ses yeux s'accoutumaient au demi-jour obscur filtrant par les volets clos des hautes fenêtres, il distingua des statues : des centaines de statues, aux attitudes variées, de styles divers, qui se dessinaient dans chaque pan d'ombre. Il y en avait des foules, de part et d'autre du vestibule, sur des piédestaux cannelés ou des socles festonnés, tandis qu'une myriade occupait des niches dans les murs ; alignements le long des balcons, haie d'honneur bordant la courbe majestueuse de l'escalier ; sans oublier la multitude qui se fondait dans les ténèbres au-dessus de sa tête.

Toutes, comme celles qui reposaient en équilibre instable à l'extérieur de l'édifice, représentaient d'anciens ligueurs. Leur richesse et leur rang avaient été figés dans la pierre. À proximité, un petit personnage corpulent serrait une corde sculptée, symbolisant le matériau qui avait fait sa fortune ; un autre tenait une longue-vue contre son œil ; un troisième avait un hammel façonné à ses pieds. Ils portaient de splendides vêtements de marbre, ornés de bijoux ciselés dans la pierre, cols de fourrure, fraises de dentelle et longues capes majestueuses taillées dans la roche blanche étincelante. Et, alors que Rémiz les examinait de plus près, leurs yeux fixes semblèrent se plisser ; leurs bouches devenir ricaneuses.

– Oh, les statues observent le vieux Lumiel, marmotta le gobelin, poussant Rémiz devant lui. Elles guettent l'occasion de l'écraser au moment le plus imprévisible. Mais le vieux Lumiel est trop malin. Elles ne l'auront pas !

Le gobelin donna une secousse brutale dans le dos de Rémiz. Celui-ci repartit à pas hésitants, qui résonnèrent sur le marbre froid. Le regard levé vers les statues aux capes grises, il se rendit compte, stupéfait, qu'elles n'étaient pas du tout revêtues de capes, mais drapées par d'épaisses toiles d'araignées poussiéreuses. La soie entourait les doigts, voilait les visages et pendait aux bras tendus comme des lambeaux de mousseline.

Alors qu'ils atteignaient l'extrémité du large vestibule, Lumiel se dirigea vers une petite porte à panneaux, placée sous une modeste voûte d'entrée. Deux statues couvertes de toiles d'araignées montaient la garde de chaque côté. Le gobelin s'avança, remua la poignée puis, tant bien que mal, ouvrit le lourd battant de bois.

– Allez, numéro onze, gloussa-t-il. Il ne convient pas de faire attendre Esther Prunelline. Lumiel le sait ! Ah, ça oui, il le sait !

Rémiz franchit le seuil en trébuchant et se retrouva au sommet d'un escalier pentu.

– C'est par là, indiqua Lumiel. Descends, numéro onze. Esther t'attend.

La porte se referma et Rémiz entendit les pas traînants du vieux gobelin s'éloigner. Il baissa les yeux. Les marches disparaissaient loin au-dessous dans une lueur malsaine, orange foncé. Il saisit la rampe d'une main ferme, essaya de réprimer le tremblement de ses jambes et entreprit la descente.

Il s'enfonça plus bas, toujours plus bas, vers les entrailles souterraines du palais. Sous ses pieds, les marches en bois (de simples planches fixées aux murs de soutènement) se révélaient usées, glissantes. Elles craquaient et se déformaient au point qu'il devait se montrer d'une extrême prudence pour ne pas perdre l'équilibre. Peu à peu, l'air se réchauffait, s'embuait, et une odeur que Rémiz était incapable d'identifier se répandait. Elle devenait plus forte à chaque pas ; tantôt aigre, tantôt métallique, tantôt imprégnée d'une fumée âcre dont les volutes denses brouillaient la lumière orange toujours plus intense.

Comme il approchait du but, Rémiz jeta un coup d'œil en arrière et tressaillit devant la distance parcourue. Le sommet de l'escalier délabré était plongé dans le noir, la petite porte n'était même plus visible. « Un miracle que je ne me sois pas rompu le cou ! » pensa le jeune garçon, pris de vertige, alors qu'il descendait les dernières marches.

Enfin revenu sur un plancher solide, il regarda autour de lui... et resta médusé. Il se trouvait dans une immense cuisine bouillonnante. Soutenue par un briquetage complexe formé de piliers robustes et d'arches entrecroisées au-dessus de sa tête, la salle souterraine sifflait et tremblait dans la chaleur et le bruit, au milieu de vapeurs enivrantes plus prononcées que jamais. Elles semblaient venir du fond de la cuisine, où la lumière jaune orangée était la plus vive.

Juste devant Rémiz, une longue table, à la surface roussie et creusée par des années de mauvais usage, débordait d'un apparent chaos d'ustensiles, de matériel et d'attirail compliqué. Louches, cuillers, pilons et mortiers, tas de plateaux, liasses de papiers ; coupes, couteaux, fioles d'élixirs et pots de crèmes grasses ; boîtes, balances, brochettes et pipettes ; fendoirs, entonnoirs, règles et bougeoirs...

Le bric-à-brac ne se limitait pas à la table. Le plancher alentour était jonché de caisses et de sacs, tous regorgeant de la faune et de la flore des Grands Bois, depuis les ailes de filelame séchées aux sphères ratatinées de champignons à pus. Des brassées d'herbes aromatiques et de branches feuillues, des bouquets de buissons fleuris desséchés pendaient aux moindres murs, arches et piliers, d'où une impression de vaste forêt tête-bêche. Il y avait des placards et des classeurs aux tiroirs bourrés de lichens, de mousses et d'autres végétaux déshydratés. Il y avait des casiers, des compartiments et des rayonnages remplis d'innombrables bouteilles, grosses et petites, toutes pleines jusqu'au goulot, bouchées et étiquetées. Certaines renfermaient des copeaux d'écorce, dont une écriture très fine précisait l'essence : *ricanier, plombinier, arbre aux berceuses, saule-goutte, carnasse.* D'autres contenaient des baies séchées, macérées ou baignant dans l'huile, des amandes, des graines. D'autres encore contenaient des feuilles – des minuscules piquants gris du thym des bois rampant aux larges cœurs de la noirelle, délicatement parfumée, mais vénéneuse.

Rémiz fronça les sourcils. Que faisait une herbe aussi dangereuse dans une cuisine ? Alors qu'il poursuivait sa lente exploration de la pièce, posant un œil plus attentif sur les rayons et les placards, il remarqua d'autres ingrédients douteux.

Un tonnelet de pommes-en-cœur roses, toxiques ; une bonbonne de gratouilles mortelles, dont une demi-douzaine pouvait tuer un hammel adulte…

Cette cuisine était un paradis pour empoisonneur !

À cet instant, une petite voix câline s'éleva :

– Qui rôde dans ma cuisine ? Est-ce toi, Lumiel, mon mignon ?… Je t'ai pourtant déconseillé de rôder dans ma cuisine. Nous ne voulons pas de nouveau mal de ventre, hein, mon chéri ?

Rémiz eut un coup au cœur. Il

plissa les yeux et regarda dans la direction d'où venait la voix.

Devant lui, campé sur des pieds courtauds contre le mur du fond noirci, trônait un gigantesque fourneau ventru, dont le hublot vitré semblait cligner comme un énorme œil orange. Un soufflet décoré dépassait d'un trou dans la grille inférieure ; un conduit noir et sinueux pointait au sommet et s'enfonçait haut dans le mur. À droite s'élevait un immense tas de bûches ; à gauche, un amas inégal de branches et de troncs à tailler, ainsi que les haches et les scies qui servaient à préparer le bois de chauffage. Et, plus à gauche encore, encastrés dans le mur…

Rémiz faillit crier de stupéfaction. D'énormes cloches lumineuses pétillaient et bouillonnaient au-dessus de brûleurs à la flamme jaune acide, toutes reliées par un réseau labyrinthique de tuyaux et de tubes communicants qui s'enroulaient, serpentaient et se repliaient avant de descendre en lignes parallèles et de s'écouler dans une rangée de ballons en verre à même le sol. Rémiz se pencha et approcha les doigts du petit robinet de cuivre à l'extrémité d'un tuyau.

– Ne le touche pas, mon chéri, dit la voix câline.

Rémiz recula d'un bond.

– Viens par ici, que je te regarde, mon mignon !

Une petite vieille ratatinée sortit de la forêt de tubes et de tuyaux. Rémiz se rappela aussitôt l'avoir vue au marché : une gobeline courtaude, à la peau grisâtre et aux paupières lourdes. Elle portait une tenue à carreaux, un tablier taché ainsi qu'une toque blanche (la haute coiffe arrondie préférée des matrones). Elle tenait d'une main une bonbonne ouverte, de l'autre une minuscule cuiller de dosage. Elle jeta un coup d'œil à Rémiz.

– Esther Pr… Prunelline ? demanda celui-ci.

– C'est exact, mon chéri, répondit-elle. Mais attends une seconde. Ne vois-tu pas que j'essaie de me concentrer ?

Revenant à sa bonbonne, elle versa une cuillerée rase de poudre rouge dans l'étroit goulot. Puis une autre, et une autre encore, tout en comptant :

– Six. Sept. Huit.

Elle s'arrêta et rangea la cuiller. Puis, après avoir replacé le bouchon et secoué vigoureusement la bonbonne, elle la haussa vers la lumière. Le contenu incolore vira au rouge. Un sourire satisfait jouant sur ses lèvres minces, Esther prit sa plume, la plongea dans l'encrier et nota sur l'étiquette (de cette écriture fine que Rémiz avait déjà remarquée) un seul mot : *Oubli*.

– Oubli ? murmura Rémiz.

– Laisse-moi ça, mon chéri, ordonna Esther, qui écarta la bouteille et contourna la table en hâte. Voyons que je t'inspecte, mon mignon.

Elle le tira vers la lumière, le pinça et le palpa de ses doigts acérés.

– Maigre, mais robuste, dit-elle. Je crois que tu feras l'affaire.

Elle lui tourna la tête et plissa ses petits yeux.

– Tu as reçu un vilain coup, mon chéri ? Ton crâne te fait mal ?

Rémiz confirma.

Esther tendit le bras et lui posa la paume sur le front. Sa peau était curieusement sèche, comme du parchemin, mais avait une fraîcheur agréable. Elle hocha la tête et s'éloigna. Rémiz entendit un cliquetis de verre, des glouglous et le fracas métallique d'une cuiller qui remuait. La

gobeline revint et lui présenta une potion verte, mousseuse.

– Bois, mon chéri, lui dit-elle.

Rémiz examina, nerveux, le récipient qu'elle lui
offrait. Que contenait-il ? Du nectar de pomme-en-cœur,
peut-être ? Ou du jus de gratouille ?

– Vas-y, mon mignon, dit Esther, et elle lui fourra le
verre dans la main. Tu n'en mourras pas.

Lentement, Rémiz porta le récipient à sa bouche et
prit une gorgée. C'était délicieux : une succession de parfums prononcés. Gingembre du pin. Citron des rochers.
Délise et feuille d'anis…

– Très bien, dit Esther. Jusqu'à la dernière goutte,
mon chéri.

Au fur et à mesure que le liquide circulait en lui,
Rémiz se sentit revigoré ; lorsque le verre fut vide, non
seulement son mal de tête s'était évaporé, mais il avait
retrouvé ses forces et son tonus. Il s'essuya la bouche
d'un revers de la main et reposa le verre sur la table.

– Étonnant, dit-il. Qu'est-ce que c'est ?

– Oh, l'une de mes petites mixtures, mon mignon,
répondit Esther, lui touchant de nouveau le front. Tu te
sens mieux, hein ?

– Beaucoup mieux, merci.

Esther sourit, une lueur mauvaise dans le regard.

– Bien, alors tu peux te mettre au travail et alimenter le feu !

Elle se dirigea vers le fourneau ventru.

– Tu vois, dit-elle, les flammes sont orange, mon
chéri. Orange ! Trois jours que mon fourneau est délaissé.
Depuis la disparition de Touffic. Et maintenant, il faut le
garnir.

Elle resserra son châle autour de ses épaules.

– Ma cuisine devient frisquette. Ne sens-tu pas le froid, mon mignon ? Ma parole, je commence à claquer des dents... Remplis le fourneau ! Remplis-le jusqu'à ce qu'il soit chauffé à blanc ! Juste comme je l'aime, mon chéri.

Rémiz prit une bûche dans le tas ; il s'apprêtait à la transporter vers le fourneau rougeoyant lorsqu'une voix retentit à l'intérieur de sa tête :

– Pas si vite, mon jeune préposé au fourneau !

Rémiz se figea. La bûche tomba dans un fracas. Il avait l'impression que des doigts glacés lui palpaient le cerveau, provoquaient une douleur lancinante derrière ses yeux et jetaient la confusion dans ses pensées.

– Je lui demandais simplement de mettre quelques bûches dans le fourneau, mon chéri, protesta Esther avec indignation. Où est le mal, Ambrephile ? On grelotte ici ! Dites-le-lui, Flambusie : on grelotte !

La sensation glacée incommodante cessa aussitôt dans la tête de Rémiz. Il se tourna et découvrit non pas une, mais deux silhouettes masquées par la pénombre, derrière lui. Il y avait une grande créature massive, peut-être de la famille des troglos ploucs, qui paraissait encore plus immense, perchée sur ses cothurnes et coiffée de son chapeau ailé. Ses robes amples voletaient et chatoyaient dans la chaleur vibrante. Devant elle, assis dans un fauteuil en gâtinier flottant, se tenait un très vieux spectrinal, bossu et tremblant, à la peau blême et marbrée, aux yeux éteints à demi fermés.

– Ma chère Esther Prunelline, dit-il d'une voix rauque, alors que ses oreilles tombantes et ses barbillons flasques frémissaient. Combien de fois devrai-je vous le rappeler ? Nous ne saurions être trop prudents. Quand vous allez vous approvisionner sur le marché aux esclaves, je vous en prie, je vous en supplie, je vous en conjure, apportez-moi directement vos achats !

Dans son inquiétude, ses joues creuses s'agitaient.

– J'allais le faire, mon chéri, répondit Esther, poussant Rémiz vers le minuscule écoutinal. Mais il arrive à l'instant. Et il fait tellement froid… je me suis dit qu'il pourrait d'abord alimenter le fourneau, et qu'ensuite…

– Non, non, non, Esther ! L'écoutinal retomba, épuisé, contre le dossier, s'étranglant, suffoquant. Sa compagne, Flambusie, se pencha vers lui.

– Nom d'une pipe s'exclama-t-elle. Vous vous fâchez encore. Et qu'ai-je dit à ce propos ?

Elle tira un mouchoir de sa manche, épongea le front luisant d'Ambrephile.

– Nounou a dit de ne pas se fâcher ! Ce n'est pas bon pour votre constitution. Et Nounou sait de quoi elle parle.

L'écoutinal ferma les yeux. Ses oreilles ondulèrent étrangement. Sa respiration devint plus lente, plus régulière.

– Bien sûr, vous avez raison, Flambusie, parvint-il à dire d'une voix sifflante et entrecoupée. C'est juste…

Il agita une main osseuse en direction d'Esther.

– Cette… cette créature ! Elle n'en fait qu'à sa tête…

Esther croisa les bras.

– Bon, il est là, maintenant, rétorqua-t-elle. Qu'attendez-vous ?

– Approchez-le, Esther, dit Ambrephile avec lassitude.

– Allez, mon chéri, dit la gobeline, poussant Rémiz dans le dos.

Le jeune garçon fit quelques pas hésitants sur le carrelage et s'arrêta devant le fauteuil flottant. Une odeur déplaisante enveloppait la créature maladive, curieux mélange de biscuits au lait rassis et d'antiseptique, qui augmenta lorsque Ambrephile s'inclina en avant.

– Agenouille-toi ! ordonna-t-il.

Rémiz obéit. L'écoutinal le saisit par le col, l'attira plus près et plongea les yeux dans les siens. Une deuxième fois, Rémiz sentit le picotement glacé à l'intérieur de sa tête.

– Laisse-moi entrer, chuchota une voix. Laisse-moi entrer, Rémiz Gueulardeau, chevalier bibliothécaire…

Le picotement s'intensifia. Froid, engourdissant. Les doigts glacés semblaient sonder son esprit, lire ses pensées, les feuilleter comme les pages d'un livre.

– Un chevalier bibliothécaire... Le Débarcadère du lac... dit la voix dans sa tête. Un esquif du ciel, *Le Frelon de tempête*... Un orage imminent, des rides sur l'eau...

Le vieil écoutinal ferma les paupières et son dos s'arqua lorsqu'il se rejeta dans le fauteuil.

– Un sous-bibliothécaire !

La voix était forte maintenant, insistante.

– Un brique-lutrin, un tourne-chaînes... Un chagrin profond, profond...

L'écoutinal attrapa les poignets de Rémiz et le contraignit à s'approcher encore.

– Des larmes... De la souffrance... Des cauchemars...

Rémiz frissonna.

– Chassons-les tous, lui dit la voix intérieure. Laisse-les s'évanouir. Donne-les-moi. C'est la solution. Que toutes ces pensées tourmentées disparaissent à jamais...

Rémiz fut pris de vertige alors que ses souvenirs le quittaient, l'un après l'autre, petit à petit. Bientôt, il ne resterait plus rien.

– Non, grogna-t-il, reculant soudain, désireux d'écarter de ses pensées les doigts engourdissants.

– Ne me résiste pas ! entendit-il à l'intérieur de sa tête, et il sentit les doigts resserrer leur étau alors qu'ils poursuivaient leur exploration.

C'était tentant de se soumettre à l'écoutinal. Tout pour que cesse au plus vite l'agitation terrible de ces doigts glacés, qui fouillaient et furetaient dans sa tête. Pourtant, s'il ne résistait pas...

Son esprit prenait déjà des allures de paysage stérile, enneigé, gelé. Les impressions, les pensées, les sentiments – Rémiz croyait les voir chanceler à travers une friche déserte, saisis par les doigts fouineurs, puis pétrifiés.

« Il faut que j'essaie de leur échapper, se dit Rémiz. Il faut que je me cache, moi, Rémiz. Rémiz Gueulardeau... »

Tel un immense projecteur, la puissance inquisitrice de l'écoutinal balayait l'esprit de Rémiz, ratissait les coins et les recoins, forait les fissures et les fentes, déverrouillait porte après porte, jusqu'au cœur de ses pensées les plus lointaines.

Toujours à genoux, Rémiz se balançait d'avant en arrière, sa tête ballottait. Il faisait si chaud dans la cuisine ; une chaleur étouffante, à laquelle se mêlaient les fumées toxiques du fourneau.

Mais à l'intérieur de sa tête bourdonnante, le froid régnait, un froid mordant, alors que les doigts glacés creusaient en profondeur et congelaient le moindre pan de son être.

« Je... suis... Rémiz... »

Un blizzard semblait emporter ses souvenirs et ses pensées comme autant de flocons de neige. « Rémiz... Je suis Rémiz... » Alors qu'il fuyait les doigts glacés, fouineurs, il tomba dans les bras d'une créature moelleuse, d'une créature tiède, inscrite dans sa mémoire la plus ancienne. Une ourse bandar. Son ourse bandar.

L'immense créature porta une griffe d'avertissement à ses lèvres, attira Rémiz dans une cavité moussue et l'enlaça. Le jeune garçon se pelotonna et se cacha au creux de l'étreinte chaude et veloutée.

Il était introuvable désormais. Il était à l'abri. Protégé...

Avec un sursaut de la tête, Ambrephile s'assit très droit. Il rouvrit les paupières.

– Alors ? s'enquit Esther.

– Oh, je pense qu'il se montrera docile désormais, répondit l'écoutinal, dont Flambusie essuyait le front brillant. Son esprit est dégagé. Une page vierge, pour ainsi dire.

Il fronça les sourcils et repoussa l'infirmière d'un geste irrité.

– C'était un bel esprit, je dois dire, remarqua-t-il, songeur. Un esprit vigoureux. Bien dommage d'enlever toutes ces pensées courageuses et ces nobles souvenirs à un jeune garçon aussi intrépide. Néanmoins, Esther, je suis persuadé qu'il réapprendra bientôt, surtout si vous le traitez de manière aussi désinvolte que tous les au... au... autres...

Sa phrase se perdit dans une quinte de toux. Il respira bruyamment et chercha son souffle.

Flambusie lui tapota le dos.

– Allons, allons, l'apaisa-t-elle. Vous avez encore dépassé la limite.

– Le médicament... souffla Ambrephile d'une voix rauque. Mon... médicament...

La toux le reprit, plus forte qu'auparavant.

– Tout de suite, répondit Flambusie, qui empoigna le fauteuil flottant et l'entraîna.

Juste avant de disparaître, elle se tourna et lança un sourire à Esther.

– Je ne sais pas ce que nous deviendrions sans vos remèdes, dit-elle.

Les deux visiteurs partis, Esther reporta son attention sur Rémiz. Il était resté agenouillé, le cou fléchi et les yeux fixes, inexpressifs. D'une main, elle lui haussa le menton et, de l'autre, claqua des doigts.

– J'espère seulement qu'Ambrephile n'y est pas allé trop fort, marmonna-t-elle. Ce ne serait pas la première fois.

Elle le lâcha.

– Debout ! ordonna-t-elle.

Rémiz se leva tant bien que mal.

– Oui, psalmodia-t-il, obéissant.

– Bien, mon chéri, marmonna Esther. Bon, il faut que tu travailles si tu veux gagner ton gruau quotidien. Au fourneau, mon petit ! Garnis-le ! Garnis-le à ras bord !

– Oui.

– Très bien, dit Esther.

Elle enfila un gant épais et ouvrit la porte à l'avant du fourneau. Une bouffée d'air brûlant, sulfureux, frappa Rémiz de plein fouet. Il recula, mais demeura silencieux.

– Oui, très bien, vraiment, dit Esther. Ambrephile a réalisé une merveille. Un chef-d'œuvre.

Rémiz se tenait devant le fourneau, sans bouger, sans ciller. Son esprit était vide ; tellement vide qu'il ne se rendait même pas compte de son incapacité à réagir.

– Les bûches, indiqua Esther. Prends des bûches dans le tas et alimente le feu.

– Oui.

Il se dirigea vers l'immense tas de bois et saisit le rondin le plus proche : volumineux, peu maniable, presque deux fois plus lourd que lui. Il le traîna sur le sol, dans des grognements et des gémissements d'effort. Arrivé au fourneau, il gonfla ses poumons avant de se pencher, de saisir le tronçon rugueux et de le soulever. Durant une minute, le rondin resta en équilibre instable sur le rebord du hublot circulaire, menaçant de ressortir et de l'écraser, puis il bascula vers l'intérieur, sur les braises rougeoyantes.

– Parfait, dit Esther. Maintenant, actionne le soufflet : tu le déplies, tu le replies, tu le déplies, tu le replies, voilà... Puis tu iras chercher une autre bûche. Et une autre, et une autre encore ; tu continueras à les transporter et à garnir le fourneau jusqu'au moment où je t'ordonnerai d'arrêter. Compris ?

– Oui, j'ai compris.

La besogne était éreintante. À maintes reprises, Rémiz déplaça les lourdes bûches vers le grand fourneau, les hissa et les précipita au-dedans. Le feu flambait de plus en plus. Il lui brûlait la peau et les poumons. Il lui roussissait les cheveux...

Et pourtant, l'intérieur de sa tête demeurait un désert gelé que les flammes ne pouvaient pas atteindre. Son corps souffrait, mais son esprit ne percevait rien, excepté la voix d'Esther.

– Une autre bûche ! gronda-t-elle. Dépêchons ! Tu ralentis !

– Oui, Esther.

Il redoubla d'effort.

Mais, dans le vide intérieur, quelque chose remua – un mouvement minuscule dans la neige, alors qu'une bribe de conscience enfouie frémissait. L'étreinte de l'ourse bandar réchauffait son esprit... qui chuchota : « Rémiz. Tu es Rémiz. »

Il était recroquevillé en position fœtale, protégé du froid polaire par l'étreinte rassurante de l'ourse. Les doigts glacés de l'écoutinal avaient figé ses souvenirs, ses pensées, ses espoirs et ses craintes, ses cauchemars et ses rêves... Mais une chose était demeurée hors d'atteinte – la part la plus importante, la plus précieuse. La racine de son existence, l'essence de son être ; en bref, la conscience de lui-même.

Lui, Rémiz Gueulardeau.

Il restait à l'abri auprès de l'ourse qui l'avait protégé autrefois, lorsqu'il était enfant, perdu et seul dans les Grands Bois...

Rémiz trébucha et lâcha la bûche qu'il tirait vers le fourneau. La tête lui tournait.

La glace perdait du terrain. Rémiz se glissa hors des bras tièdes de l'ourse. L'ensemble de ses souvenirs, de ses pensées, de ses sentiments était gagné par le dégel.

Soudain, ses oreilles rugirent, un éclair l'éblouit, et tout lui revint en un flot. Qui il était. Où il était...

– Assez pour aujourd'hui, mon chéri, dit Esther, un œil soupçonneux sur son esclave. Tu peux aller te coucher.

– Merci, dit Rémiz, soucieux de dissimuler son soulagement.

La chaleur accablante du foyer pénétrait maintenant son corps fourbu, au supplice. Il ne savait pas combien de temps il aurait pu continuer. Dans un énorme effort, mobilisant ses ultimes réserves d'énergie, Rémiz renversa dans le feu la bûche entre ses mains et attendit, immobile, l'instruction suivante.

Esther claqua le gros hublot du fourneau et baissa le loquet. Elle pivota vers Rémiz.

– Tu dors là-bas, dit-elle, montrant la table basse derrière eux. Dessous.

– Merci, dit Rémiz.

Il s'approcha d'un pas traînant, s'accroupit et, prenant garde à ne pas se cogner la tête au plateau, rampa sous la table. Un matelas de copeaux recouvrait le carrelage, moelleux, tiède, engageant. Rémiz s'étendit, se pelotonna et respira le délicieux parfum aromatique des rubans de bois. Ses paupières devinrent lourdes ; son corps sembla s'enfoncer dans le sol.

Esther se tenait au-dessus de lui.

– Dors bien, petit préposé au fourneau, et reconstitue tes forces, dit-elle d'une voix sourde et rauque. Tu en auras besoin. Aujourd'hui, tu as garni le feu...

Rémiz enlaça ses genoux et remonta ses jambes contre son ventre.

– Merci... chuchota-t-il d'un ton somnolent.

Les ténèbres s'installèrent ; l'extérieur s'éteignit, un sens après l'autre. Et Rémiz sombra dans un profond sommeil sans rêve. Esther gloussa, détestable :

– Mais demain, tu nourriras le bébé.

CHAPITRE 7

Nourrir le bébé

TÔT LE LENDEMAIN MATIN, RÉMIZ FUT BRUTALEMENT réveillé par un objet dur et pointu qui lui piquait le dos. Il ouvrit aussitôt les yeux.

Pendant une minute, il resta perplexe. Il semblait allongé sur un matelas de copeaux. Un deuxième coup vif lui frappa le dos.

– Aïe ! cria-t-il, et il se retourna.

Le regard scrutateur, une vieille gobeline à la peau grise tenait dans sa main osseuse une canne, dont l'extrémité pointue était orientée vers lui.

– Secoue-toi, mon chéri, disait-elle. Debout. Une longue journée de travail s'annonce.

Au son de cette voix aiguë, câline, Rémiz retrouva aussitôt la mémoire. Lumiel le majordome, Esther Prunelline la cuisinière, et l'écoutinal maladif, Ambrephile, qui avait ratissé son esprit, effacé son passé – essayé de l'effacer, du moins...

« Il ne faut pas que je me trahisse », se dit Rémiz alors qu'il rampait hors de sa couche et bondissait sur ses pieds. Il promena les yeux à la ronde, pris de vertige. Le fourneau rougeoyait et l'air brûlant, étouffant, miroitait comme de l'eau. Esther leva sa canne et montra la table derrière lui.

– Les victuailles, dit-elle.

Rémiz se retourna. Un couvert était dressé. Il y avait un grand bol de gruau gris, fumant, une cuiller de bois plantée au milieu, et un verre de la même potion que la veille, semblait-il.

– Mange, bois, et ne lambine pas, mon chéri, dit Esther. Le feu baisse.

Sans tabouret ni banc pour s'asseoir, Rémiz avala debout son petit déjeuner frugal. Le gruau avait un goût aussi infect que son aspect le laissait prévoir (fumé, salé, avec une forte âcreté de moisi), mais en arrosant chaque cuillerée gluante d'une gorgée de potion verte mousseuse, Rémiz parvint à étancher sa soif et à calmer sa faim simultanément.

– Dépêche-toi, mon chéri ! s'impatienta Esther. Il faut attiser ce feu.

Elle frissonna et resserra son châle autour d'elle.

– Mes vieux os sont transis jusqu'à la moelle.

Que racontait-elle ? L'atmosphère de la cuisine était torride. Rémiz ruisselait de sueur. Il vida le verre, le reposa près du bol à moitié plein et se tourna vers Esther.

– Merci, dit-il d'un ton inexpressif.

– Pour les remerciements, je préfère les actes aux paroles, répliqua-t-elle. Garnis-moi ce fourneau, mon chéri. Qu'il soit chauffé à blanc. Chauffé à blanc, m'entends-tu ? Aussi brûlant que possible, car aujourd'hui, nous allons nourrir le bébé.

– Oui, répondit Rémiz, veillant à ce que son visage ne trahisse pas la moindre émotion.

Il se détourna et se dirigea vers le grand tas de bûches, la phrase d'Esther résonnant dans sa tête.

« Nourrir le bébé ? se demanda-t-il. Quel bébé ? »

Le temps qu'il traîne la première bûche jusqu'au fourneau, la gobeline avait déjà ouvert le hublot. Lorsque le jeune bibliothécaire s'approcha, une bouffée de chaleur rugissante le frappa de plein fouet. Il laissa échapper une plainte sourde, involontaire.

Esther virevolta et le scruta longuement. Rémiz sentait ses yeux sombres, soupçonneux, le transpercer. S'efforçant de rester impassible, il se baissa, prit la bûche et la jeta dans le fourneau. Puis il s'accroupit et actionna le soufflet, comme Esther le lui avait montré : quatre mouvements vifs, déplier, replier, déplier, replier. Le feu crépita, siffla, et ses flammes dorées virèrent au jaune pâle, lumineux.

– Chauffé à blanc, mon chéri, souviens-toi, dit Esther. Allez, allez, des bûches supplémentaires. Et continue d'actionner le soufflet !

Après une douzaine de trajets et une foule de ventilations éreintantes, Rémiz fut soulagé d'entendre Esther se déclarer enfin satisfaite. Dans le fourneau ventru, grinçant et trépidant, le feu flambait plus furieusement que jamais, aussi aveuglant que le soleil, aussi brûlant que la foudre.

– Viens par ici, mon mignon, dit Esther. Regarde bien.

– Oui, répondit Rémiz d'une voix rauque.

Sa gorge, rôtie et desséchée, semblait avoir été poncée au papier de verre ; ses jambes étaient lourdes, flageolantes. Cependant, lorsqu'il s'éloigna du fourneau et s'avança dans la pénombre où Esther tripotait une corde, il trouva l'air plus frais et ses pensées s'éclaircirent.

– Dénoue-la-moi, mon chéri, demanda Esther. Je ne peux pas l'atteindre.

Rémiz acquiesça, docile, s'étira vers le piton fiché dans le mur et défit le rouleau de corde enchevêtré. Il tendit l'extrémité à la gobeline qui, sans un mot, donna du mou. Loin au-dessus, des cliquettements doux retentirent, et Rémiz aperçut un grand seau en bois qui descendait vers eux avec lenteur. Lorsque celui-ci fut assez bas, Rémiz rattacha la corde au piton.

– Vérifie que le nœud est solide, mon chéri, dit Esther. Voilà. Maintenant, viens voir.

Rémiz imprima une dernière secousse à la corde, puis se retourna vers le seau, désormais suspendu à faible hauteur. Esther immobilisa le récipient d'une main, y plongea son autre bras et en sortit un petit bulbe rouge, qui brilla lorsqu'elle le tendit vers la lumière.

– C'est un gland, annonça-t-elle.

Rémiz fronça les sourcils. Avec sa chair rouge, sa mince enveloppe visqueuse et son jus épais qui suintait comme du sang, ce fruit n'avait en rien l'aspect des glands que connaissait le jeune bibliothécaire. Il n'en avait pas non plus l'odeur. Cette puanteur rance, métallique, pensa Rémiz, le nez froncé, évoquait davantage les abats ; un foie de hammel, peut-être, ou un rognon de tilde.

– Un gland, répéta-t-il, essayant de masquer la surprise dans sa voix.

– Mais attention, pas un gland quelconque, précisa Esther. Celui-ci est un gland de carnasse. Cueilli dans les Grands Bois par les trolls, eh oui, mon mignon. Et c'est une tâche délicate, crois-moi ! Les carnasses dévorant toute la chair qu'ils peuvent saisir grâce à leur sanguinaria, les cueilleurs se font souvent cueillir, si tu vois ce que je veux dire. Estime-toi heureux de travailler ici pour moi.

– Oui, dit Rémiz, l'estomac chaviré.

– Voilà pourquoi ils sont si coûteux, continua-t-elle. Ça paraît évident. Mais va l'expliquer à ce vieux radin d'Ambrephile ! Il se plaint éternellement du prix. N'empêche, comme je le lui répète, si le maître à l'étage en est content, ce sont des pièces d'or bien dépensées, point final.

Avec précaution, Esther plaça le gland au creux de son tablier, puis en choisit un autre, qu'elle leva vers la lumière. Rémiz, nauséeux, la regarda sélectionner quatre autres gommes cramoisies tremblotantes et les déposer sur son tablier taché de sang.

– Six devraient suffire, mon mignon, dit-elle enfin.

Elle pointa un doigt ensanglanté vers un casier plein d'ustensiles pour la cheminée : des pinces, des balais, des pelles ; des soufflets et plusieurs petites hachettes.

– Apporte-moi une pelle, mon chéri.

Rémiz obtempéra.

– Non, pas celle-ci, dit Esther dans son dos alors qu'il tendait le bras. L'autre, là-bas, avec un long manche.

Rémiz prit la pelle désirée puis revint vers la gobeline.

– C'est bien, mon mignon. Maintenant, mets-la bien à plat devant moi. Parfait. Nous allons les disposer sur la plaque.

Elle baissa un regard pensif vers la demi-douzaine de glands.

– Peut-être un dernier, conclut-elle, se tournant pour tirer une septième gomme du seau oscillant et l'ajouter au reste. Voilà qui est mieux. À présent, la torréfaction. Suis-moi.

Esther repartit vers le fourneau. Rémiz l'accompagna, tenant les glands de carnasse devant lui. La gobeline enfila ses gants épais, leva les bras et ouvrit tout grand le hublot. Un souffle brûlant s'échappa.

– Oooh, délicieux, roucoula Esther. Une bonne chaleur pour mes os vieillis, transis. Passe-moi la pelle, dit-elle à Rémiz. Applique-toi.

Rémiz s'avança, se sentit fléchir tandis que la chaleur s'intensifiait soudain. Il confia le précieux chargement de glands à Esther, puis recula.

– On les enfourne comme ceci, dit Esther, glissant la pelle dans le foyer chauffé à blanc.

Il y eut un sifflement et l'odeur caractéristique de la viande grillée se répandit.

– Nous n'avons plus qu'à attendre. Deux ou trois minutes, et le tour sera joué.

Bien sûr, en temps normal, précisa t-elle à Rémiz, la fournée est beaucoup moins importante.

Un seul gland sert à fabriquer au moins cent bouteilles d'oubli.

– Bouteilles d'oubli, répéta Rémiz.

– J'en préparais quand tu es arrivé, dit Esther, t'en souviens-tu ?... Mais non, évidemment, ajouta-t-elle (avant que Rémiz puisse se trahir, par chance). Où ai-je la tête ? Vieille idiote que je suis...

Elle gratta sur son tablier une éclaboussure de sève rouge, durcie.

– L'oubli, soupira-t-elle. C'est le petit alcool adoré du maître, celui qui le rend heureux... Ma recette personnelle, de la première à la dernière ligne, ajouta-t-elle avec une fierté manifeste.

Rémiz demeura silencieux, imperturbable.

– Je le distille à partir des meilleures liquorines, dit-elle, le menton pointé vers le chaos de tuyaux et de tubes, de brûleurs et de cloches encastrés dans le mur sur sa droite. J'en fabrique en permanence. Mais c'est mon ingrédient secret qui le rend si spécial. Du gland de carnasse en poudre. D'où cette puissance qui plaît tant au maître...

Elle attira Rémiz contre elle et plissa les yeux.

– C'est notre petit secret. Tu ne le dévoileras à personne, entendu, mon chéri ?

Rémiz recevait en plein visage son haleine fétide, aigre et moite.

– Entendu, parvint-il à répondre.

La gobeline desserra son étreinte et le repoussa en riant.

– Naturellement, tu ne le dévoileras pas, mon chéri. Après tout, tu fais désormais partie de notre petite famille. Tu ne rencontreras plus personne à qui révéler le secret d'Esther, plus jamais...

Elle se tourna vers le fourneau, retira la pelle et inspecta les glands.

– Hum, encore trente secondes, il me semble...

Elle replaça la fournée.

– Évidemment, nous ne préparerons pas d'oubli aujourd'hui. Oh non. Aujourd'hui, nous allons nourrir le bébé.

– Nourrir le bébé, répéta Rémiz à voix basse, tandis que, toujours sous le choc des paroles d'Esther, ses pensées se bousculaient : ne plus rencontrer personne... plus jamais ?

La gobeline retira la pelle une deuxième fois.

– Parfait ! annonça-t-elle. Regarde bien, mon chéri. Exactement la couleur et la consistance recherchées, tu vois ?

– Oui, répondit Rémiz.

Il baissa les yeux vers la plaque. À la place des sept glands visqueux, semblables à des abats, s'élevait maintenant un unique monticule de poudre, aussi fine que de la farine, aussi rouge que du sang.

Esther referma le hublot d'un coup d'épaule et s'approcha de la table, serrant dans ses mains osseuses le manche carbonisé.

– Comme je te l'expliquais, d'habitude, je la mets de côté dans un pot, en attendant de l'utiliser pour l'oubli. Mais pas aujourd'hui...

– Non, aujourd'hui, nous allons nourrir le bébé, dit Rémiz, soulagé d'entendre que sa voix restait égale, inexpressive.

– En effet, mon chéri, approuva Esther.

Ses yeux sombres brillèrent sous ses paupières lourdes.

– Toi, du moins.

Elle posa l'extrémité de la pelle sur la table.

– À présent, attrape une bonbonne, mon mignon, et verses-y la farine de carnasse avec la balayette. C'est ça. Le moindre grain. Et dépêche-toi ! Le temps fait tout.

Rémiz s'empressa d'accomplir sa tâche, soucieux de respecter à la lettre les consignes d'Esther. Pourtant, malgré ses efforts, alors qu'il passait sur la pelle les poils souples de la balayette, quelques grains de poudre rouge manquèrent la bonbonne et voltigèrent jusqu'au sol humide. Par bonheur, Esther ne sembla pas le remarquer.

Lorsque la pelle fut complètement vide, la gobeline partit la ranger. Rémiz saisit la bonbonne et examina la farine rouge vif à l'intérieur. Elle était si éclatante qu'elle semblait palpiter…

– Pose-la, dit une voix près de son épaule.

Esther était de retour, un petit pot entre les mains. Elle le plaça sur la table, non loin de la bonbonne, et ôta le couvercle. Rémiz, curieux, jeta un coup d'œil interrogateur. Le pot était à moitié rempli d'une pâle poussière sépia, qui scintillait dans la pénombre de la cuisine.

– De la poudre de phrax, dit Esther.

– De la poudre de phrax, répéta Rémiz d'un ton plat, essayant coûte que coûte de masquer son enthousiasme.

Il savait tout de cette substance : qu'elle venait du phrax de tempête, précieux produit d'une Grande Tempête, si lourd dans l'obscurité qu'il avait autrefois servi à lester le vieux rocher flottant de Sanctaphrax ; qu'elle naissait, selon un processus naturel et sans risque, dans le demi-jour de la forêt du Clair-Obscur, à mesure que le phrax de tempête se désintégrait ; qu'elle pouvait purifier l'eau la plus souillée…

– Oui, de la poudre de phrax, d'une qualité sans pareille, dit Esther. Recueillie par les pies-grièches dans les profondeurs de la forêt du Clair-Obscur. Nous avons conclu un petit marché... expliqua-t-elle avec un clin d'œil.

Elle s'affaira, tendit à Rémiz une pince à épiler.

– Mais nous gaspillons des instants précieux. La farine de carnasse refroidit. Regarde, sa couleur devient terne. Ajoute-lui de la poudre de phrax, mon chéri ; puis secoue l'ensemble.

– Oui, dit Rémiz.

Il prit la pince entre le pouce et l'index, la plongea dans le pot.

– Quelle quantité faut-il ajouter ? demanda-t-il.

– Pour sept glands de carnasse, sept pincées de poudre de phrax.

La voix d'Esther venait de l'autre bout de la cuisine. Rémiz promena un regard à la ronde et constata, étonné, que la vieille gobeline s'était éloignée en catimini et se tenait maintenant à croupetons derrière un établi massif, le sommet de sa coiffe blanche dépassant tout juste du plan de travail.

– Allez ! lança-t-elle.

Rémiz se retourna vers les poudres, le cœur galopant comme un tilde capricieux. Ce qu'il faisait devait être dangereux ; sinon, pourquoi Esther se protégerait-elle ?

Il se pencha en avant et, d'une main tremblante, prit une pincée de phrax entre les branches de son instrument, qu'il approcha de la bonbonne. Puis, retenant sa respiration, il desserra la pince ; des fragments sépia tombèrent dans la farine cramoisie.

Rémiz tendit le bras pour prélever une deuxième pincée. Ses paumes étaient moites. Des gouttes luisantes perlaient sur son front et, comme il se penchait de nouveau, il s'efforça de se concentrer sur la bonbonne. La sueur ruisselait dans ses yeux ; il avait mal à la tête.

– Veille à ne pas répandre de phrax, mon chéri, recommanda Esther de sa voix câline.

Rémiz ouvrit la pince et les minuscules grains de phrax s'échappèrent. Au cours de l'opération, un unique fragment s'écarta du reste et tourbillonna dans les courants d'air brûlant. Il flotta vers le plateau de la table, remonta, virevoltant et scintillant, tantôt dans la lumière de la lampe, tantôt à la lueur du fourneau ; puis il redescendit, plus bas que le coin de la table, et tomba sur le sol, où s'était éparpillée la farine de carnasse…

Boum !

L'explosion qui secoua la cuisine fut aussi violente que soudaine. Elle ébranla le sol, elle fit trembler la lourde table, elle frappa Rémiz et le projeta à travers la pièce comme un torchon mouillé. Il atterrit pesamment contre le mur, la pince toujours serrée entre ses doigts crispés.

– Quelle négligence, mon chéri ! Quelle négligence ! houspilla une voix aiguë. Jaspel était négligent, et il n'a pas fait long feu.

La gobeline agita un doigt osseux plein de reproche.

– Je t'avais dit de t'appliquer !

– Que… que s'est-il passé au juste ? bégaya Rémiz, qui se releva.

Une odeur bien connue lui fit frémir les narines : un parfum d'amandes, d'amandes grillées…

– Tu avais dû laisser échapper de la farine de carnasse, et à l'instant, de la poudre de phrax, dit Esther d'un ton neutre. À l'extérieur de la bonbonne, ces substances sont très instables : la moindre humidité… et boum !

Rémiz se figea. Il lui vint à l'esprit que, si l'humidité avait provoqué l'explosion, son corps entier était un détonateur. Un simple doigt moite, une seule goutte de transpiration, et… À cette pensée, il sua plus que jamais. Il se mit soudain à suinter par tous les pores, telle une passoire.

– Vite ! lança Esther. Nous devons nourrir le bébé. Continue, mon chéri.

Essuyant du mieux qu'il pouvait ses mains tremblotantes sur le devant de sa veste, Rémiz regagna la table en hâte. La pince en l'air, il avança la main avec précaution et retint son souffle. Puis, les doigts tremblant comme un saule-goutte sous l'orage, il lâcha la nouvelle pincée de phrax dans la bonbonne. Il répéta l'opération quatre fois encore.

– Enfin, dit Esther. Maintenant, rebouche-la et secoue.

– Oui, répondit Rémiz d'une voix faible.

La peur vrillée au ventre, il tendit le bras, saisit la bonbonne et la leva. La poudre de phrax formait une fine couche par-dessus la farine de carnasse. Il enfonça le bouchon.

– Secoue-la bien, préconisa Esther.

– Oui, dit Rémiz.

Il sentait la poudre grillée chauffer ses mains – ses mains nerveuses, ses mains humides, moites… Il ferma les yeux de toutes ses forces et secoua la bonbonne avec vigueur. Rien ne se produisit. Il rouvrit les paupières. Les poudres s'étaient mélangées.

À cet instant, un tintement retentit dans la cuisine. Il venait du mur derrière la table : une rangée de clochettes, raccordées à des spirales métalliques, étaient fixées sur un tableau. Une petite plaque indiquait sous chacune la pièce correspondante : *Grande salle, Salle du banquet, Chambre du maître…* C'était la *Chambre des ligues* qui venait de sonner. La clochette oscillait encore.

– Vite, mon chéri ! Vite ! pressa Esther. Lumiel s'impatiente. Apporte la bonbonne par ici, mon mignon, que je la réchauffe.

De retour au fourneau, Esther plaça la bonbonne sur le rebord du hublot et attendit que la poudre à l'intérieur redevienne rouge vif. Puis, sans un mot, elle la retira et s'éloigna, faisant signe à Rémiz de l'accompagner.

Le jeune garçon la suivit jusqu'à l'angle opposé de la cuisine où, à moitié masquée par la pénombre, une tête de pierre sculptée, nichée dans le mur, arborait un rictus hideux. Le visage était énorme : les yeux globuleux aussi gros que la tête de Rémiz, le nez proéminent de la taille d'une corne de hammel. Au-dessous, la bouche immense montrait les dents. Rémiz fronça les sourcils. Esther semblait s'y diriger tout droit.

– Entre là et garde la bonbonne contre toi, mon chéri, ordonna Esther en lui tendant le récipient. Tu dois la monter au dernier étage du palais, dans la chambre des ligues. Lumiel t'y rejoindra. Ne le fais pas attendre.

Rémiz acquiesça en silence. Esther actionna un levier à droite de la tête : les dents dénudées s'écartèrent. Rémiz plongea les yeux à l'intérieur. La bouche contenait une sorte de petit placard (curieusement modeste pour une entrée aussi impressionnante), au plafond duquel pendait une corde.

– C'est un ascenseur à poulie, expliqua Esther. Il relie les différents niveaux du palais. Allez, mon chéri.

Malgré la chaleur de la bonbonne serrée contre sa poitrine, Rémiz frissonnait. Il se glissa dans le comparti-ment exigu et s'assit en tailleur. La corde pendait devant son visage.

– C'est bien, mon mignon, dit Esther. Prends la corde et tire. Tire de toutes tes forces. Et ne t'arrête pas avant le sommet. La bonbonne ne doit pas tiédir. Sinon, de l'humi-dité pourrait se former sur la paroi interne, auquel cas...

Rémiz avala bruyamment sa salive.

– Mais je suis sûre qu'un grand gaillard costaud tel que toi n'aura aucun problème. Pas comme ce vieux Turlupitre. Il s'est arrêté à mi-hauteur, au niveau de la salle du banquet. Une pagaille épouvantable ! Du verre et des boyaux partout !

Rémiz avala de nouveau sa salive et resserra encore son étreinte : que la bonbonne reste chaude à tout prix !

– En route, mon chéri, dit Esther d'une voix teintée d'impatience. Lumiel attend, rappelle-toi.

Rémiz saisit l'extrémité de la corde et tira énergi-quement. L'ascenseur vibra : la montée commençait. Il

tira de nouveau. La cuisine disparut et, avec elle, la chaleur torride du fourneau. Il s'éleva dans un conduit de cheminée sombre, tirant, une main après l'autre, à un rythme régulier. La sueur perla sur son front et humecta ses cheveux ; les muscles de son ventre et de ses bras se mirent à protester. Mais il ne fallait pas que la bonbonne tiédisse. Rémiz se donna du courage.

Au-dessus de sa tête, une lumière faible se rapprochait, se rapprochait… Soudain, les yeux de Rémiz rencontrèrent une étroite ouverture, qui laissait entrevoir un vestibule empli de statues. La pièce était aussi vaste et obscure que dans son souvenir. Et aussi glaciale ! Il agrippa la corde et tira plus énergiquement que jamais.

Quelques minutes après, il aperçut un salon de réception décoré, avec des tapis sur le sol, quantité de fauteuils et de banquettes, tous enveloppés d'une couche de poussière fantomatique.

Il continua son ascension. Un nouveau palier passa devant ses yeux ; puis, par-delà une grille métallique, une petite bibliothèque, avec des rayons de livres contre les murs et des vitrines au centre de la pièce. Rémiz avait les bras douloureux, chaque geste lui coûtait davantage que le précédent... Il aurait voulu s'arrêter, se reposer, mais il savait qu'il n'oserait pas.

Un peu plus tard, scrutant par une ouverture rectangulaire, il découvrit une salle grandiose. Les plafonds étaient hauts et voûtés ; un lustre de cristal pendait au-dessus d'une longue table en noirier, où étaient disposés des couverts en or et des coupes en argent.

Le corps de Rémiz souffrait le martyre ; sa tête bourdonnait. Et il avait chaud. Tellement chaud...

– La salle du banquet... Turlupitre ! murmura-t-il d'une voix faible, et il recula, horrifié de voir des bouffées de vapeur s'échapper de sa bouche.

Lui avait chaud, certes, mais la salle du banquet était glacée. La mort terrible de Turlupitre lui revint à l'esprit, terribles images.

Redoublant d'effort, Rémiz tira sur la corde avec toute son énergie. Le rectangle de la salle du banquet disparut, tandis que l'ascenseur repartait dans le conduit de cheminée. Durant un moment, la corde se tordit et frotta ; l'ascenseur ralentit. Rémiz tira encore plus fort. Après un léger soubresaut, la progression reprit. Plus haut, plus haut, toujours plus haut, devant un guichet verrouillé, plus haut encore. L'obscurité, l'odeur de moisi augmentèrent ; des toiles d'araignées collantes adhérèrent à ses mains, à son visage. Mais Rémiz poursuivit son

ascension. Et un changement se produisit. Un changement merveilleux. L'air se réchauffait...

Dans une secousse et un fracas, l'ascenseur s'immobilisa soudain. Rémiz regarda autour de lui, inquiet. Il faisait plus noir que jamais. Noir comme dans un four. Il ne
voyait pas ses mains devant son visage.

Il entendit alors, derrière lui, un marmonnement
sourd, monotone. Il se retourna et pencha la tête. Le murmure devint plus distinct :

– *Le blanc tu délaisseras, le noir tu choisiras, et la
vie tu garderas.*

Rémiz reconnut la voix légèrement sifflante du vieux
gobelin qui l'avait traîné à l'intérieur du palais. C'était
Lumiel.

– *Le blanc tu délaisseras, le noir tu choisiras, et la
vie tu garderas.*

Rémiz avança le bras, et ses doigts rencontrèrent un
petit loquet, qu'il tourna et poussa. Mais la porte resta fermée. Luttant pour ne pas s'affoler, Rémiz s'immobilisa et
tendit l'oreille.

– *Le blanc tu délaisseras, le noir tu choisiras...*

La comptine s'interrompit soudain.

– Oh, il vaudrait mieux qu'il se dépêche...

– Lumiel, je suis là ! s'écria Rémiz. Dans l'ascenseur
à poulie !

Il secoua la porte avec vigueur, la frappa du poing.

Le gobelin se tut et Rémiz perçut des pas traînants,
précipités, qui se rapprochaient. Du métal cliqueta, une
clé s'introduisit dans une serrure. Un instant plus tard, la
porte s'ouvrit à toute volée, un flot de lumière éblouissant
inonda la cabine et Rémiz se trouva nez à nez avec le
visage plein d'attente du majordome.

– Numéro onze ! s'exclama-t-il, et le soulagement se peignit sur ses traits. Oh, mais c'est un costaud, ce numéro onze. Lumiel le savait.

Il plissa les yeux.

– Me l'apportes-tu ? As-tu de quoi nourrir le bébé ?

Rémiz écarta un pan de sa veste et en sortit la bonbonne. Lumiel applaudit dans un bruit de castagnettes.

– Parfait ! siffla-t-il. Saute, numéro onze. Vite. Suis-moi.

Rémiz balança les jambes et, tenant la bonbonne avec précaution, bondit sur le sol. Une chaleur accablante l'enveloppa, comme une couverture suffocante, alors qu'il découvrait une pièce magnifique au faîte du palais.

Au-dessus de sa tête, un dôme vitré spectaculaire ouvrait sur le ciel radieux. Des carreaux brisés scintillaient par terre, autour d'une immense table en forme d'anneau, grossièrement réparée à l'aide de cordes et d'étais, qui occupait le centre de la salle. Non loin de là, une grosse tête en pierre contemplait le plancher de ses yeux fixes et aveugles, tandis que, de l'autre côté de la table, incongru dans la splendeur oubliée de la pièce, se dressait un ouvrage d'aspect bancal, haut d'une vingtaine de mètres, au sommet duquel (comme un œuf dans son nid) reposait une grosse sphère métallique. C'était dans cette direction que s'avançait Lumiel.

Il contourna la table, évitant avec soin les éclats de verre, et s'arrêta au pied de l'échafaudage. Rémiz l'imita, puis observa, curieux, le vieux gobelin saisir un instrument pareil à un cornet, long de quinze mètres, appuyé contre la structure de bois. Avec un grognement d'effort étouffé, Lumiel le souleva, plaça la partie évasée contre la surface de la sphère métallique et colla l'autre extrémité

à son oreille. Sa peau tannée se rida tandis qu'un sourire s'épanouissait sur son visage.

– Il faut nourrir bébé, dit-il. Son ventre est quasi plein, mais pas tout à fait...

Il reposa le cornet acoustique et se tourna vers Rémiz.

– Suis-moi, dit-il. Suis Lumiel, et nous irons nourrir le bébé.

Rémiz coinça la bonbonne sous son bras gauche et entreprit, derrière le gobelin, l'ascension périlleuse. Elle s'annonçait difficile... et s'avéra encore plus délicate que prévu. Le bois était rêche, hérissé d'échardes qui ne cessaient de lui piquer les doigts ; les entretoises espacées se révélaient difficiles à gravir, d'autant que la bonbonne pesante menaçait de glisser à chaque seconde. Rémiz franchit une longue poutre épaisse disposée en biais et continua sa progression vers l'enchevêtrement qui soutenait la sphère, adoptant le rythme du gobelin.

– Nous y sommes presque, numéro onze, l'encouragea Lumiel par-dessus son épaule.

Rémiz jeta un coup d'œil vers le bas. Le sol paraissait si lointain ! Il releva les yeux. Il était maintenant au niveau de la sphère. Vue de près, avec ses segments et son éclat cuivré, elle ressemblait à une gigantesque orange des bois, ressemblance accentuée par la longue corde qui, telle une tige, partait d'un petit trou sur sa face inférieure. Juste au-dessus, Lumiel tendit la main.

– Voilà, dit-il. Maintenant, grimpe ici.

Rémiz étira le bras, saisit la main tendue et se hissa près du gobelin. Celui-ci se tenait sur la plate-forme rugueuse, presque circulaire, qui entourait la sphère.

– Regarde bébé, chuchota Lumiel. Il est beau, hein ?

Dans une douce caresse, il palpa son contour lisse, poli.

– Le maître a dessiné bébé. Mais c'est Lumiel qui l'a fabriqué. Selon les ordres précis du maître. Beau bébé. Beau bébé rebondi.

Loin en contre-haut, les ailes silencieuses, ouatées, un corbeau blanc descendit en piqué dans le ciel. Ses yeux pénétrants scrutèrent le dôme vitré du grand édifice aux statues.

– Tu vois le couvercle, numéro onze ? Au centre de bébé, chuchota Lumiel. Ôte-le. Doucement...

Rémiz obéit.

– À présent, vide la bonbonne dedans. Jusqu'au dernier grain. Et presto, avant qu'une vilaine humidité pénètre dans bébé. Nous ne voulons pas de ça... Pas encore.

Les doigts nerveux, Rémiz inclina la bonbonne avec lenteur. Puis, d'une habile chiquenaude, il enfonça le goulot dans l'orifice de la sphère. Le diamètre correspondait parfaitement.

Le contenu se déversa. Le jeune garçon découvrit, à travers le fond de la bonbonne en verre, l'intérieur du « bébé ». La sphère était presque pleine. Rémiz tapota la bonbonne, et les derniers fragments de poudre rouge se détachèrent. Puis, dans un même geste, il retira le récipient vide, claqua le couvercle et le ferma hermétiquement.

– Très bien, dit la voix de Lumiel à son oreille.

Le gobelin caressait avec fierté le flanc de l'énorme sphère.

– D'ici peu, nous aurons rassasié bébé. Le maître sera très content de nous.

Rémiz effectua la descente derrière le gobelin. Au pied de l'échafaudage, Lumiel lui donna une tape sur l'épaule.

– Bébé est nourri, dit-il, alors tu ferais mieux de repartir. Il ne faut pas irriter la vieille Esther Prunelline. Lumiel en sait quelque chose.

Il se massa l'estomac d'une lente main noueuse.

– Sinon, tu auras de mystérieux maux de ventre. Elle connaît de bonnes recettes pour les provoquer. Note bien ce que te dit Lumiel.

Regagner la cuisine fut simple comme bonjour. L'ascenseur descendait tout seul. Il suffisait à Rémiz de retenir la corde, histoire de freiner un peu la cabine.

– Te voilà, mon chéri ! s'exclama Esther lorsqu'il arriva au sous-sol.

Il sortit par la bouche de pierre et pénétra dans la chaleur suffocante de la cuisine.

– Je me demandais où tu étais passé, dit-elle en le tirant vers le fourneau. Le froid s'est installé depuis ton départ. Remets des bûches dans le feu, mon mignon. Beaucoup de bûches.

– Oui, répondit Rémiz d'un ton las.

– Et actionne le soufflet. J'ai besoin de réchauffer mes vieux os transis et douloureux.

– Oui.

– Et, quand tu auras fini, tu me feras le plaisir de débiter d'autres rondins. Notre réserve baisse.

– Oui, dit Rémiz.

Il tendit à Esther la bonbonne vide et le bouchon puis, poussant un soupir, s'éloigna vers le tas de bûches.

Mais il avait beau être fatigué, son cerveau fonctionnait à toute allure ; les questions sans réponse et les suppositions extravagantes se bousculaient. Qu'était donc le bébé ? Pourquoi avait-il été fabriqué, à quoi pouvait-il bien servir ? Rémiz avait une certitude : il devait percer l'énigme. Envahi par un frisson glacé malgré la chaleur de la cuisine, il se dit qu'une seule et unique personne détenait les réponses à ces questions...

Le maître du Palais des statues, Vox Verlix lui-même.

CHAPITRE 8

L'œil de Vox

RAJOUTE DES BÛCHES, MON CHÉRI ! LE FEU DIMINUE,
dit Esther d'un ton câlin.

– Oui, répondit Rémiz avec lassitude.

Il avait mal dormi la nuit précédente, fait des rêves
confus remplis de recettes compliquées mêlant poudre de
phrax et glands de carnasse, où apparaissait un gros bébé,
dont le visage en cuivre poli se tordait de fureur tandis
qu'il hurlait : « Encore ! Encore ! Encore ! » Rémiz s'était
réveillé presque aussi fatigué que la veille au coucher. Et
maintenant, de retour à sa tâche démesurée dans la cuisine suffocante, il souffrait le martyre.

Alors qu'il soulevait une grosse bûche et la précipitait
dans le fourneau insatiable, un accès de fatigue l'accabla et
il eut toutes les peines du monde à garder les yeux ouverts.
Dans un angle de la pièce, assises sur deux grands fauteuils
à bascule ciselés, Esther et Flambusie Frangipane, l'infirmière d'Ambrephile, discutaient bon train à mi-voix.

– Je lui ai donné trois gouttes de votre élixir de ricanier, comme vous l'aviez prescrit, ma chère Esthie, disait

Flambusie, le menton pointé vers l'écoutinal qui somnolait près d'elles, dans son fauteuil. Mais je n'ai constaté aucun effet, ajouta-t-elle. Je jurerais qu'il s'y habitue, Esther. Il a fallu que je complète par une goutte de votre... (elle plissa les yeux et se pencha d'un air de conspiratrice) potion spéciale.

– Oh, Flambusie ! gloussa Esther. Je vous ai bien précisé qu'elle était réservée aux urgences. Une goutte de trop, et...

– Ma chère Esthie, vous savez que je suis prudente. Et ses remarques incessantes sont bien difficiles à supporter. Mais regardez-le maintenant, dit l'énorme infirmière avec un sourire indulgent. Il dort comme un bébé.

Du coin de l'œil, Esther aperçut Rémiz.

– Excusez-moi, Flambusie, dit-elle. J'en ai pour une seconde.

La vieille gobeline se pressa vers la table, préleva une dose de liquide vert dans un pot en étain et se hâta vers le fourneau.

– Tiens, mon chéri, dit-elle à Rémiz. Vide-moi ce gobelet.

Rémiz se tourna, le regard trouble. Esther lui plaça le verre dans les mains ; il le mit à ses lèvres. Dès la première gorgée, il se sentit rempli d'une énergie nouvelle, et avala goulûment le reste de la potion verte. Le liquide circula dans ses veines, lui tonifia le corps et lui éclaircit les idées.

– Merci, dit-il.

Esther secouait la tête, ébahie.

– Ma parole, quelle soif ! Tu sais, tu me rappelles Sifflotis... Pauvre Sifflotis chéri... ajouta-t-elle, mélancolique.

Elle tendit la main et pinça le biceps de Rémiz entre son pouce et son index osseux.

– Ça fait du bien, non ? La petite potion d'Esther te donne un beau tonus.

– Oui, répondit Rémiz.

C'était vrai : depuis sa récente arrivée dans la cuisine d'Esther, le dur labeur et le régime alimentaire étrange avaient des résultats indéniables. Il le sentait. Il devenait plus large d'épaules, prenait des bras plus robustes.

– Allez, au travail, mon chéri ! ordonna Esther. Sers-toi de ces jeunes muscles vigoureux. Garnis le fourneau et actionne ce soufflet.

– Oui, dit Rémiz d'une voix plate et sans timbre.

Esther s'éloigna.

– Désolée, Flambusie, ma mignonne. Alors, où en étions-nous ? Ah oui…

Elle fouilla dans les replis de son tablier, en tira une fiole de liquide marron.

– Voici une petite potion qui devrait être utile.

Elle poursuivit dans un chuchotement :

– Grâce à elle, sa toux tuberculeuse devrait encore empirer.

– Merci, ma chère Esthie, répondit Flambusie, qui dissimula la fiole dans le sac minuscule accroché à son énorme avant-bras. Vous êtes toujours d'un grand secours…

Ding ! Ding ! Ding ! Ding !

Une sonnerie insistante brisa la tranquillité de la cuisine. Flambusie s'interrompit à mi-phrase ; Ambrephile s'agita faiblement et se mit à tousser. Rémiz pivota sur ses talons : la clochette du milieu, étiquetée *Chambre du maître*, tressautait au bout de sa volute métallique comme un oisorat affolé. Vox Verlix appelait sans doute quelqu'un.

De grands accès de toux sèche tourmentaient le corps de l'écoutinal, sortant avec lenteur de sa léthargie.

Rémiz allait devoir surveiller ses pensées.

– Le maître sonne, annonça Esther. Flambusie, ma mignonne, qui-vous-savez est réveillé, me semble-t-il.

Elle montra l'écoutinal.

– Oh, je ne le sais que trop, ma chère Esthie ! répondit Flambusie, secouant la tête en lançant un clin d'œil. Je vous ai entendu dès le début, dit-elle au tousseur. N'allez pas vous mettre dans tous vos états… Oui, oui, je sais que le maître nous réclame. Je m'apprêtais à vous réveiller…

L'écoutinal retomba contre son dossier et fit signe à l'infirmière de prendre la longue poignée du fauteuil. Alors qu'ils traversaient la cuisine, tous deux passèrent devant Lumiel qui, installé sur un tabouret, mordillait un gros morceau de viande. D'un geste, Ambrephile somma Flambusie de s'arrêter et fixa un regard froid sur le gobelin.

Lumiel leva des yeux las.

– Quoi ? Qu'y a-t-il ?

Il soupira.

– Oh, comme ils sont exigeants avec le pauvre vieux Lumiel. Il ne peut même pas déjeuner sans être dérangé.

Les immenses oreilles de l'écoutinal frémirent, mais son regard resta de marbre.

– D'accord, d'accord, j'y vais. Lumiel sera bien à la porte pour accueillir notre visiteur, ne vous inquiétez pas.

Marmonnant tout bas, Lumiel abandonna sa cuisse de hammel à moitié mangée, essuya ses doigts graisseux sur sa veste et partit en direction de l'escalier. Flambusie le suivit, sur l'ordre d'Ambrephile l'écoutinal, qui s'efforçait de réprimer sa toux.

La clochette retentit une deuxième fois, plus insistante que jamais.

– J'arrive, mon trésor, susurra Esther.

Elle se précipita vers une grande armoire, ouvrit l'un des battants et sortit une bouteille d'oubli.

– Par les hauteurs célestes et les entrailles terrestres, il a épuisé la dernière livraison en un rien de temps, dit-elle. Il faudra que j'en prépare de nouveau.

Elle transvasa la liqueur cramoisie dans un pichet en étain (coiffé d'un couvercle à charnières) et posa celui-ci sur un plateau d'argent.

Rémiz se détourna au plus vite pour s'occuper d'une bûche lorsque la gobeline traversa la cuisine, tenant le plateau devant elle à mains fermes. Il ne fallait pas qu'Esther le voie ralentir ; ne risquait-il pas, sinon, d'attraper un vilain mal de ventre ? Avec un grognement d'effort, Rémiz hissa la bûche sur ses épaules et, plié en deux, tituba jusqu'au fourneau.

– Tu peux arrêter avec les bûches, mon chéri, lui dit Esther lorsqu'elle passa en coup de vent. Suis-moi. Je veux que tu montes ceci au maître, sans renverser la moindre goutte, attention !

Rémiz laissa la bûche rouler à terre et se redressa. Il accompagna Esther vers l'ascenseur à poulie, dont elle ouvrit la porte dentée.

– Remue-toi, mon mignon, dit-elle.

Rémiz pénétra dans la cabine et empoigna la corde. Esther glissa le plateau derrière lui.

– Neuvième étage, indiqua-t-elle. Et dépêche-toi. Ne fais pas attendre le maître, sinon tu auras des comptes à me rendre.

– Oui, répondit doucement Rémiz.

Les dents se refermèrent et, dans l'obscurité, Rémiz tira fortement sur la corde. L'ascenseur vacilla et s'éleva.

– Niveau un, haleta le jeune garçon lorsqu'il atteignit le vestibule.

Il entrevit Ambrephile, les oreilles frémissantes, gesticuler en direction de Lumiel, tandis que Flambusie s'affairait à son côté.

Deux. Le salon de réception. Rémiz avait le dos ruisselant de sueur, sa respiration forte résonnait dans l'espace exigu. Trois, la bibliothèque ; quatre, la salle du banquet ; cinq…

Les pensées se bousculaient dans son esprit. Il avait de la chance, une chance incroyable. Alors même qu'il se demandait comment parvenir jusqu'à Vox Verlix, Esther Prunelline lui offrait l'occasion de le rencontrer en personne. Il tira plus fort sur la corde. Six… Sept… Huit…

– Neuf, dit Rémiz.

Il actionna le frein. L'ascenseur s'immobilisa. Rémiz, en nage, avait devant lui le guichet fermé aperçu la veille. Il entendit, de l'autre côté du panneau, une sonnerie de clochette annoncer son arrivée, puis, sifflant et soufflant, un personnage pesant s'approcher à pas lourds.

Il y eut un cliquetis de clés, un frottement métallique ; la porte s'ouvrit. Rémiz découvrit une vaste pièce obscure où flottait, à la lueur des chandelles, un parfum de jasmin des bois. De volumineuses tapisseries foncées recouvraient les murs. D'épaisses carpettes et des coussins dodus en soie (un tilde doré ornait l'un d'eux) jonchaient le sol. Et, au beau milieu, trônait une énorme table ronde, taillée dans le marbre le plus blanc que Rémiz eût jamais vu. Un instant plus tard, une silhouette gigantesque se dressa devant lui, masquant toute la pièce.

– Donne-le-moi, grinça une voix sifflante.

Rémiz ramassa le plateau et le tendit. Deux grandes mains potelées, aux doigts bagués de pierreries, s'en saisirent. Rémiz vit la silhouette titubante s'éloigner du guichet et regagner la lumière des chandelles. Là, des ombres dansant sur ses gros traits bouffis et sur la médaille en or du grand office, se tenait Vox Verlix en personne. D'une seule main massive, il s'empara du pichet d'oubli et prit une lampée, avant d'essuyer ses lèvres sur sa manche. Ses yeux devinrent vitreux.

– Tu peux partir, marmonna-t-il.

Rémiz s'apprêtait à parler lorsque la porte claqua soudain.

De l'autre côté du panneau retentirent une éructation sonore et un rire aigu, sifflant, puis le fracas d'une grosse silhouette maladroite qui heurtait des objets et les renversait. Rémiz hésita, l'oreille collée contre la porte. Il écouta et attendit...

Enfin, il entendit un ronflement bruyant. Il tenta d'ouvrir la porte, mais en vain. Le guichet était verrouillé de l'extérieur.

Avec un soupir, Rémiz reprit la corde, desserra le frein, et l'ascenseur commença sa longue descente. « N'empêche, raisonna-t-il pendant que les diverses portes défilaient, je sais maintenant où est Vox. Au neuvième étage. Et, même si le guichet est verrouillé, l'ascenseur à poulie ne constitue pas le seul moyen d'accès à la chambre du maître... »

– La terre et le ciel soient remerciés, tu es de retour, mon chéri ! s'écria Esther lorsqu'il atteignit le sous-sol. Qu'est-ce qui t'a retenu si longtemps ? Il fait un froid de canard.

Rémiz regagna la chaleur intense de la cuisine. Esther s'empressa autour de lui.

– Le feu, mon chéri, câlina-t-elle. Il faut t'en occuper sans délai, avant que mes vieux os transis ne soient totalement paralysés. Comment pourrais-je me consacrer à mes recettes dans une cuisine glaciale ? Allez, remue-toi.

– Oui, dit Rémiz, qui se dirigea docilement vers la bûche abandonnée.

Il la saisit à deux mains, la souleva et la fit aussitôt basculer dans le fourneau, puis il retourna s'approvisionner.

Pendant ce temps, Esther disparut dans un placard de plain-pied au fond de la cuisine, dont elle ressortit un moment après, serrant une grosse liasse de parchemins et un grand coffre vide en bois de fer. Ainsi chargée, elle traversa la pièce à pas traînants et s'installa sur une chaise devant le fourneau, avec un léger soupir de satisfaction. Puis, le coffre devant elle, les parchemins étalés sur les genoux, elle entreprit de classer les recettes, gloussant et marmonnant tout bas.

Rémiz alla chercher une autre bûche et la jeta dans le fourneau ; et une autre, et une autre encore, et un vigoureux coup de soufflet après chaque ajout. L'éclat du fourneau augmenta. La cuisine devint torride.

– C'est bien, mon chéri, murmura Esther, tandis que ses paupières s'alourdissaient. Une bonne chaleur, comme je l'aime.

Rémiz sourit, narquois. La gobeline commençait à s'assoupir. « Je vais te fournir une bonne chaleur, pensa-t-il. Je vais chauffer cette cuisine comme jamais auparavant. » Il actionna énergiquement le soufflet. Esther cilla et ferma les yeux.

177

Rémiz continua d'alimenter les flammes rugissantes, jusqu'au moment où le fourneau fut garni à ras bord. Le brasier était infernal, plus brûlant même que les fours industriels qu'il avait vus dans la Clairière des fonderies, lors du sauvetage de Ouamalou et des autres ours bandars. L'épisode semblait si lointain… Ruisselant de sueur, Rémiz actionna le soufflet une dernière fois.

Derrière lui, Esther piqua du nez ; plusieurs parchemins glissèrent de ses genoux. Un ronflement rauque résonna.

Rémiz sourit. Esther dormait comme une souche : c'était l'occasion pour lui de s'esquiver. Tandis qu'il passait devant la ronfleuse, il jeta un coup d'œil sur les recettes éparpillées. *Élixir pour otite*, *Baume mélancolique*, *Gouttes aveuglantes*, *Sirop contracturant*… C'était l'écriture très fine d'Esther. Rémiz allait s'éloigner lorsqu'une feuille particulière éveilla son attention : *Cordial pour maux de ventre*.

Il parcourut la page. *Verser le vinaigre de saulibaie et le lait de tilde, mijoter jusqu'à ce que le mélange coagule… Laisser refroidir… Pour obtenir des vomissements, ajouter une pincée de régurgimousse…*

Rémiz fit une moue de dégoût. Durant ses études dans les Clairières franches, il avait reçu les enseignements de trolls jacteuses et d'elfes des chênes, qui s'étaient consacrés corps et âme à l'étude des propriétés des plantes, afin de créer des potions et des lotions qui apaisent la douleur et soignent les troubles. Mais pas Esther Prunelline. Cette créature perverse utilisait manifestement son art pour provoquer souffrances et tourments. Rémiz considéra ces « recettes » détestables. Il aurait pris un plaisir extrême à s'emparer de la liasse entière et à la jeter au feu…

Mais pas maintenant, pensa-t-il en se détournant. Pour l'heure, il devait quitter la cuisine et trouver le neuvième étage.

Alors qu'il s'éloignait en catimini, les ronflements d'Esther diminuèrent à ses oreilles. Il s'avança vers l'ombre fraîche, laissant derrière lui le fourneau brûlant et l'empoisonneuse diabolique.

Il se faufila entre des amas de caisses et des montagnes de sacs, longea d'immenses tables encombrées de casseroles, de bonbonnes et de bocaux pleins de curieux liquides. Enfin, l'escalier apparut, ses marches supérieures perdues, là-haut, dans la pénombre épaisse. Rémiz se lança dans la montée.

Il était déjà à mi-parcours lorsqu'un doute l'envahit : et si la porte était fermée à clé ?

Enfin arrivé au sommet, il posa une main précautionneuse sur la poignée, tourna très, très lentement... et tira. La porte, ô bonheur, s'ouvrit, dans une faible protestation de ses gonds anciens. Rémiz se glissa dans l'entrebâillement, referma en hâte le battant... et s'immobilisa.

De l'autre côté du spacieux vestibule, frissonnant dans l'air glacial, lui tournant le dos, se tenait Lumiel.

Rémiz avança d'un pas furtif et jeta un coup d'œil par-dessus la jambe tendue d'une statue poussiéreuse, couverte de toiles d'araignées. Le vieux majordome, seul près de la porte d'entrée, soufflait dans ses mains. La statue vacilla, instable, et Rémiz, qui la saisit à deux mains, eut un mal fou à l'empêcher de tomber.

– Pour qui se prend-il ? Grand bibliothécaire puissant, qui fait attendre le vieux Lumiel, grommela le gobelin, se dandinant d'un pied sur l'autre et serrant ses bras

contre lui. Lumiel a froid, marmonna-t-il, maussade. Et
faim… Tout le monde abuse du généreux Lumiel, ah, ça
oui. Ils ne l'ont même pas laissé finir son repas…

Il se retourna vers la porte, fit coulisser un opercule
en argent et scruta par le judas.

– Où est-il donc ?

Rémiz en profita : il quitta sa cachette et, aussi
discret que possible, traversa le vestibule dallé sur la
pointe des pieds, rasant les murs bordés de statues. Il fila
de l'une à l'autre en direction du grand escalier, qui émer-
geait de la pénombre devant lui. Il était au milieu du vestibule lorsque le gobelin pivota. Rémiz retint son souffle
et se figea, statue parmi les statues.

– À la disposition de chacun du matin au soir, se plai-
gnait le majordome, et quel remerciement reçoit Lumiel ?

Il renifla et se mit à faire les cent pas.

– Un mot gentil serait le bienvenu de temps en temps…

Quelque part au-dessus de lui, Rémiz entendit un faible craquement sinistre. Il s'accroupit aussitôt et se protégea la tête avec les bras.

Crac !

Le brusque fracas déchira le vaste vestibule et les statues poussiéreuses oscillèrent alentour, comme en soutien à leur compagne renversée, dont les débris gisaient maintenant sur le sol en marbre. Le silence revint… jusqu'à ce que la voix de Lumiel s'élève, cri de triomphe et de défi :

– Il faudra vous appliquer davantage si vous voulez la peau du vieux Lumiel ! rugit-il, le poing brandi vers les statues qui peuplaient les niches en hauteur.

Tapi derrière un socle, Rémiz osa un regard scrutateur. Le majordome lançait des coups de pied dans les restes de la statue.

– Tu pensais m'avoir cette fois, hein ? Tu attendais que j'aie le dos tourné. Mais Lumiel a été trop rapide pour toi, pas vrai ?

Gloussant de rire, le gobelin se dirigea vers la porte qui menait à la cuisine.

– À présent, Lumiel va te balayer et te mettre au rebut. Bon débarras !

Le gobelin disparut par la porte. Rémiz sauta sur l'occasion. Tête baissée, il fonça vers l'escalier, monta quatre à quatre la première volée de marches et, arrivé sur le palier, se recroquevilla dans l'ombre d'un pilastre sculpté. Un regard derrière son épaule... Lumiel revenait dans le grand vestibule en marbre, un gros balai noueux coincé sous le bras. Sifflotant comme une casserole, le gobelin entreprit de réunir les débris épars en un joli tas.

– Un visiteur important, murmura-t-il pour lui-même. Il faut faire bon effet...

Rémiz se détourna pour continuer à gravir l'élégant escalier ; il évitait les rais de lumière étincelante qui filtraient, obliques, par les hautes fenêtres, et restait dans l'ombre. Les statues l'environnaient. Elles se dressaient sur des socles et des plates-formes à chaque palier, bordaient les corridors disposés en étoile, tels les rayons d'une grande roue. Des centaines de personnages, immense armée de pierre embusquée dans les ténèbres, qui observait, attendait...

« Ce ne sont que des sculptures, se dit Rémiz. Des blocs de rocher, rien de plus. »

L'air était glacial, mais Rémiz ne frissonnait pas seulement à cause du froid. Alors qu'il passait devant elles, les statues grinçaient, semblaient chuchoter, et Rémiz croyait parfois, du coin de l'œil, deviner un mouvement ; mais quand il se tournait, il les voyait dressées, toujours aussi immobiles.

Au sixième palier, de puissants effluves d'embrocation mentholée s'ajoutaient à l'odeur de renfermé. Rémiz entendit une toux lointaine et la voix désincarnée de Flambusie, mielleuse, sinistre, résonner dans les couloirs.

– Si vous ne restez pas tranquille, je ne pourrai pas vous enduire correctement, roucoulait-elle. Et votre maudite toux ne guérira jamais.

Rémiz s'empressa de repartir. Il ne s'arrêta qu'une fois parvenu au neuvième étage. Il fit alors une pause pour reprendre haleine et regarder autour de lui.

Ce palier-ci était bien différent des autres. Contrairement au marbre uni des étages inférieurs, les carreaux dessinaient ici un motif compliqué. Rémiz regarda de plus près : il s'aperçut qu'il ne s'agissait pas de formes abstraites improvisées, mais d'innombrables créatures, connues ou inconnues, savamment imbriquées.

L'oreille d'un lièvre des bois formait la bouche d'un limonard, dont la nageoire dorsale s'insérait entre les pattes robustes de l'ours bandar au-dessus de lui. Un minaki s'entrelaçait avec un fluquet, la sombre mâchoire saillante du second formant le bord de l'aile blanche du premier ; un tailladeur se changeait en filelame ; un paludicroque devenait un fromp. Et les motifs s'étendaient ainsi le long de l'unique corridor spacieux qui débouchait sur le palier. Un seul corridor, remarqua Rémiz, à l'inverse des autres étages également.

Au bout de ce couloir s'ouvrait une haute fenêtre. Un rayon de soleil entrait, vertical, frappait le lustre au plafond et renvoyait des flèches lumineuses aux couleurs de l'arc-en-ciel dans toutes les directions ; elles tournoyaient et se heurtaient, glissaient sur le marbre blanc des statues, étincelaient sur le sol dallé.

À mi-chemin du corridor, sur la droite, était aménagée une magnifique embrasure. La porte à panneaux qu'elle encadrait portait l'emblème du grand office (un cercle solaire, divisé par des éclairs zigzagants), comme la médaille que Rémiz avait vue au cou de Vox.

– La chambre du maître, chuchota-t-il.

Il s'était à peine engagé dans le corridor, rasant le demi-jour de la cloison, qu'un fracas soudain l'arrêta net. Il se réfugia dans l'obscurité d'une alcôve pleine de toiles d'araignées, qui avait dû abriter autrefois une statue, et observa, anxieux. Le vacarme venait de l'extérieur : très probablement une statue qui tombait de la façade.

Mais lorsque le fracas s'apaisa, un autre bruit le remplaça, bien plus proche : le raclement sourd du métal contre la pierre. Il y eut ensuite un crissement étouffé, et la silhouette d'un garde gobelin en tenue de combat apparut dans l'encadrement de la fenêtre. Rémiz se recroquevilla dans l'alcôve et retint son souffle.

Le garde ouvrit la fenêtre, resta en équilibre une minute sur le rebord, le temps de regarder derrière lui, puis bondit. Pendant qu'il sautait, le soleil scintilla sur la lame tranchante de la terrible faux entre ses dents. Il atterrit en souplesse, raidit ses jambes arquées, regarda encore derrière lui. Enfin, jetant des coups d'œil méfiants à la ronde, il suivit le corridor, trottinant avec discrétion, pieds nus, sur les carreaux.

Rémiz observait, horrifié. Le gobelin n'avait manifestement qu'une idée en tête : le meurtre !

La gorge du jeune chevalier se noua. Le gobelin avait presque atteint la porte. Rémiz distinguait chaque poil de ses oreilles huppées, il sentait la puanteur de son corps crasseux. Le garde retira la faux de sa bouche et l'empoigna d'une main ferme. Puis, lançant un ultime regard par-dessus son épaule cuirassée, il fit un pas en avant et...

Tout arriva très vite. Dès qu'il le toucha, le carreau sous ses pieds s'affaissa dans un cliquetis. Au même instant, depuis les hauteurs du plafond obscur, un cliquetis retentit en écho, suivi par un sifflement, alors qu'un long balancier fendait l'air. Le gobelin ne sut jamais ce qui le frappait. Avant qu'il ait pu remuer un seul muscle, la lourde lame recourbée à l'extrémité du balancier le trancha comme une motte de beurre, coupant l'assassin potentiel en deux.

Rémiz demeura bouche bée, incrédule devant la scène qui venait de se dérouler. Le gobelin était mort ; les îles jumelles que formait son corps baignaient dans une mare de sang grandissante. Rémiz détourna son regard horrifié. Là-haut dans les ombres, le balancier fatal reprit sa place avec un cliquetis, tout comme, à la même seconde, le carreau se fondait, impossible à détecter, dans la mosaïque traîtresse.

– Un chausse-trape, souffla Rémiz, tremblant.

Il braqua les yeux sur le sol. Chaque dessin élaboré lui paraissait mortel désormais. N'importe quelle dalle pouvait déclencher cet affreux pendule – ou pire. Rémiz était bloqué, pétrifié par la peur, incapable d'avancer ou de reculer. À ses pieds, un carreau blanc, d'une blancheur de neige, représentait une tête de luminard. Ses cornes recourbées formaient le bas-ventre d'un serpent noir enroulé au-dessus de lui.

– Un serpent noir, murmura Rémiz. Un luminard blanc.

Un luminard blanc. Noir et blanc... Un souvenir lui revint : *Le blanc tu délaisseras, le noir tu choisiras, et la vie tu garderas.*

C'était Lumiel. Rémiz l'avait entendu chantonner sans relâche ce petit refrain dans la chambre des ligues.

Le blanc tu délaisseras, le noir tu choisiras, et la vie tu garderas...

Quittant l'alcôve, Rémiz posa un pied hésitant sur le serpent noir, puis sur un hammel noir et sur un minaki noir, prenant soin d'éviter le crapoteux blanc qui les séparait. Jusqu'ici, tout allait bien. S'efforçant de ne pas regarder le corps ensanglanté, il contourna la tête blanche d'un énorme pourrivore, en passant par un tilde noir et un nouveau minaki, et arriva enfin devant la grande porte ornée.

Il colla son oreille contre le panneau de bois sculpté, tout ouïe. Il n'entendit rien, absolument rien. Il tendit le bras, saisit la poignée, la tourna. La porte s'ouvrit en silence et Rémiz, soulagé, se glissa à l'intérieur.

Il se retrouva dans la pièce luxueuse qu'il avait entraperçue de l'ascenseur. Sombre, indistincte, empestant l'encens et des parfums musqués, elle était bien plus vaste que Rémiz ne l'avait imaginé : caverne immense, encombrée d'une telle foule d'objets qu'elle paraissait réduite.

C'était une forêt de rayons et de rangements, tous débordants de liasses de parchemins ; de hauts pupitres à la cime desquels pointaient des crochets recourbés, enveloppés de toiles, de cordes et de beaux tissus brodés d'or et d'argent. Au sol, les carpettes de fourrure et les coussins dodus en soie que Rémiz avait vus plus tôt ; aux murs, des tapisseries foncées, tandis qu'au plafond, telle une bibliothèque suspendue, d'innombrables carrés de parchemins jaunis étaient retenus par des cordes, immobiles dans l'air tranquille.

Ils devaient être poisseux, se dit Rémiz, car, au recto comme au verso de chacun, était collée une multitude de créatures : papillons des bois, punaises des chênes, abeilles et guêpes ; fluquets et oisorats plus ou moins décomposés ; le squelette d'un pourrivore nain, sa peau desséchée étirée sur ses ailes osseuses... Les pièges semblaient capturer le moindre intrus volant dans la chambre de Vox ; toutefois, le maître lui-même demeurait invisible.

Frôlant le mur, Rémiz poursuivit son exploration de la pièce. Et, tandis qu'il se frayait un chemin dans le désordre, il examina plus attentivement les rangées de cartes, de plans et de diagrammes (encre sépia sur peau de tilde et autres cuirs épais) qui pendaient aux étendoirs métalliques et recouvraient la moindre surface horizontale. Il vit une étude détaillée de la Grand-Route du Bourbier, incluant des indications de longueur et de poids, des descriptions précises de la technique employée pour couler les grands pylônes dans la boue molle et instable du Bourbier. Il y avait plusieurs coupes transversales de la tour de la Nuit, toutes subtilement différentes les unes des autres, et une maquette du projet qui avait finalement été retenu. Venait une table jonchée d'équerres, de règles à calcul et de colonnes de chiffres relatives à la création peut-être la plus ambitieuse de Vox : la forêt de Sanctaphrax.

Près d'un long établi, un chevalet portait un unique manuscrit jauni, épinglé à une planche à dessin. Le schéma complexe représentait une énorme sphère, à l'intérieur savamment compartimenté, couverte d'annotations minutieuses. Rémiz la reconnut aussitôt.

– Le bébé, murmura-t-il.

Il suivit du doigt le cercle au-dessus duquel, soulignée par un furieux trait rouge, figurait la phrase : *Qu'ils explosent tous dans le ciel infini !*

Les rumeurs disaient donc vrai. Vox Verlix, le plus grand ingénieur et architecte de tous les temps, était un personnage amer, brisé. Rémiz regarda le fatras autour de lui. Le Dignitaire suprême avait été trahi par chacun de ses associés : la mère Griffedemule, la reine pie-grièche qui s'était emparée de la Grand-Route du Bourbier une fois sa construction terminée ; Orbix Xaxis, qui avait chassé Vox de la tour de la Nuit et l'avait forcé à se réfugier dans la vieille Infraville ; enfin, le général Banderille, le chef gobelin engagé par Vox en personne pour asservir les Infravillois et les faire travailler sur le chantier de Sanctaphrax, mais qui avait, en fait, mis la main sur Infraville et réduit Vox à l'état de quasi-prisonnier, ici dans le Palais des statues. Le gobelin tué dans le corridor n'était sans doute que le plus récent des nombreux assassins envoyés par le général bestial, qui ne cachait nullement son mépris pour son maître d'autrefois.

Rémiz aperçut devant lui un cadre doré, ciselé, fixé au mur. Il s'approcha, s'attendant à découvrir le portrait d'un ancien occupant de la chambre, voire de Vox Verlix lui-même. Mais non : il se trouvait face à une petite porte en noirier. C'était l'entrée de l'ascenseur à poulie. Il se retourna. Il vit le coussin en soie orné du tilde brodé, les épaisses carpettes de fourrure, la table ronde en marbre. Derrière, dans l'ombre, semblait se dessiner un immense fauteuil tapissé, enveloppé dans une lourde couverture bleue et violette, une longue corde terminée par une clochette en cuivre pendant sur le côté.

Rémiz considéra le fauteuil. Celui-ci se soulevait et s'abaissait au son caractéristique d'un ronflement sourd, rauque, qui enfla jusqu'à se muer soudain en grognement sec et réveiller le dormeur. Rémiz recula dans le fouillis opaque. Puis la couverture à pompons vola, et ce qu'il avait pris pour un fauteuil se mit debout, tant bien que mal.

– Vox Verlix, murmura Rémiz, pétrifié.

Vox regarda autour de lui, les yeux troubles. Il se gratta la tête, agita un doigt boudiné dans son oreille et lança deux éructations.

– Ça va mieux, marmonna-t-il.

Rémiz se souvint d'un portrait de Verlix datant de l'époque où il était apprenti scrute-nuages : jeune, mince, une ambition non déguisée dans son regard d'acier. Impossible de le reconnaître dans cet ivrogne bouffi. Rémiz l'observa, aussi dégoûté qu'apitoyé, traîner sa masse à travers la pièce.

Il s'arrêta près de la table et leva la tête. Rémiz suivit son regard vers un assemblage cylindrique de miroirs, de chaînes et de leviers suspendus. Gémissant sous l'effort, Vox tendit le bras et tira sur l'une des chaînes en cuivre. Un miroir s'inclina, et un large faisceau de lumière tomba sur la grande table en marbre.

Tapi derrière un casier plein de rouleaux d'écorce, Rémiz jeta un coup d'œil. Vox regardait la table illuminée, son visage éclairé à profusion. Rémiz s'avança doucement, tordant le cou pour mieux voir.

Vox tendit de nouveau le bras, monta un levier et baissa une deuxième chaîne. À la surface de la table, l'image bougea... et Rémiz étouffa une exclamation en comprenant de quoi il s'agissait. C'étaient Infraville et ses environs. Vox Verlix avait élaboré un mystérieux dispositif pour projeter dans cette vaste pièce sans fenêtre la vue extérieure et, tandis qu'il levait et baissait tour à tour la série de chaînes et de leviers, l'image apparut, nette, sur la table circulaire.

– Je vous vois tous... jubila Vox.

Son visage ruisselant de sueur s'anima, ses petits yeux ronds brillèrent froidement.

– Il n'existe aucune cachette, car l'œil de Vox voit tout ! Tout ! La fin approche, fourmis des bois chétives, s'écria-t-il. La fin approche, et moi seul la vois !

Le cœur de Rémiz battit la chamade. Puis, la curiosité l'emportant sur la prudence, il trouva un tabouret rembourré d'où contempler au mieux l'image projetée. La ligne des toits d'Infraville, la tour de la Nuit, la Grand-Route du Bourbier, couronnées par la voûte d'un ciel lourd, chargé de nuages...

Le tabouret vacilla. Rémiz perdit l'équilibre et pencha de côté, heurtant un grand vase qui bascula et se brisa par terre.

Vox leva les yeux, une expression de terreur et de colère mêlées sur son visage.

– Qui est là ? demanda-t-il d'un ton féroce.

Rémiz allait s'avancer, se présenter comme le nouvel assistant d'Esther (et inventer une commission qui justifierait sa présence), lorsque...

– Fais ta prière, Vox Verlix ! ordonna une voix sourde, bourrue.

Rémiz se figea. La voix venait des ombres près de la porte.

Vox se tourna dans cette direction.

– Montre-toi, exigea-t-il avec un accent d'inquiétude.

– Comme tu voudras, Vox Verlix, Dignitaire suprême, répliqua la voix, crachant le nom et le titre avec mépris.

Et, sous les yeux de Rémiz, un gobelin sortit de l'ombre. Grand, bâti en force, il était vêtu et armé comme le garde qui avait pénétré dans le corridor. Il brandissait une terrible faux recourbée, aux découpures étincelantes, un sourire mauvais sur ses lèvres balafrées et ses dents noircies.

– J'ai un message du général Banderille...

– Comment... comment oses-tu ! tempêta Vox, son double menton frémissant d'indignation. Agenouille-toi quand tu t'adresses au Dignitaire suprême de Sanctaphrax et d'Infraville !

Le sourire du gobelin s'élargit.

– Ils m'avaient raconté que tu étais gras, dit-il, et il feignit de caresser lentement, de son pouce calleux, la courbe de la faux étincelante. Tes cris de porc vont m'amuser, gronda-t-il.

– Le général Banderille sera informé de ton insolence ! coupa Vox, impérieux. Et vous le regretterez tous les deux !

Rémiz secoua la tête. Vox était en danger de mort et, malgré ses vociférations, une lueur d'affolement indubitable brillait dans ses yeux enfoncés. « C'est à moi qu'il appartient d'agir », se dit Rémiz. Il recula dans la pénombre et saisit le premier objet qui lui tomba sous la main. Ce dernier avait un poids rassurant.

– Dignitaire suprême, ricana le gobelin. Espèce de sale gros lard boursouflé, parasite et bon à rien !

Il menaça Vox de sa faux.

– Par pitié ! haleta Vox. Je te donnerai ce que tu voudras.

Un éclair de désespoir passa sur son visage.

– Tout ce que tu voudras !

Il tituba en arrière, les bras levés dans un geste défensif.

– Non, non, non... implora-t-il.

Le gobelin brandit sa faux, tranchant la poussière dansante. La lame scintilla. Vox s'immobilisa.

– Allez, gros porc, crie pour le général Banderille...

– Aaaïïïe ! Aaaïïïe ! lança
Vox terrifié, criant et hurlant
comme un vorisson blessé.
Kkkaaaïïïe !

Rémiz bondit hors de
l'ombre, tenant le morceau
de bois au-dessus de sa tête.
L'arme du gobelin étincela.
Vox s'écroula en arrière.
Rémiz poussa un
g r o g n e m e n t
d'effort, prit
son élan et
asséna un coup
magistral sur la nuque du
gobelin.

Le morceau de bois s'abattit, fracassant. Le gobelin
se raidit, mais resta debout. Rémiz avala sa salive. Les
gobelins avaient le crâne aussi dur que du bois de fer. Il
frappa de nouveau – un coup violent sur le côté de la
tête...

Le gobelin chancela sur place, décrivant un lent cercle
instable. Ses yeux tournoyèrent dans leurs orbites, puis
roulèrent soudain vers le haut, et seule la partie blanche,
injectée de sang, demeura visible. Dans une plainte
sourde, il tomba à la renverse, raide comme un piquet, et
s'effondra sur le sol avec fracas.

Rémiz tâta le corps du pied. Le gobelin n'était pas
mort, mais il aurait un mal de tête mémorable lorsqu'il
finirait par se réveiller.

– Tout va bien, dit Rémiz à l'immense personnage
recroquevillé devant lui. Vous ne craignez plus rien.

Vox écarta les bras et leva les yeux.

– Tu… tu m'as sauvé la vie, dit-il. Qui es-tu ?

– Rémiz Gueulardeau. L'assistant d'Esther Prunelline.

– L'esclave d'Esther, grimaça-t-il.

Suant et soufflant, il roula sur le ventre et se mit péniblement debout.

– Je te suis reconnaissant, dit-il d'une voix rauque, tendant une main potelée. Que fais-tu hors de l'ascenseur ? demanda-t-il, les sourcils froncés.

– Je… euh… Esther… enfin, Lumiel… bafouilla Rémiz.

À cet instant, quelqu'un frappa poliment, distinctement : trois coups légers, puis une pause, et trois nouveaux coups.

– Ce n'est pas trop tôt ! marmonna Vox. Entre, Lumiel ! appela-t-il.

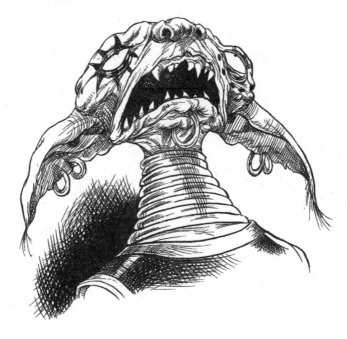

Rémiz vit le vieux majordome marquer un temps d'arrêt lorsqu'il sortit de l'ombre au fond de la salle. Il dévisagea tour à tour les occupants de la pièce.

– Maître, dit-il. Numéro onze. Et...

Il grimaça.

– Le voilà ! s'exclama-t-il. Le vieux Lumiel savait bien qu'ils étaient deux. Eh oui, les gobelins chassent toujours par paire, quand ils ont des projets de meurtre. J'en ai vu un dehors, dans le couloir ; je savais que l'autre rôdait dans les parages.

– C'est le gamin esclave qui l'a assommé, dit Vox. Heureusement, ajouta-t-il d'un ton sec, que quelqu'un ici a l'esprit vif.

Il montra du menton le morceau de bois que Rémiz serrait toujours dans ses mains et gloussa – son rire évoquait un gargouillis dans un tuyau.

– Une chance que je l'ai prévue solide.

Rémiz baissa les yeux et, à sa grande surprise, découvrit qu'il tenait l'admirable maquette d'une tour.

– La tour de la Nuit, murmura-t-il.

– En effet, confirma Vox. Conçue pour résister aux ouragans comme aux boulets de canon...

– Et le plus effroyable édifice jamais construit sur un rocher de Sanctaphrax, dit, près de la porte, une douce voix cassée.

Vox plissa les yeux.

– Je connais cette voix... chuchota-t-il.

– Ah oui, Lumiel oubliait, maître, avec toute cette histoire de gobelins meurtriers. Votre visiteur est arrivé.

Alors qu'il parlait, un personnage maigre s'écarta de lui. Rémiz retint une exclamation.

Le visiteur était soigné : cheveux bien coupés, barbe taillée, joues rasées de près, beaux vêtements ; à tous points de vue, le marchand ou le prêteur sur gages prospère. Mais ses yeux racontaient une autre histoire – ses yeux, et les rides qui creusaient son visage. C'était quelqu'un qui avait éprouvé de grandes douleurs et de terribles souffrances ; quelqu'un qui avait connu le gouffre béant du désespoir le plus noir. Il transperça Vox du regard.

Vox l'observait, un air perplexe flottant autour de ses sourcils.

– Vous êtes l'émissaire des bibliothécaires ? demanda-t-il.

– Vous avez changé depuis notre dernière rencontre, dit le visiteur.

Il montra la médaille du grand office autour du cou de Vox Verlix.

– Depuis la nuit où vous avez volé cette breloque.

Vox resta bouche bée ; ses joues devinrent blêmes.

– Séraphin Pentephraxis, souffla-t-il, incrédule.

Il secoua lentement la tête de gauche à droite.

– Non… Non, reprit-il, ce n'est pas possible !

Et pourtant si, Rémiz ne le savait que trop. À quoi rimait cette audience du véritable Dignitaire suprême de Sanctaphrax, ici, dans le Palais des statues, auprès de Vox Verlix ?

– Mais vous êtes… vous êtes…

Vox se tut.

– Mort ? suggéra Séraphin. Comme vous le voyez, Vox, je suis bel et bien vivant. Lorsque vous m'avez livré aux gardiens de la Nuit, vous pensiez qu'ils me tueraient, j'imagine. Mais non, ils m'ont laissé en vie – à supposer que ce terme puisse qualifier la séquestration sur un rebord fétide dans les profondeurs de la tour de la Nuit. Sans doute se délectaient-ils de savoir que, moi vivant, vous ne pourriez jamais être le véritable Dignitaire suprême, malgré vos prétentions... Mais assez là-dessus. Comme nous le savons tous deux, je viens ici au nom des bibliothécaires, pour discuter de questions importantes ; de questions pressantes...

Il s'interrompit au milieu de sa phrase et dévisagea Rémiz, debout à côté de Vox : il le découvrait à l'instant. Ses sourcils s'arquèrent sous le coup de la surprise.

– Rémiz, dit-il. Incroyable... mais vrai ! Rémiz, mon garçon, que fais-tu ici ?

Rémiz eut une grimace piteuse.

– C'est une longue histoire.

– Vous connaissez cet esclave ? demanda Vox.

– Esclave ? répéta Séraphin. Rémiz Gueulardeau n'est pas un esclave. Il est le chevalier bibliothécaire le plus vaillant de sa génération ; celui même qui m'a délivré de la tour de la Nuit. Nous lui devons tous deux la vie, Vox, semble-t-il.

– Je le trouvais bien débrouillard pour un simple assistant de cuisine, soupira Vox.

Il plissa des yeux rusés.

– Mais Esther l'a acheté sur le marché aux esclaves, ce qui fait de lui ma propriété...

Séraphin prit son souffle :

– Les temps ont changé, Vox, déclara-t-il d'une voix calme et ferme. La roue tourne…

Il baissa un regard éloquent sur le gobelin évanoui.

– Oui, oui, très bien, enragea Vox. Considère-toi rendu à la liberté par le Dignitaire supr…

Il rencontra le regard d'acier de Séraphin et toussa, mal à l'aise.

– Euh… oui… eh bien… Disons simplement que tu es libre.

Il pivota vers Lumiel.

– Des rafraîchissements pour nos invités, dit-il d'un ton rude. Nos deux invités.

Le cœur de Rémiz bondit de joie. Le soulagement l'inonda, comme si ses épaules étaient délestées d'un poids énorme. De nouveau libre ; il était libre ! Lumiel hocha la tête, nulle émotion visible sur son visage ou dans sa voix.

– Oui, maître, dit-il.

– Lumiel, ajouta Vox, fais monter Ambrephile. J'ai un petit travail pour lui.

– Oui, maître, répéta le gobelin, qui se tourna et s'éloigna.

– Oh, une dernière chose, lança Vox dans son dos. Dis à Esther de se rendre sans délai sur le marché aux esclaves. Il nous faut un nouvel esclave pour veiller sur le bébé. Sans délai, compris ?

– Oui, maître, répondit le vieux majordome, se retirant à pas traînants. Lumiel a compris.

Lorsque la porte se referma, Vox s'adressa à Séraphin :

– Et maintenant, mon vieil ami, oublions le passé, d'accord ? Venez voir l'œil de Vox.

CHAPITRE 9

Les deux Dignitaires suprêmes

L ES PROFONDS YEUX VERTS DE SÉRAPHIN BRILLÈRENT d'une joie éclatante.

– Rémiz, mon cher enfant, je ne peux pas te dire combien je suis ravi de te voir vivant et en bonne santé, lui confia-t-il, avec une tape chaleureuse dans le dos.

Près de la table en marbre, Vox marmonnait et oscillait sur ses jambes en scrutant le ciel.

– Nous avons appris que tu étais tombé sur Ébouliville, continua Séraphin. Évidemment, nous avons craint le pire. Que t'est-il arrivé ? demanda-t-il avec un sourire de compassion.

– J'en ai encore le tournis… Certaines choses m'échappent, répondit Rémiz. Oh, monsieur le Dignitaire suprême, je… je commençais à penser que je ne reverrais plus jamais de bibliothécaire.

Séraphin posa une main rassurante sur le bras de Rémiz.

– Détends-toi, mon garçon. Tu as manifestement traversé de rudes épreuves. Mais à présent, je suis là, et je t'assure que tout ira bien.

Rémiz hocha la tête, renifla et se concentra.

– Je suis en effet tombé sur Ébouliville, finit-il par dire. *Le Frelon de tempête* a heurté un mystérieux projectile pendant que je patrouillais, un projectile brûlant et fracassant...

Sa phrase resta en suspens.

– Et ensuite ? demanda Séraphin. Comment as-tu échoué ici ?

Rémiz secoua lentement la tête, soudain égaré par une série d'images fugitives qui défilaient devant ses yeux : la goule des rochers, le limonard et les loups des bois ; le palais enseveli et le trou de misère ; le trajet en tombereau jusqu'au marché aux esclaves...

– C'est une longue histoire, reprit-il enfin, souriant d'un air d'excuse.

– Et tu auras tout le temps de la raconter une fois revenu à la Grande Bibliothèque, Rémiz, mon garçon, dit Séraphin. Mais, pour l'heure, je dois m'occuper de notre gros ami là-bas. Dans une étrange missive à notre attention, il a sollicité un entretien urgent avec un émissaire qui s'exprimerait au nom des bibliothécaires. Un employé du palais l'a remise à un de nos agents d'Infraville, et nos experts ont établi son authenticité.

Il baissa la voix.

– Notre conseil s'est réuni en hâte, et nous avons convenu que je représenterais les bibliothécaires, à titre de véritable Dignitaire suprême. Voir ce qu'était devenu mon ancien collègue m'intriguait aussi. Nos chemins ne s'étaient pas croisés depuis tant d'années…

À l'autre bout de la pièce sombre et encombrée, Vox quitta alors des yeux la projection d'Infraville.

– Le temps est compté, lança-t-il, maussade. Je croyais l'avoir bien précisé dans mon message.

– Oh, vous l'avez précisé, Vox, confirma Séraphin, qui traversa la pièce pour s'approcher de l'énorme personnage. Très clairement. Ce que vous n'avez pas précisé, c'est pour quelle raison.

Rémiz regarda, fasciné, les deux érudits campés face à face. L'un souffrait d'obésité morbide, l'autre était d'une maigreur terrible. L'un portait une toge de satin brodé et de soie houppée, flamboyante malgré ses taches, l'autre un simple vêtement marron et rêche, tissé à la main. Ils étaient comme le jour et la nuit. Même les médailles pendues à leur cou contrastaient : terne et usée chez Vox, polie chez Séraphin, aussi brillante que ses yeux amusés. Vox semblait hypnotisé par le bijou. Séraphin sourit.

– Je vois que vous avez remarqué le sceau de l'ancienne Sanctaphrax, dit-il. Les bibliothécaires ont gentiment remplacé celui que vous aviez volé.

Vox le fusilla du regard. Rémiz sentait la tension entre les deux personnages.

– Oh, Vox, Vox, qu'est-ce qui a mal tourné ? continua Séraphin d'un ton posé. Avec vos compétences et mon idéal, nous aurions pu reconstruire Sanctaphrax. Ensemble, partenaires...

– Partenaires ! tempêta Vox. Vous ne vouliez que la gloire, pendant que je faisais tout le travail ingrat. Que répétiez-vous sans cesse ? Ah, oui, dit-il, psalmodiant, moqueur : « Nous sommes tous égaux et semblables ; érudits terrestres et célestes, professeurs, apprentis et même Infravillois. »

Il agita un doigt boudiné en direction de Séraphin.

– Le désastre garanti. Ce projet était voué à l'échec.

– Vous ne lui avez pas donné la moindre chance, Vox, regretta Séraphin. Vous avez agi dans mon dos et m'avez livré à Orbix Xaxis et aux gardiens de la Nuit. Pensiez-vous vraiment qu'ils étaient dignes de confiance ?

– J'ai accompli mon devoir, rétorqua Vox. Il fallait bien que quelqu'un assume le rôle de dirigeant. Un authentique dirigeant, prêt à diriger. C'est ce que vous n'avez jamais compris, Séraphin. Toutes ces réunions et ces consultations interminables, à essayer de contenter tout le monde, mais sans satisfaire personne...

– Quelqu'un comme vous ? dit Séraphin d'une voix douce. Un traître... Un usurpateur...

Il laissa ces mots produire leur effet.

– Comment s'étonner de la situation actuelle ?

– Je... Je... bégaya Vox avec fureur.

– Vous avez tout détruit, Vox. Tout... Triste constat, car il aurait pu en être bien autrement. Si vous m'aviez accordé la confiance que je vous accordais, Vox, nous aurions pu construire ensemble un monde meilleur, vous et moi. Et maintenant, regardez-vous ! s'exclama-t-il, avant de soupirer : vous aviez des talents si merveilleux, Vox...

Il secoua la tête d'un air désolé.

– Et vous les avez tous gaspillés. Quel gâchis que votre existence !

Vox détourna les yeux, marmonna dans sa barbe et tendit la main vers un pichet d'oubli.

– Vous avez toujours été un petit personnage pompeux, hein ? maugréa-t-il. Au moins, je ne suis pas resté prisonnier des dizaines d'années durant.

– Non ? En êtes-vous sûr ? demanda Séraphin d'une voix égale. Regardez autour de vous, Vox. Quand avez-vous, pour la dernière fois, osé quitter votre palais, ses fenêtres à barreaux et ses corridors truffés de pièges ? Vous êtes aussi prisonnier que je l'ai été.

Il claqua la langue.

– Le tyran tyrannisé...

– Ils m'ont trahi, dit calmement Vox. Tous. Les pies-grièches, les gardiens, les gobelins... Mais ils perdront bientôt leur sourire.

Sa voix enfla.

– Car la fin approche. C'est la révélation que je voulais vous faire. Infraville est fichue. Le temps s'amenuise... Voilà pourquoi, ajouta-t-il, les yeux braqués sur Séraphin, j'ai besoin des bibliothécaires. Vous êtes les seuls à qui je puisse me fier.

Séraphin parut perplexe.

– Infraville fichue ? Qu'entendez-vous par là, Vox ?

– Le message est limpide, Séraphin, répondit Vox, d'une voix plus forte encore. Infraville est perdue. Condamnée ! Ce lamentable ramassis sera balayé entièrement, et avec lui tous ces traîtres sournois et ces faux frères déloyaux qui ont cherché à m'anéantir !

Il leva le pichet, avala une bruyante goulée de liquide rouge vif et s'essuya la bouche sur le revers de sa manche.

– Une tempête arrive ! annonça-t-il. Une tempête magistrale !

– Une tempête ? demanda Séraphin.

– Oui, une tempête comme on n'en a jamais vu. Ne la sentez-vous pas dans l'atmosphère ? Cette chaleur intense, cette humidité suffocante ? N'avez-vous pas remarqué les formations nuageuses ?

Rémiz se surprit à hocher la tête. Il notait chaque jour dans le climat les changements de mauvais augure.

– Une tempête qui les conclura toutes, continua Vox avec un geste théâtral de ses bras massifs, tandis que sa voix tonitruante emplissait la chambre. Personne ne sera épargné. Et moi seul, Vox Verlix, connais le moment précis auquel la tempête s'abattra, à la seconde près.

– Mais comment diable pouvez-vous savoir… commença Rémiz.

Il s'interrompit lorsque Séraphin lui posa une main sur le bras.

– Vox Verlix est le meilleur scrute-nuages qui soit jamais sorti du Collège des nuages, Rémiz, mon garçon, dit-il calmement. S'il affirme qu'une tempête arrive…

– Je l'affirme ! Oui, j'affirme qu'une tempête arrive ! s'écria Vox, exalté.

Il tendit le bras et saisit Séraphin par la manche.

– Regardez.

Il le tira sans ménagements jusqu'à la table ronde en marbre blanc et montra l'éblouissante image extérieure projetée à sa surface. Séraphin la contempla. Rémiz, impatient de voir aussi, se planta près de lui et parcourut le décor des yeux. Les doigts potelés de Vox s'avancèrent sur le ciel.

– Vous voyez ces nuages, dit-il, prenant une lampée d'oubli. En forme d'enclumes géantes. Ils grossissent sans cesse, s'amalgament, fusionnent et gagnent en puissance jour après jour. J'ai consulté mes listes, continua-t-il, ses lèvres teintées de rouge par le breuvage. J'ai fait les calculs. Moi seul sais à quel moment le sombre malstrom frappera !

Rémiz glissa un regard vers Séraphin. Le Dignitaire suprême était plongé dans ses pensées.

– Et quand le malstrom frappera, poursuivit Vox, les éclairs et la grêle se déchaîneront, et des pluies battantes, torrentielles, inonderont les égouts en quelques minutes. S'ils veulent survivre, les bibliothécaires devront abandonner leurs salles souterraines et s'enfuir. Abandonner Infraville, Séraphin, et se diriger vers les Clairières franches…

Derrière eux, le gobelin sans connaissance émit une plainte sourde. Rémiz regarda de nouveau Séraphin, mais les pensées du vieil érudit étaient difficiles à lire.

– Vous proposez que les bibliothécaires quittent Infraville ? dit-il enfin, d'une voix neutre et tranquille.

– Il le faut, Séraphin, répondit Vox, pressant.

– Partir, hop, tout de go ? dit Séraphin, braquant un regard placide sur son interlocuteur. Dites-moi, Vox. En supposant que nous réussissions à sortir des égouts et à déjouer la surveillance des gardes gobelins du général Banderille, puis à passer miraculeusement l'obstacle des pies-grièches de la mère Griffedemule, à franchir le Bourbier jusqu'aux Clairières franches…

Il marqua un silence.

– Pourquoi voudriez-vous nous aider ?

Il plissa les yeux.

– Quel est votre intérêt dans l'affaire ?

– Mon intérêt ? s'indigna Vox, un air d'innocence blessée sur ses traits bouffis.

Il prit une inspiration sifflante.

– Si je vous indiquais comment traverser Infraville sans encombre et emprunter la Grand-Route du Bourbier, vous et tous les autres bibliothécaires, je n'exigerais qu'une contrepartie.

Séraphin secoua la tête et sourit.

– Quoi donc, Vox ?

Vox lui rendit son regard, le visage empreint d'une gravité extrême.

– Que vous m'emmeniez avec vous.

– C'est donc ici que tu te caches quand tu ne lèches pas les bottes du maître, lança une voix ricaneuse.

Xanth leva le nez de son pupitre et soupira. Mollus Leddix, le responsable de la cage, se tenait sur le seuil, ses traits nerveux de fouine et ses petits yeux noirs dégagés de sa capuche. Un ignoble sourire jouait sur son visage.

– Mais tu n'en tireras pas grand-chose, si les rumeurs sont fondées, ajouta-t-il.

– Quelles rumeurs, Leddix ? demanda Xanth d'un ton las.

Il ne devait pas laisser le bourreau l'impressionner.

– Oh, les rumeurs selon lesquelles le Gardien suprême doute de son petit préféré, depuis que celui-ci est rentré de sa mission d'espionnage des bibliothécaires dans les Clairières franches. On dit que tout cet air franc lui a tourné la tête, l'a rendu sensible, indigne de confiance…

« Et je me demande qui a fourré ces idées dans la tête du Gardien suprême », pensa Xanth avec amertume ; mais il parvint à sourire lorsqu'il regarda Leddix.

– Oh, à votre place, je n'écouterais pas ces rumeurs. Je m'inquiéterais davantage du bruit qui court au sujet d'un certain bourreau, surpris en train de comploter avec le capitaine du guet nocturne. Si jamais ce bruit arrivait aux oreilles du Gardien suprême...

– Tu n'oserais pas ! défia Leddix, hargneux.

– Permettez-moi d'essayer, répliqua Xanth, quittant son tabouret.

Leddix poussa un petit rire de fouine et fit marche arrière.

– Pas besoin d'en arriver là, Xanth, dit-il. Il ne faut pas laisser des malentendus futiles entraver notre devoir. À propos...

Il se redressa.

– Nous venons d'appréhender une jeune bibliothécaire, et le Gardien suprême a ordonné un interrogatoire. Dans ton rayon, il me semble, Xanth, ajouta-t-il d'une voix mielleuse et allusive, toi qui connais si bien les bibliothécaires et leurs coutumes.

Xanth hocha la tête, mais resta silencieux. Encore et toujours le même sous-entendu... On ne pouvait pas lui faire confiance.

Leddix indiqua au garçon de le suivre jusqu'aux salles d'interrogatoire et, en chemin, murmura :

– Le Gardien suprême t'observera. Et n'oublie pas, Xanth, quand tu en auras fini avec elle, cette prisonnière sera pour moi !

Ils arrivèrent devant une salle d'interrogatoire, dans les profondeurs les plus reculées de la tour de la Nuit. Un grand gardien robuste (un troglo plouc à la peau bistre et marquée, aux oreilles en feuilles de chou) ouvrit la porte et Xanth entra. Leddix s'éloigna, furtif, dans le couloir, gloussant lorsque la porte se referma.

Dans l'angle, tassée contre le mur, il y avait une jeune fille qui portait la tenue caractéristique des chevaliers bibliothécaires : combinaison de vol verte et protections légères en bois. La prisonnière leva la tête et ses nattes épaisses lui balayèrent le visage.

– Xanth ? dit une petite voix. Xanth ?

Ce dernier se figea. La prisonnière connaissait son nom.

– Xa-anth ?

– Tais-toi, prisonnière, gronda Xanth.

Il avait besoin de temps pour réfléchir. Par le judas dans la cloison d'en face, le Gardien suprême observait ses moindres gestes. Leddix exulterait s'il commettait une erreur maintenant…

Les bras ligotés dans le dos, la prisonnière rejeta ses tresses en arrière d'un mouvement de la tête. Elle avait la figure meurtrie et tuméfiée, un œil poché, le bas de la joue très enflé. Un filet de sang séché partait du coin de sa bouche. Certes, elle était en piteux état, mais Xanth la reconnut aussitôt. Comment ne pas la reconnaître, alors qu'il avait étudié près d'elle pendant dix-huit lunes au Débarcadère du lac ?

– C'est toi, Xanth, dit-elle. Je le savais. C'est moi, Magda. Magda Burlix.

Xanth la considéra d'un regard impassible, sans la moindre trace d'émotion sur le visage.

– Xanth ? Ne te rappelles-tu pas de moi ?

– À genoux ! cria-t-il d'une voix rude.

Il se sentait moite et fiévreux, la sueur perlait sur son front, ses joues et le sommet de son crâne rasé. Il avait beaucoup aimé Magda. Elle avait été gentille avec lui au Débarcadère du lac quand il s'était cassé la jambe et…

Non ! se défendit-il sèchement. Il devait la traiter comme n'importe quel autre prisonnier. Orbix Xaxis l'observait.

– J'ai dit à genoux ! lui lança-t-il, hargneux, avec un violent coup de pied dans les côtes.

Magda s'agenouilla tant bien que mal, les poignets entaillés par les cordes serrées. Elle leva vers Xanth des yeux immenses, comme une biche de tilde, le suppliant de la reconnaître. Mais Xanth ne céda pas. Il refusa de croiser son regard implorant, sortit un carnet d'une poche et, de l'autre, un mince crayon pointu en bois de fer. Il ouvrit le premier, lécha la pointe du second et se mit à écrire.

– Nom, dit-il calmement.

– Xanth, dit Magda, la voix brisée par l'émotion. Tu sais comment je m'appelle.

Xanth sentait son crâne le picoter. Par le judas, les foudres accusatrices lui brûlaient la nuque.

– Nom ! répéta-t-il durement.

– Tu le connais, pleura-t-elle.

Elle renifla.

– C'est moi, Xanth. Magda Burlix.

Xanth griffonna.

– Situation, dit-il un instant plus tard.

– Je suis chevalier bibliothécaire, répondit Magda et, sans quitter des yeux son carnet, Xanth devina qu'elle rayonnait de fierté en prononçant ces mots. À ce titre, tu sais que je n'en dirai pas plus, même à l'article de la mort.

– Nos patrouilles t'ont appréhendée sur les berges de l'Orée, dit doucement Xanth. Qu'y faisais-tu ?

– Je suis chevalier bibliothécaire, répéta Magda. Je n'en dirai pas plus, même… aaah ! cria-t-elle lorsque la gifle claqua sur sa joue.

Elle laissa retomber sa tête. Xanth baissa les yeux vers elle, la main endolorie, l'esprit agité de sentiments contradictoires. Magda était courageuse et bienveillante. Elle avait été si gentille avec lui… Mais, sous la surveillance du Gardien suprême, il ne devait pas révéler ce qu'il éprouvait, ne fût-ce qu'un instant.

Il prit une inspiration brusque :

– Que – faisais-tu – près – de – l'Orée ? demanda-t-il, détachant chaque mot, froid, tranchant.

Gardant la tête basse, Magda soupira.

– Ça ne peut pas nuire. Plus maintenant. Quoi qu'il en soit, tu vas me tuer, alors autant te répondre. Je n'étais pas en mission pour les bibliothécaires. Je suis sortie de mon propre chef. À la recherche de Rémiz. Rémiz Gueulardeau ; te souviens-tu de lui ? dit-elle, amère. Il a disparu. À Ébouliville. Les bibliothécaires ont abandonné tout espoir. Mais pas moi.

Elle leva le menton, ses tresses dorées tremblantes.

– Et sais-tu pourquoi ? Parce que Rémiz est mon ami.

Ses yeux devinrent des fentes furieuses.

– Mais tu ne peux pas comprendre, hein ? Parce que tu ne sais pas ce qu'est l'amitié.

Elle se tourna et cracha par terre.

Derrière lui, Xanth entendit un cliquetis alors que l'opercule occultait le judas. Avec un soupir de soulagement, il ferma son carnet et remit le crayon dans sa poche.

Il avait surmonté l'épreuve.

– Mon plan est simple, expliqua Vox, parcourant des yeux l'horizon d'Infraville. Je compte, avec l'aide des bibliothécaires, attirer l'armée gobeline et les pies-griè-ches dans un piège de mon invention, afin que nous puissions (il posa une main dodue sur l'épaule de Séraphin) quitter Infraville par la Grand-Route du Bourbier en toute tranquillité.

– Quel sera l'appât de ce fameux piège, Vox ? demanda Séraphin, les sourcils froncés.

– Voyons, mon cher Dignitaire suprême, qui inspire aux pies-grièches et aux gobelins une haine encore supérieure à leur aversion mutuelle ?

– Les bibliothécaires ! s'écria Rémiz, incapable de se retenir.

– Votre jeune ami a raison, rit Vox, dont le double menton tremblota dans la lumière de la chandelle. Je prévois de suggérer aux pies-grièches comme aux gobelins une méthode précise pour envahir sans aucun risque la Grande Bibliothèque elle-même…

– Excellent projet, maître, chuchota une voix sifflante dans la tête de Rémiz.

Vox se tourna, ainsi que Séraphin et Rémiz.

– C'est très aimable à toi de nous rejoindre, mon cher Ambrephile. Comment évolue ta toux ? Elle ne s'aggrave pas, j'espère.

L'écoutinal sortit des ombres, suivi par Flambusie Frangipane, silhouette massive qui poussait de sa main énorme le fauteuil en gâtinier. Elle rougit et réarrangea méticuleusement l'écharpe d'Ambrephile. Ce dernier grommela et la chassa d'un geste.

– Que puis-je pour vous, maître ? reprit soudain la voix sifflante dans la tête de Rémiz, qui frissonna.

Vox montra, désinvolte, le gobelin étendu de tout son long près de la table en marbre.

– Je voudrais que tu nettoies l'esprit de ce misérable, Ambrephile, et que tu graves un petit message dans son médiocre cerveau… Le message suivant…

Vox plongea son regard dans les grands yeux sombres d'Ambrephile. Les oreilles de l'écoutinal frémirent alors qu'il le fixait à son tour.

– Entendu, maître. Très astucieux. Très astucieux en effet... répondit la voix sifflante.

– Oui, oui, dit Vox, pivotant vers la table. Allez, au travail !

Les paupières de l'écoutinal se fermèrent et son cou fléchit contre le dossier. Aux pieds de Rémiz, le gobelin tressaillit et secoua la tête. Des spasmes lui agitèrent le corps ; sa mâchoire se crispa et se relâcha ; ses yeux roulèrent dans leurs orbites, désynchronisés – et Rémiz trembla, car il savait exactement ce que subissait le gobelin. Peu à peu, l'écoutinal passait au crible les pensées de sa victime, évacuait celles qu'il jugeait inutiles et les remplaçait par celles de son maître, Vox.

– Il est temps, il est temps, marmonna le gobelin, dodelinant de la tête. Général Banderille... Je connais l'accès secret à la Grande Bibliothèque... Il s'ouvre devant nous, sans surveillance... Attaquons par l'entrée est des égouts et soyons impitoyables... Mort à ces infâmes bibliothécaires !

L'écoutinal jeta un coup d'œil à Vox, qui observait la scène, un petit sourire satisfait sur ses traits bouffis.

– Très bien, Ambrephile, dit-il. Maintenant, le reste.

Ambrephile acquiesça et se concentra de nouveau sur le gobelin, dont la tête bascula en arrière avec une telle brusquerie que son cou craqua.

– Mort ! s'exclama-t-il. Vox est mort... Je l'ai tué... À mains nues... Je l'ai entendu crier comme un gros vorisson rondouillard... Une montagne de graisse...

216

– Oui, oui, interrompit Vox avec irritation. Je crois qu'il a enregistré le message, Ambrephile. À présent, renvoie-le dans ses quartiers.

L'écoutinal s'appliqua. Le gobelin hocha la tête, les yeux fixes, vides.

– Je dois rentrer chez le général Banderille, marmonna-t-il. Au plus vite.

Le gobelin se mit debout et, sans un mot, traversa la pièce encombrée. Lorsque la porte se referma dans un cliquetis, Vox gloussa, déplaisant.

– Voilà pour le général Banderille, dit-il. Maintenant, occupons-nous des pies-grièches. Il me faut un agent qui aille à la cour des sœurs fauchard et annonce à la mère Griffedemule, cette harpie emplumée, que les gobelins ont investi la Grande Bibliothèque. Il est primordial que cet agent la persuade qu'elle tient à sa merci les gobelins comme les bibliothécaires. Je me disais, euh…

Son regard tomba sur Rémiz.

– Un esclave évadé, peut-être ? Qui n'aurait rien à perdre ? Prêt à trahir ses amis et ses camarades pour une poignée d'or des pies-grièches ?

Séraphin se tourna vers le jeune garçon.

– Tu as subi de telles épreuves, mon petit, dit-il, les yeux brillants d'émotion. Accepterais-tu cette mission, Rémiz ? Rendrais-tu visite à la mère Griffedemule ? Pour les bibliothécaires ? Pour moi ?...

La gorge de Rémiz se serra. Penser à la mère Griffedemule et à la cour des sœurs fauchard l'épouvantait ; la perspective de jouer un esclave déloyal le révulsait, et pourtant... Il rencontra les yeux inquiets et bienveillants de Séraphin.

– J'en serais honoré, répondit-il.

CHAPITRE 10

La onzième heure

I

Les Cornets

IL RÉGNAIT UNE ATMOSPHÈRE MOITE, ENFUMÉE, SUFFOCANTE, à l'intérieur des Cornets obscurs. Dans l'air fétide se mêlaient l'odeur de crasse des gobelins, la puanteur de l'huile d'éclairage et des tigelles bouillonnantes, la fumée des bûches infectes de nauséabois qui brûlaient avec ardeur au milieu de la pièce et dont les flammes, d'un vert acide, léchaient un tilde embroché. Des gouttes de graisse suintant de la carcasse en rotation tombaient dans le feu, sifflantes, et des bouffées âcres s'élevaient pour rejoindre l'épais nuage toxique qui ondulait dans les hauteurs des cônes. Quant aux gobelins, ils étaient mous, irritables. À bout de nerfs.

– Tourne cette broche plus vite, ordure ! rugit un contremaître gobelin, qui fit claquer son fouet.

L'esclave naboton trembla pitoyablement et s'efforça d'obéir.

Dans la pénombre d'un coin éloigné retentit une plainte sourde, suivie d'un cri rauque, assoiffé :

– De la bière ! Rapportez de la bière ! J'ai la pépie.

– Moi aussi, dit un autre. Foutue chaleur…

– Hé, où est cette maudite esclave ? brailla un troisième.

– J'arrive, messieurs, j'arrive, dit une voix lasse, et une nabotonne courtaude sortit de la cuve à bière commune, descendit l'échelle branlante fixée contre la paroi et, un pichet débordant serré dans ses mains calleuses, traversa la pièce en hâte pour remplir les chopes des gobelins.

Loin au-dessus d'eux, sur l'une des guérites, un guetteur houspillait son remplaçant :

– Tu es en retard ! rugit-il. Asticot acolyte des pies-grièches !

– Qui traites-tu d'asticot ? rétorqua le deuxième garde, la figure rouge de colère. Espèce de vorisson puant !

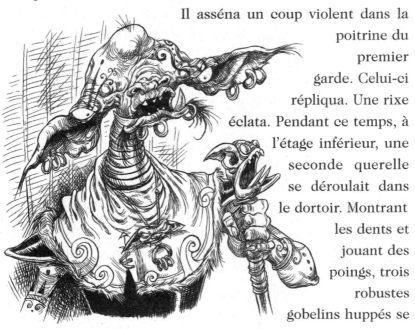

Il asséna un coup violent dans la poitrine du premier garde. Celui-ci répliqua. Une rixe éclata. Pendant ce temps, à l'étage inférieur, une seconde querelle se déroulait dans le dortoir. Montrant les dents et jouant des poings, trois robustes gobelins huppés se

roulaient par terre, heurtaient les paillasses et provoquaient la chute des casiers encombrés – tout ce remue-
ménage pour une simple affaire de matelas, semblait-il.

Sur la plate-forme du premier étage, le général
Banderille avait bien conscience de l'état de ses troupes.
La tension était au plus haut, le moral au plus bas. Il savait
que le véritable problème n'était ni la broche à rôtir, ni la
relève, pas plus que la quantité de paille fraîche qu'avait
l'un ou l'autre, mais la chaleur terrible, suffocante (à l'intérieur comme à l'extérieur des Cornets), qui égarait chacun de ses gobelins. Lui-même, incommodé, arpentait la
plate-forme, les sourcils froncés, les poings serrés.

Une voix furieuse couvrit le brouhaha :

– Écartez-vous de mon chemin !

Elle venait du portail, où un groupe de gardes se
pressait autour d'un nouvel arrivant.

– Hors de mon chemin ! répéta le gobelin, qui tenta
de repousser la cohue. J'ai une information importante
pour le général Banderille...

– Jocrisse ? lança une voix en contre-haut. Est-ce toi ?

Les gobelins pivotèrent en chœur : le général baissait
vers eux son visage courroucé.

– Oui, monseigneur, répondit Jocrisse. J'apporte des
nouvelles !

– Livrez-lui passage ! rugit le général. Laissez-le
avancer !

Les gobelins obéirent et Jocrisse se précipita dans la
percée au cœur de la cohue grincheuse, épongeant son
front en sueur. Le général avait descendu la volée de marches pentues et l'attendait au pied de la plate-forme. Tête
inclinée, Jocrisse s'approcha et le salua selon la coutume
des gobelins, un poing tendu, l'autre pressé contre le cœur.

– Présente ton rapport, ordonna Banderille. J'espère pour toi qu'il en vaut la peine, sinon tu rejoindras ce tilde embroché là-bas.

Jocrisse sourit et leva le menton.

– Vox Verlix est mort, maître.

– Mort, chuchota le général Banderille, dont les yeux s'écarquillèrent de joie. En es-tu certain ?

– Je l'ai tué de mes propres mains, annonça fièrement Jocrisse, et il tapota la faux gainée à sa ceinture. Il a crié comme un gros vorisson quand j'ai enfoncé ma lame… Un, deux, trois, quatre…

Il fouetta l'air, montrant les points où l'arme avait frappé.

D'un bout à l'autre des Cornets obscurs, la nouvelle se répandait. Vox Verlix était mort.

– Goulin a été tranché en deux devant la chambre, dit Jocrisse, rembruni. Vous aviez raison, l'endroit est truffé de pièges ; mais je suis entré en cachette derrière un esclave et j'ai attendu l'occasion de porter mon coup !

– Tu as bien procédé, Jocrisse, le félicita Banderille. Très bien procédé.

Il lança une claque sur l'épaule du gobelin.

– Vox Verlix se prétendait mon maître, continua-t-il, pour la simple raison qu'il avait autrefois payé mes services.

Il se racla la gorge et cracha – une grosse bille luisante qui atterrit, sifflante, dans le feu de nauséabois.

– Mais qui est le maître, à présent, hein ? dit-il, avec un rire détestable. Vox Verlix liquidé, Banderille est le maître d'Infraville !

– Et ce n'est pas tout, monseigneur, ajouta Jocrisse à voix basse, tandis que des hourras de plus en plus nombreux commençaient à résonner dans les grands cônes.

Banderille écoutait avec attention.

– Avant de mourir, Vox a demandé grâce. Il disait pouvoir aider les gobelins à vaincre les bibliothécaires, maître. Il m'a révélé l'existence d'un accès secret aux égouts, qui mène tout droit à la Grande Bibliothèque ; dans l'espoir que je l'épargnerais, il m'a expliqué où se trouve cet accès.

– Un accès secret ! s'exclama Banderille, les yeux brillants. Et où donc ?

Le gobelin s'accroupit et entreprit de dessiner dans la poussière, sur le sol de terre battue.

– Voici la salle de lecture souterraine, et le tunnel central, dit-il, traçant d'abord un cercle, qu'il coupa d'une longue ligne horizontale. Les accès principaux sont là, là et là, continua-t-il, figurant par des croix les grandes entrées est et ouest, ainsi que les vastes tuyaux qui débouchaient dans les docks flottants. Mais, selon Vox, il en existe un autre ici.

Il tapota le sol juste au-dessus de la grande entrée est. Banderille regarda d'un air pensif l'endroit indiqué.

– Il y a un petit puisard dans cette zone. Mais je croyais qu'il était obstrué.

– C'est ce qu'ils voulaient nous faire croire, répondit Jocrisse. Vox l'a su par un esclave bibliothécaire qu'il emploie dans sa cuisine.

– Vieux renard des bois rusé, gloussa le général Banderille, dont les dents marron irrégulières scintillèrent à la lueur des flammes. Dire que cette entrée est là depuis le début !

Dans les moindres recoins des Cornets, les gobelins spectateurs acclamaient l'exploit de Jocrisse, et les applaudissements éparpillés se transformaient en ovation nourrie, cadencée.

Le général Banderille fronça les sourcils.

– Les bibliothécaires surveillent forcément cet accès, secret ou pas.

– Oui, en temps normal, dit Jocrisse. Mais, d'après Vox, ils s'apprêtent à organiser l'une de leurs cérémonies. Le véritable Dignitaire suprême va prononcer un discours important. Dans deux nuits. À la onzième heure.

– La onzième heure, répéta Banderille, des rides creusant son front marqué de cicatrices.

– À l'exception d'une poignée de gardes postés aux entrées principales, ils seront tous dans la grande salle pluviale, a garanti Vox. Bloqués. Sans défense. Des proies faciles ; des cibles parfaites, selon lui.

Le gobelin contracta les sourcils alors que ses faux souvenirs se bousculaient dans sa tête.

– Il déclarait qu'il révélerait tout à son vieil ami et allié, le général Banderille… et que la gloire entière vous reviendrait. Il m'implorait, à genoux, de l'épargner.

Le général grogna, railleur.

– Je n'en doute pas une seconde ! A-t-il dit autre chose ?

Un sourire cruel étira les lèvres minces du gobelin.

– Non, maître, dit-il en tripotant sa faux. Il est mort en prononçant votre nom.

Le général Banderille renversa la tête et lança un rire rugissant.

– Merveilleux ! Merveilleux ! Maintenant que Vox Verlix est éliminé, je vais détruire les bibliothécaires. Les anéantir ! Même la mère Griffedemule et ses exécrables sœurs fauchard n'ont pas réussi à pénétrer dans le réseau des égouts. Je deviendrai bel et bien le plus grand dirigeant de toute la Falaise. Beaucoup mourront en prononçant le nom du général Banderille.

Dans la pièce, à mesure que la conversation entre Jocrisse et Banderille tombait dans leurs oreilles indiscrètes, les gardes gobelins divulguaient les bribes d'information. L'air lourd, suffocant, vibrait désormais de fièvre et d'impatience.

– Mort aux infâmes bibliothécaires ! cria quelqu'un, et une clameur s'éleva, si forte et si appuyée que les poutres en hauteur tremblèrent.

Les applaudissements nourris augmentèrent encore et un refrain scandé commença, d'abord étouffé, puis de plus en plus sonore, tandis qu'une frénésie guerrière s'emparait des gobelins :

– Ban-de-rille ! Ban-de-rille ! Ban-de-rille ! Ban-de-rille…

II
La grande salle de lecture pluviale

– Du calme ! Du calme ! tonna Fortunat Lodd, essayant de couvrir la rumeur tumultueuse qui résonnait sous le haut plafond souterrain.

Il brandit son lourd marteau en noirier.

– Du calme !

Malgré l'heure tardive, la grande salle de lecture pluviale abritait une foule… dans le plus grand désordre. Il y avait des bibliothécaires partout : massés sur le pont en noirier, en équilibre précaire sur les portiques en surplomb, entassés sur les lutrins flottants et à bord des radeaux qui dansaient à la surface du canal principal. Tous avaient les yeux braqués sur le vieux pont en ricanier, où le conseil au grand complet était rassemblé, debout devant des sièges à haut dossier disposés en large demi-cercle. Tous criaient :

– Jamais !

– Hérésie !

– Blasphème !

Le trouble régnait depuis l'ouverture de la séance publique. À présent, l'effervescence était à son comble. Il avait paru étrange d'être convoqué si tard dans la grande salle ; encore plus étrange d'assister à une réunion publique des bibliothécaires supérieurs. Mais le plus étrange, et le plus déconcertant, était la proposition que venait de faire Séraphin Pentephraxis, le véritable Dignitaire suprême.

– Quitter la Grande Bibliothèque ? cria un quadragénaire, postillonnant de rage.

Ses favoris s'agitèrent et son bonnet à pompon ballotta au sommet de son crâne allongé, pointu.

– Une honte ! Une honte ! brailla un autre, indigné.

– Il faudra me passer sur le corps ! jura un très vieux chercheur, et le lutrin flottant où il était coincé piqua du nez lorsqu'il leva son poing osseux vers les membres du conseil, alignés devant lui.

Boum ! Boum ! Boum ! Boum !

Le marteau de Fortunat Lodd s'abattit comme une volée de gros grêlons. Mais les bibliothécaires déchaînés continuèrent à fustiger leurs supérieurs, qui gardaient, quant à eux, un silence digne.

Il y avait Spiritix Mirax et les autres doyens, Violetta Lodd, capitaine des chevaliers, ainsi que les professeurs de Lumière et d'Obscurité, Ulbus Vespius et Magnus Centitax. Au centre du demi-cercle, devant son siège à dossier très rehaussé, se tenait Séraphin Pentephraxis, le véritable Dignitaire suprême – objet du scandale et de l'indignation d'une grande partie de l'assemblée.

Il semblait voûté, hésitant et singulièrement fragile face à cette hostilité manifeste. Son habit marron tremblait. Fortunat Lodd, le Bibliothécaire supérieur, à l'écart sur son grand lutrin sculpté en noirier, sentait qu'il perdait la maîtrise de la foule. Il abattit son lourd marteau – boum ! boum ! boum ! – et tonna, furieux, à pleins poumons :

– Du calme ! Du calme ! Je ne tolérerai pas ces perturbations !

Le vacarme baissa d'un cran.

Boum ! Boum ! Boum !

– Je vais faire évacuer la salle si je n'obtiens pas un silence immédiat, prévint-il, le regard noir. Du calme ! Du calme !

Le tapage diminua encore.

– Le véritable Dignitaire suprême a voulu vous réunir (professeurs, professeurs adjoints, bibliothécaires, apprentis et sous-bibliothécaires), pour que vous assistiez ce soir au débat de notre conseil ; car la décision qui sera prise nous concerne tous. Une attitude aussi chahuteuse est déplacée.

La salle se tut presque, seuls quelques murmures sourds, épars, venant troubler le silence. Fortunat Lodd hocha la tête avec satisfaction et se tourna vers Séraphin.

– Mes excuses, Dignitaire suprême, dit-il. Je vous en prie, continuez.

Séraphin leva le menton et affronta l'océan de visages hostiles. Il s'avança, chercha dans la multitude le vieux chercheur qui avait crié.

– Ah, vous voici, Surlix, dit-il, apercevant l'individu ratatiné assis sur le lutrin flottant. Il faudra vous passer sur le corps, affirmez-vous.

Sa douce voix était audible dans la salle entière, maintenant silencieuse.

– Je vous le dis, Surlix, je vous le dis à tous…

Il jeta un coup d'œil à la rangée de dignitaires.

– Si nous ne quittons pas la Grande Bibliothèque, c'est l'eau qui nous passera sur le corps... Je sais, de source sûre, qu'une puissante tempête arrive.

– Une tempête ? Une tempête ? marmonnèrent les bibliothécaires.

Boum ! Boum ! Boum !

– Voilà pourquoi l'atmosphère est si chaude, si humide, poursuivit Séraphin. La tempête se prépare. J'ai eu l'occasion de consulter les cartes météorologiques. Elle éclatera dans deux jours, à minuit. Si nous ne quittons pas la Grande Bibliothèque avant la onzième heure, nous serons condamnés à la noyade.

– Quelles sottises nous racontez-vous ? cria un bibliothécaire aux cheveux roux, incapable de se contenir plus longtemps. Nous avons déjà essuyé des tempêtes !

– Oui, les vannes sont prévues à cet effet, lança l'un des pilotes de radeaux, depuis le canal en contrebas.

– Pour ma part, je refuse de quitter la bibliothèque sacrée ! affirma une voix furieuse.

Quelque part à gauche du pont en noirier, un refrain scandé s'éleva, qui se répandit comme une traînée de poudre :

– Restons ! Restons ! Restons !

Boum ! Boum ! Boum !

– Ce n'est pas une tempête ordinaire, cria Séraphin au-dessus du brouhaha grandissant. C'est un...

Boum ! Boum ! Boum !

– Silence ! rugit Fortunat Lodd.

Séraphin prit une inspiration brusque.

– C'est un malstrom noir, déclara-t-il.

Des exclamations étouffées montèrent de toutes parts et résonnèrent sous la coupole du plafond.

– Un… un malstrom noir ? répéta Fortunat, inquiet, levant les yeux de son lutrin. En êtes-vous sûr ?

Séraphin confirma gravement.

– Vox Verlix, le plus grand scrute-nuages qui ait jamais existé, m'a montré ses calculs. Aucun doute possible : dans deux nuits, le malstrom frappera.

– Vox Verlix ! fulmina quelqu'un. Pourquoi devrions-nous croire la moindre de ses paroles ?

Séraphin leva la main.

– Parce qu'il a besoin de nous. Contre la promesse d'être du voyage, il nous offre un stratagème qui nous permettra de quitter les égouts et de transporter notre précieuse bibliothèque jusqu'à un nouveau foyer, dans les Clairières franches !

Les doigts tremblants, Spiritix Mirax remonta ses lunettes à monture métallique sur son nez. Sa lèvre inférieure tremblait aussi.

– Mais mon foyer est ici, dit-il d'une petite voix chevrotante. Je ne veux pas partir.

Un murmure approbateur se répandit dans la salle bondée, comme les ondulations à la surface d'un lac. Fortunat Lodd promena un regard furieux sur la foule et leva son marteau, prêt à frapper, lorsque Violetta bondit soudain :

– Les Clairières franches sont la région la plus merveilleuse de la Falaise ! s'exclama-t-elle. Je le sais, puisque j'y ai vécu. Elles sont un bijou étincelant au cœur des Grands Bois ; un flambeau de lumière et d'espoir pour les érudits, d'où qu'ils viennent.

Les bibliothécaires l'écoutaient avec attention. Violetta Lodd était aussi célèbre pour sa rigueur intellectuelle que pour sa vaillance généreuse. Si elle jugeait que partir pour les Clairières franches était une bonne idée...

– Réfléchissez, disait-elle. Un nouveau commencement, dans un lieu où le savoir est estimé, les érudits révérés.

Elle pivota face à Spiritix.

– Vous dites que c'est ici votre foyer. Mais regardez ! Pourquoi devriez-vous rester dans les profondeurs des égouts ? Dans les égouts, au nom du ciel ! Caché, trop effrayé pour vous montrer...

Sa voix s'adoucit.

– Quand avez-vous senti pour la dernière fois le soleil vous chauffer le dos, Spiritix Mirax ? La pluie vous baigner le visage, le vent caresser votre barbe ? Quand avez-vous admiré les étoiles pour la dernière fois ?

Spiritix resta assis.

– C'est vrai, murmura-t-il avec tristesse. Tous ces bonheurs me manquent.

– Nous sommes des érudits, continua Violetta, se retournant vers l'auditoire désormais suspendu à ses lèvres. Nous consacrons notre vie à la recherche de la connaissance – la connaissance de la Falaise. Or nous restons tapis sous terre, dans ce trou sombre, suintant, coupés du monde que nous prétendons tant aimer. Bibliothécaires ici rassemblés, j'appuie la proposition du Dignitaire suprême. Nous devons 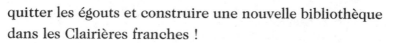 quitter les égouts et construire une nouvelle bibliothèque dans les Clairières franches !

Une clameur enthousiaste retentit. Cette fois, Fortunat Lodd n'employa ni les mots ni les gestes pour tenter de calmer la foule. Le discours enflammé de sa fille avait non seulement convaincu l'assistance, mais balayé tous les doutes du Bibliothécaire supérieur quant au projet de Séraphin.

Il se tourna vers ce dernier, la voix pleine d'émotion :

– Si vous estimez que nous pouvons nous fier à l'usurpateur Vox Verlix, sachez, Dignitaire suprême, que votre conviction me suffit… (il embrassa du regard les autres membres du conseil) et nous suffit à tous.

Boum ! Boum ! Boum !

Fortunat Lodd ramena le silence dans la grande assemblée à l'aide de son marteau.

– Les préparatifs sont nombreux et le délai très court, déclara-t-il. Nous devons remplir les paniers. Bourrer les caisses et les malles. Tout doit être enveloppé dans des bâches imperméables, chargé sur des radeaux et des barges…

D'un regard au Bibliothécaire supérieur, Séraphin les remercia, lui et Violetta, d'avoir rallié les bibliothécaires à sa proposition. Il lui restait simplement à espérer que tout se déroulerait sans encombre.

– Dans deux jours, à la onzième heure, murmura-t-il pour lui-même.

L'échéance paraissait terriblement proche.

III
La cour des sœurs fauchard

Outre les tours du portail douanier, les contrôleries et les tourniquets griffus (repères bien connus), une nouvelle construction se dressait désormais à l'extrémité est de la Grand-Route du Bourbier. Haute et imposante, elle consistait en un immense pin ferreux, arraché au sol fertile des Grands Bois lointains et transporté d'une seule pièce jusqu'à son emplacement actuel. Il avait alors été hissé, maintenu par une multitude de cordes et de pieux, dénudé, poli et pourvu des juchoirs décorés qu'adoraient les sœurs fauchard.

L'Arbre perchoir dominait la route du Bourbier ; dans ses branches était réunie l'élite des pies-grièches, dont les voix stridentes enflaient à mesure que le débat s'intensifiait. La mère Griffedemule elle-même, resplendissante sur son trône doré suspendu, tordait une laisse nattée entre ses serres, tout ouïe.

– Ces rebuts de gobelins vermineux grouillent autour des Cornets comme des fourmis des bois affolées ! disait l'une des sœurs fauchard, grande oiselle au plumage criard et à la tenue plus criarde encore.

– Ils complotent quelque chose, mes sœurs ! Il paraît que l'armée des gobelins-marteaux se masse à la grande entrée est des égouts, ajouta une deuxième, sa crête violette frémissant avec violence.

– En effet, commenta une troisième. Banderille prépare un mauvais coup. Je le sens dans mes plumes caudales !

– Voilà pourquoi je soutiens qu'il faut attaquer sans délai, mes sœurs, et plonger nos serres dans le sang des gobelins ! lança, inflexible, l'oiselle à crête violette, haussant le ton pour couvrir les cris aigus, guerriers, des bataillons de pies-grièches qui s'entraînaient en contre-bas. Attaquer, dis-je. Attaquer !

– Et je répète que nous devons attendre, sœur Gratgrif, l'interrompit l'oiselle maigre qui lui faisait face, secouant avec lenteur sa longue tête tachetée. Banderille est rusé. Nous devons envoyer des espionnes ; nous devons réfréner notre hâte tant que nous ne sommes pas certaines de ses projets, mes sœurs.

– Ma chère Serpette, reine de la prudence, répliqua Gratgrif d'une voix douce et mielleuse, toujours à picorer les graines tombées à terre au lieu de s'étirer vers les fruits dans les branches !

– Eh oui, vénérable sœur, répondit aimablement Serpette, avec un soupçon d'impatience. Lorsque je picore les graines à terre, pour reprendre votre formule délicate, j'entends les chuchotis dans la forêt ; les cueilleuses de fruits, elles, risquent de briser leur joli cou emplumé sur les branches instables.

Les yeux de Gratgrif étincelèrent.

– Vous déplorez les branches instables, sœur Serpette, rétorqua-t-elle, gonflant une collerette menaçante, alors que du sang de gobelin s'offre à nous !

– Mes sœurs, mes sœurs, intervint la mère Griffedemule, dont le trône suspendu oscilla d'un côté à l'autre. Calmez-vous. En ces heures périlleuses, il nous faut garder l'esprit clair et l'œil perçant…

À cet instant précis, dans une grande agitation, une escouade de gardes pies-grièches s'approcha de l'Arbre perchoir. Le cercle entier des sœurs fauchard virevolta, indigné.

– Mille excuses, sœurs exquises, dit l'une des arrivantes.

– Mais nous avons trouvé cet individu, dit une deuxième, traînant par la peau du cou un jeune garçon débraillé.

Elle le projeta sur les planches à la base de l'arbre et expliqua d'une voix rauque :

– Nous l'avons surpris à fureter près des contrôleries aux portes du Bourbier, Votre Majesté souveraine.

Les pies-grièches grincèrent et gloussèrent de rage. Le jeune garçon, nerveux, leva la tête et lança un regard. Il y eut un claquement sonore lorsque le fléau du premier garde lui cingla l'épaule.

– Comment oses-tu poser les yeux sur les sœurs fauchard ! hurla l'oiselle. Ordure de bibliothécaire !

Le garçon baissa le menton.

– Je... je suis désolé, dit-il. Mais il faut que je parle à...

Un deuxième claquement retentit : l'autre fléau venait de s'abattre sur son dos avec violence.

– Attends nos questions pour ouvrir la bouche ! hurla-t-elle.

– Laissez parler ce bibliothécaire, intervint la sœur Serpette. Je sens, moi la picoreuse de graines, que nous pourrions apprendre quelque chose de lui.

– Il a osé croiser notre regard ! s'indigna la sœur Gratgrif. Arrachons-lui le foie et dévorons-le !

– Assez ! commanda la mère Griffedemule, et ses yeux jaunes se posèrent sur la silhouette recroquevillée du garçon.

Son trône suspendu descendit.

– Quelle affaire amène un chevalier bibliothécaire aux contrôleries ? demanda-t-elle. Réponds, misérable, sans quoi ma sœur ici présente se délectera de ton foie !

Le front toujours baissé, le jeune garçon répondit :

– Je m'appelle Rémiz Gueulardeau. Je ne fais plus partie des chevaliers bibliothécaires. Je crache sur leurs principes et leurs restrictions. Des rats d'égout, tous autant qu'ils sont ! C'est la liberté des Grands Bois que je recherche et, pour l'obtenir, je suis prêt à les livrer jusqu'au dernier !

Les gloussements augmentèrent. La mère Griffedemule plissa ses yeux jaunes.

– Debout ! ordonna-t-elle. Explique-toi.

Rémiz obéit, prenant soin de concentrer son attention sur le sol à ses pieds. Il ne voulait pas sentir de nouveau la brûlure cuisante des fléaux.

– Selon eux, j'ai falsifié mon traité et volé des rouleaux d'écorce, dit-il, presque dans un murmure. De purs mensonges. Ils vont me le payer cher.

Les pies-grièches se turent. La mère Griffedemule se pencha en avant, plaça une serre tranchante sous le menton de Rémiz et lui leva brusquement la tête. Le jeune garçon rencontra les yeux froids, impassibles, de l'effrayante créature.

– Payer cher ? dit-elle. Et comment ?

– Les bibliothécaires sont en danger de mort, mais ils n'en savent rien, répondit-il avec un sourire amer. Les gobelins ont découvert un accès secret aux égouts ; ils prévoient d'attaquer la Grande Bibliothèque et de s'en emparer.

– Vous voyez ! triompha l'une des pies-grièches. Je vous avais bien dit que Banderille fomentait un mauvais coup !

La mère Griffedemule la fit taire d'une gifle de sa patte acérée.

– Pourquoi devrions-nous te croire, rebut de bibliothécaire ? grogna-t-elle.

– Parce que je déteste mes anciens confrères et que l'or par lequel vous récompenserez mes informations me permettra de gagner les Grands Bois, répondit Rémiz, la tête inclinée. Je ne demande que cinquante pièces d'or. Une somme bien modique pour une occasion pareille : détruire à la fois les gobelins et les bibliothécaires… Et je sais que les pies-grièches connaissent la valeur d'un bon espion. Je pourrai vous être encore plus utile lorsque j'aurai atteint les Clairières franches.

Il marqua une pause.

– En échange du prix adéquat.

– Continue, pressa la mère Griffedemule, penchée en avant sur son trône.

La cour autour d'elle demeurait silencieuse.

– L'or, pour commencer, exigea Rémiz, qui leva la tête et rencontra son regard.

Durant une minute, la mère Griffedemule ne dit rien. Puis elle donna une secousse violente à la laisse nattée, pour tirer vers elle son compagnon chétif. Rémiz remarqua le coffre en cuir attaché au dos de l'oiseau.

– Ne bouge pas, Baluche, défendit la mère Griffedemule alors qu'elle enfonçait une clé dans la serrure du coffre et la tournait. Cinquante, dis-tu ?

Elle plongea les serres dans le trésor et compta les pièces.

– Tiens ! dit-elle, jetant l'or aux pieds de Rémiz. Il y en a trente. C'est amplement suffisant. À moins que tu ne veuilles voir la couleur de tes entrailles...

Rémiz s'accroupit et entreprit de bourrer ses poches. Lorsque la dernière pièce d'or cliqueta près des autres, il se releva.

– Les gobelins attaqueront par l'est, expliqua-t-il, et je peux vous montrer une entrée du grand tunnel ouest qui vous conduira directement à la grande salle de lecture pluviale. Si vous attaquez au bon moment, vous piégerez à la fois les gobelins et les bibliothécaires.

La mère Griffedemule gloussa d'excitation.

– Indique-moi le moment opportun, et mon équipage personnel t'escortera sur la Grand-Route du Bourbier !

Rémiz sourit, le regard aussi impassible que celui des pies-grièches elles-mêmes.

– Attaquez dans deux nuits, dit-il. À la onzième heure !

CHAPITRE 11

Xanth Filantin

DEBOUT À LA FENÊTRE DE SON BUREAU, L'ESPRIT FÉBRILE, Xanth considérait l'aube de la nouvelle journée. Il faisait plus chaud que jamais ce matin-là, et l'air était si calme que, malgré les battants ouverts, pas un seul souffle de fraîcheur ne pénétrait dans la pièce suffocante.

Xanth épongea son front luisant et, avec une appréhension croissante, scruta les gros nuages noirs, en forme d'enclume, qui garnissaient l'horizon : masses compactes, dont le sommet aplati se découpait sur le ciel chargé, rouge sang. Le jeune garçon frissonna. Était-ce la tempête que les gardiens attendaient depuis des lustres ? Elle avait un aspect si menaçant, si terrible…

Au moins, à supposer qu'elle éclate, se dit Xanth, l'atmosphère aurait peut-être une chance de s'éclaircir et la température de baisser. Il régnait une chaleur si torride la nuit précédente qu'il avait à peine fermé l'œil, s'était tourné et retourné sous ses draps trempés de sueur, dans des rêves confus et dérangeants.

Loin au-dessous de lui, Ébouliville s'animait. Au-delà, les lumières d'Infraville s'éteignaient une à une, et,

dans les rues étroites au milieu du fouillis de constructions délabrées, les Infravillois et les gobelins (qui paraissaient aussi minuscules que des fourmis des bois)
vaquaient à leurs affaires quotidiennes. Plus loin encore,
il distinguait tout juste des signes d'agitation à l'extrémité
de la Grand-Route du Bourbier.

Il tira une longue-vue des plis de sa robe et fit la
mise au point sur les contrôleries, le portail douanier...
puis la multitude grouillante des oiselles, dont les
grappes occupaient la grande plate-forme au-dessous
des tours et du curieux arbre qui avait surgi quelques
jours plus tôt. En outre, remarqua-t-il alors qu'il se
concentrait sur la route elle-même, de nouveaux
bataillons arrivaient sans cesse. Comme les nuages,
l'armée des pies-grièches tout entière semblait se diriger
vers Infraville.

Le Perchoir est ne devait plus abriter qu'une poignée d'oiselles, se dit Xanth. Mais pourquoi ? Devinaient-elles aussi l'imminence d'une tempête ?

À cet instant, un corbeau blanc passa devant la fenêtre avec un croassement sonore. Xanth baissa la longue-vue pour suivre sa trajectoire : après la tour de la Nuit, Ébouliville, et le Jardin de pierres.

Xanth soupira, mélancolique, au regret de ne pouvoir s'éloigner, lui aussi, de la sombre tour funeste. Sa place n'était plus ici... Elle ne l'avait peut-être jamais été...

Pourtant, s'il avait pu voler, il n'aurait pas pris la direction du Jardin de pierres. Non, s'il avait eu des ailes, Xanth serait parti en sens inverse, du côté des Grands Bois. Il sourit. Peut-être que Leddix avait raison, en définitive ; peut-être que l'air des Clairières franches lui avait tourné la tête...

Bien sûr, là-bas, il avait fait l'expérience du vol : juché sur *L'Oisorat*, l'esquif qu'il avait construit de ses propres mains, il s'était élancé au-dessus du grand lac. Il soupira de nouveau. Sans cet atterrissage catastrophique sur le débarcadère et cette fracture de la jambe, à la fin de son baptême de l'air, il aurait pu connaître une tout autre existence...

Xanth se détourna de la fenêtre, traversa la pièce et s'assit sur le tabouret à son pupitre. Un travail inachevé l'attendait : un rouleau d'écorce, rédigé dans la langue morte des premiers érudits, était posé devant lui, à moitié traduit. Il prit son crayon et relut la dernière phrase.

Sic fulgur viola battet petra morbida, portandum sanitatem.

Puis sa traduction.

Ainsi l'éclair violet frappe la pierre malade, lui apportant par là...

– *Sanitatem*, murmura-t-il. La guérison ? La santé ?...

Son esprit, déjà embrumé par la chaleur suffocante et le manque de sommeil, se mit à vagabonder. Tandis qu'il suivait du doigt le dessin des volutes et des nœuds à la surface du pupitre, il se rappela Brutécorce Duchêne, le gentil troll qui l'avait aidé à sculpter son esquif dans le gros bloc de gâtinier ; quelle émotion ç'avait été de sentir le bois sous ses mains prendre la forme d'un oisorat !...

Il se rappela l'égorgeur Vivien, presque aussi jeune que les élèves à sa charge, qui lui avait tout appris de l'art des voiles et des cordes. Comme il avait aimé ces liens compliqués, les formes subtiles d'une voile qui enfle...

Surtout, il se rappela Gazouilli, le très vieil échasson qui lui avait enseigné le vernissage – et en compagnie duquel il avait passé tant d'heures délicieuses, à siroter du thé parfumé, à écouter ses récits de vieux sage. Aujourd'hui encore, Xanth entendait l'échasson lui décrire, de sa voix grêle et flûtée, la lointaine époque où il parcourait les rues de la Vieille Sanctaphrax...

Il y avait Modeste, le maître de l'Académie du Débarcadère ; Violetta Lodd ; ses camarades d'études, Boris Lummus, Rémiz Gueulardeau...

Et, naturellement, Magda. Magda Burlix, la jeune bibliothécaire qu'il avait interrogée la veille avec tant de cruauté, feint de ne pas reconnaître et condamnée.

– Oh, Magda ! Magda ! Magda ! s'écria-t-il.

Il jeta le crayon sur la table, écarta le rouleau d'écorce. Il ne pouvait pas travailler. Pas maintenant.

Le tabouret racla le carrelage lorsque Xanth le repoussa et se leva. Il se mit à faire les cent pas dans la pièce exiguë, entre la paillasse et la fenêtre, frottant son crâne rasé, marmonnant tout bas :

– Je m'efforce d'être un bon gardien. Personne ne peut soutenir le contraire. Obéissant. Loyal. Impitoyable… Et puis tu resurgis, Magda, tu réveilles une foule de souvenirs que je croyais oubliés. Pourquoi fallait-il que tu te fasses prendre ? Hein, pourquoi toi ?

Son visage devint dur.

– Que le ciel te foudroie !

Pourtant, alors même qu'il la maudissait, Xanth savait que ce n'était pas la faute de Magda si de tels sentiments l'agitaient. Il se prit la tête à deux mains. Comment la situation avait-elle pu tourner aussi mal ?

Revenu à la fenêtre, il jeta un coup d'œil vers le Palais des statues. Bien des années auparavant, Orbix Xaxis avait entrepris de se confier à lui, de le flatter, de le persuader, pour finalement le détourner de Vox Verlix, dont il était alors le jeune apprenti.

Dès que possible, Orbix prenait Xanth à part.

– La tour de la Nuit pourrait offrir un avenir magnifique à un jeune garçon aussi vif que toi, lui disait-il. Tu pourrais entrer dans l'histoire, mon petit, comme le guérisseur de la roche malade et le restaurateur de la gloire ancienne de Sanctaphrax.

Malgré sa peur devant le masque aux verres fumés qui cachait le visage d'Orbix et lui étouffait la voix, Xanth avait écouté avec passion, le cœur battant d'enthousiasme.

Puis, par une matinée froide, alors que Vox peinait sur les plans de la forêt de Sanctaphrax, Orbix avait fait un nouveau pas.

– Crois-moi, Vox Verlix est fichu, avait-il murmuré. Quant aux bibliothécaires, ces plaisantins arrogants, ils ne réussiront jamais à découvrir un remède pour la roche avec leurs cataplasmes et leurs potions. L'avenir, c'est nous. Les gardiens de la Nuit, avait-il poursuivi dans un chuchotement guttural, sont les véritables héritiers des érudits du ciel. Rejoins nos rangs, Xanth. Rallie-toi.

Et Xanth avait accepté. Cette nuit-là, juste avant l'aube, à l'heure la plus noire, il avait quitté ses quartiers pour retrouver les obscurs partisans d'Orbix Xaxis sur les plates-formes supérieures de la tour. Il s'était rallié à la faction dissidente des gardiens, avait signé de son propre sang le serment d'allégeance.

Xanth pivota et traversa lentement la pièce, la tête envahie de souvenirs douloureux.

La signature sanglante n'avait pas même eu le temps de sécher sur le parchemin qu'Orbix l'entraînait, le pressait de questions sur tous les aspects des appartements de Vox Verlix dans la tour, la disposition des couloirs et des escaliers, son emploi du temps à la minute près, les déplacements de ses gardes personnels – et le Dignitaire lui-même...

Trois jours après, Orbix Xaxis lançait son attaque, massacrait tous les fidèles de Vox Verlix (qui s'enfuyait, lui, pour sauver sa peau), et prenait possession de la tour de la Nuit dont il se proclamait, pour finir, Gardien suprême.

Xanth se laissa tomber au coin de sa paillasse, les genoux plaqués contre la poitrine, et se balança lentement d'avant en arrière. Il ne l'avait pas compris à l'époque, mais il avait été manipulé... Manipulé...

Venus des profondeurs de la tour, des claquements de portes se succédèrent, assourdis, et, dans l'intervalle, les plaintes de voix désespérées. Les prisonniers recevaient leur nourriture. Chaque fois qu'un geôlier ouvrait un battant pour introduire la ration quotidienne de gruau et d'eau, des cris lugubres montaient du puits central et résonnaient jusque dans les étages supérieurs. Xanth enfouit sa tête dans ses mains. Bientôt, la puanteur terrible de la prison, s'échappant par les portes entrebâillées, emplirait l'air elle aussi.

Les prisonniers ! Oui, depuis qu'Orbix Xaxis régnait, il y en avait des quantités : des bibliothécaires capturés, des Infravillois, des gardiens accusés de complot contre lui. Personne n'était à l'abri. Xanth avait gagné la confiance de son nouveau maître en interrogeant les prisonniers. Il était, se dit-il dans un élan de culpabilité, habile en la matière : il les amenait à parler grâce à une alliance de sauvagerie et de gentillesse.

C'était ainsi qu'il avait fait la connaissance de Séraphin, le malheureux Dignitaire suprême, livré par Vox à Orbix Xaxis, qui l'avait mis sous les verrous. Le Dignitaire suprême avait retrouvé la liberté, mais Xanth ne pouvait s'empêcher de le regretter : après le premier interrogatoire, il en était venu à aimer et à admirer le vieil érudit plein de ressort.

C'était bel et bien Séraphin qui l'avait soutenu tant de fois au cours des années, aux heures de détresse : sans personne à qui se confier, Xanth s'était souvent glissé jusqu'au cachot, pour entendre le professeur parler de son amour des Grands Bois. Il avait écouté, fasciné, les descriptions de cette contrée mystérieuse, loin d'Infraville, à la faune et à la flore exotiques, et les histoires des tribus et des peuples forestiers. Lorsque l'occasion de les découvrir par lui-même s'était présentée, Xanth l'avait saisie – trop honteux, cependant, pour révéler à Séraphin qu'il voyagerait comme espion au profit des gardiens de la Nuit.

Malgré la chaleur étouffante de la petite pièce, Xanth frissonna, saisi de tristesse et de remords. Il avait quitté la sinistre tour, il était arrivé dans les Clairières franches. Là-bas, pour la première fois de son existence, il avait goûté au bonheur, comme Séraphin le lui avait promis. Mais, finalement, il avait dû rentrer. Il n'avait pas eu le choix. Courant le risque d'être démasqué, il avait dû fuir et revenir chez les gardiens. Il avait eu le cœur brisé de partir et, à son retour, il lui aurait été trop douloureux de revoir Séraphin. Plus jamais Xanth n'avait rendu visite au prisonnier. À sa connaissance, le vieux professeur ne savait même pas qu'il était revenu.

Maintenant, bien sûr, les positions étaient inversées. Séraphin Pentephraxis, ancien Dignitaire suprême de la Nouvelle Sanctaphrax, était libre, tandis que lui, Xanth...

À cet instant, le jeune garçon entendit un léger cliquetis de chaînes. Il bondit sur ses pieds, se précipita vers la fenêtre. C'était l'une des terribles cages, vide à présent, qui remontait du profond ravin en contrebas.

Xanth se détourna et lança un coup de poing au pupitre. Il avait déjà eu des doutes sur le Gardien suprême, avec ses prisonniers soumis à la torture, ses exécutions sommaires, sa haine farouche des bibliothécaires ; mais à présent qu'Orbix jetait en pâture les pauvres érudits sans défense aux effroyables démons des rochers, Xanth savait que son maître avait franchi les limites de la tyrannie sauvage. Les « cérémonies purificatrices » servaient de prétexte au plaisir pervers du Gardien suprême. Orbix Xaxis était un fou, un maniaque. Un monstre.

Xanth revint se planter à la fenêtre. À la lumière du jour, les nuages approchants semblaient plus sombres et plus imposants que jamais. Peut-être qu'enfin, après des décennies de sécheresse, la Falaise allait connaître une tempête magistrale – pluies torrentielles, foudre et tonnerre…

La foudre !

Malgré lui, Xanth sentit un frisson d'enthousiasme. La foudre sacrée. La foudre qui, chaque gardien en avait la conviction, frapperait la pointe de Minuit, traverserait la roche effritée de Sanctaphrax et la guérirait au passage.

Et si Orbix avait raison ? se demanda Xanth avec angoisse. Et si une tempête éclatait, si la foudre tombait, si elle guérissait le rocher ? Que se passerait-il ? La lutte de pouvoir entre les factions ennemies de pies-grièches et de gobelins, de gardiens et de bibliothécaires était incertaine pour le moment – ce, depuis des années.

Mais si les gardiens de la Nuit parvenaient à guérir la maladie de la pierre, tout changerait alors d'un seul coup. Les gardiens gouverneraient la Nouvelle Sanctaphrax et deviendraient les maîtres du ciel, tandis que les roches de vol flottantes réapparaîtraient dans le Jardin de pierres.

Et, si un tel événement se produisait, qui deviendrait le plus puissant personnage de toute la Falaise ? Nul autre, bien sûr, que le Gardien suprême, Orbix Xaxis lui-même ! Xanth voulait-il vraiment d'un pareil triomphe ?

Boum ! Boum ! Boum !

Les trois coups assénés à la porte résonnèrent dans la petite chambre d'étude et tirèrent brusquement Xanth de ses réflexions. Le battant s'ouvrit à toute volée.

– Tu es demandé d'urgence sur la plate-forme supérieure, annonça un garde maussade d'un ton bourru. Viens avec moi.

Xanth sortit dans le couloir, et la puanteur des cachots le fit grimacer. Pauvres créatures, songea-t-il. Dire que Magda était parmi elles, dans ces profondeurs putrides, sur son rebord dominant le vide. Seule. Terrifiée…

« Oh, Magda, se désola-t-il alors qu'il gravissait, derrière le garde en armes, l'escalier conduisant aux quartiers du Gardien suprême. Je devrais te remercier, non pas te maudire, d'avoir réveillé ces souvenirs, ces doutes, ces émotions. Depuis mon retour des Clairières franches, je m'efforçais de brider mes sentiments, mais toi… toi,

Magda, les as fait resurgir à flots. Je ne peux plus rester dans cet endroit funeste. Je dois partir – et trouver le moyen de t'emmener. »

Comme il s'avançait sur le parquet ciré en plombinier, les pas de Xanth résonnèrent dans la chambre magnifique, majestueuse, du Gardien suprême. Autant son propre bureau était austère, autant cette pièce-ci était luxueuse. Elle débordait d'objets inestimables, tous pillés dans les palais en ruines d'Ébouliville.

Il y avait aux murs des miroirs à cadre doré et des tapisseries raffinées, étincelantes de fils d'or et d'argent ; des vases décorés, des candélabres et des figurines dansantes sur les étagères, les piliers et les piédestaux, ainsi que dans les hauts cabinets vitrés. Des urnes énormes, turquoise et magenta, occupaient chaque angle, un lustre de cristal était accroché au plafond et, flanquant les portes d'accès à la plate-forme, se dressaient deux ours bandars féroces, taillés dans le même bois que le parquet, dont ils semblaient tout droit sortis.

– Te voici, Xanth, dit une voix dure, un peu étouffée pourtant.

Et une silhouette sinistre, en robe noire, apparut entre les ours.

– Vénérable Gardien suprême, souffla Xanth.

– Viens avec nous, dit Orbix, tournant les talons.

À l'extrémité de la plate-forme, Leddix était accroupi près de la cage cérémonielle, tel un gros corbeau courbé sur une charogne. Il leva la tête, mais son visage cireux ne trahissait rien.

– Approche ! ordonna Orbix.

Xanth obéit. Le masque plaqué sur la bouche du Gardien suprême sifflait, menaçant ; les verres fumés renvoyaient au jeune garçon le reflet de son propre visage anxieux.

– J'ai douté de toi, Xanth, déclara Orbix. Tu l'as peut-être remarqué. Depuis ton retour des Clairières franches…

Il laissa la phrase en suspens. Nerveux, Xanth avala sa salive.

– Mais mes doutes étaient déplacés, de toute évidence, continua Orbix.

Xanth essaya de dissimuler son soulagement.

– Quand je t'ai vu frapper cette ordure de bibliothécaire, j'ai su que les rumeurs sur ta traîtrise étaient… étaient… (il jeta un regard sur Leddix) dénuées de fondement.

– En vertu du serment d'allégeance, j'ai accompli mon devoir de gardien, affirma Xanth, solennel.

– En effet, en effet, approuva Orbix. Tu t'es admirablement comporté.

Il s'avança, passa un bras autour des épaules du jeune garçon et le guida vers la balustrade au bout de la vaste plate-forme en surplomb. Derrière lui, Xanth entendit Leddix, maussade et dépité, grommeler tout bas.

– La Grande Tempête est imminente, dit Orbix, désignant du menton les énormes amas de nuages. Nous devons être prêts.

Il fit pivoter Xanth et pencha vers lui son visage masqué.

– Je veux que tu prépares la pointe de Minuit. Nettoie les engrenages, graisse les leviers, vérifie les rouleaux de chaînes. Au moment précis où la tempête éclatera, la pointe devra se déplier sans encombre de toute sa hauteur, afin de recevoir la puissance curative de la foudre. Rien ne doit aller de travers, comprends-tu ?

Xanth fit oui de la tête.

Le Gardien suprême desserra son étreinte et un grognement de satisfaction assourdi s'échappa du masque.

– Je sais que je peux compter sur toi.

Il se redressa.

– Va, maintenant. Occupe-toi de la pointe.

– Bien, monsieur, dit Xanth.

Il se dirigea vers les portes de la plate-forme.

Orbix considéra le maître de la cage. Derrière son masque, sa respiration était rauque et forte.

– Leddix, siffla-t-il. Je suppose que tout est en place.

– Oui, Gardien suprême, répondit Leddix avec une petite révérence servile. Le tunnel entre le ravin et les égouts est terminé. J'ai supervisé l'ouvrage moi-même.

– As-tu inspecté l'appât ?

Leddix hocha la tête avec enthousiasme.

– Une chair fraîche si tendre, si exquise, Gardien suprême, minauda-t-il. Ils vont vraiment l'adorer, je vous le promets.

Orbix gagna la balustrade à grandes enjambées et regarda longuement en contrebas, comme perdu dans ses réflexions. Leddix vint se planter près de lui.

– Ils la déchiquetteront, dit-il avec ardeur. Les hourras fuseront des plates-formes. Ce sera la meilleure cérémonie purificatrice à ce jour !

Le Gardien suprême se tourna et toisa le maître de la cage. Derrière son masque, invisible à Leddix, une moue lui plissa les lèvres.

– Leddix, Leddix, dit-il d'un ton dédaigneux. Tu n'as rien compris. Ce ne sera pas une cérémonie purificatrice ordinaire. Je ne veux pas que cette jeune bibliothécaire soit réduite en lambeaux pour la simple délectation des plates-formes supérieures…

Il se tut et, sous son masque, la respiration rauque s'accéléra.

– Non, Gardien suprême ? dit Leddix, une perplexité déçue dans la voix.

– Non, imbécile ! lança Orbix. Pourquoi, à ton avis, tes équipes d'ouvriers ont-elles trimé jour et nuit ces derniers mois, à creuser un tunnel entre le ravin et les égouts ? Pourquoi, à ton avis, avons-nous régalé les démons des rochers, ne leur offrant que les plus exquises, les plus tendres chairs de bibliothécaires ? Uniquement pour vous amuser, toi et tes vieux copains sanguinaires, là-haut sur les plates-formes ?

Leddix haussa les épaules, embarrassé.

– Bien sûr que non ! ricana Orbix. Je veux qu'elle se sauve dans le tunnel que nous lui avons si gentiment creusé. Elle prendra ses jambes à son cou, fuira vers la Grande Bibliothèque… et, lancés à sa poursuite, essayant de lui happer les talons, poussant des cris affamés de chair succulente, viendront les démons des rochers.

Il haussa la voix, et Leddix sembla se recroqueviller sur lui-même.

– Ils infesteront le moindre tunnel, continua le Gardien suprême. Les moindres coins et recoins. Ils seront pris de folie meurtrière, saisis d'une soif de sang, lorsqu'ils humeront tout autour d'eux le parfum de la chair tendre des bibliothécaires... parfum dont ils sont si friands. Il n'y aura pas d'issue ! Pas un seul bibliothécaire n'en réchappera !

Leddix s'inclina jusqu'à terre.

– Un coup de génie, maître, dit-il d'un ton mielleux, flatteur. Votre conduite inspirée est une véritable bénédiction pour les gardiens.

Un petit gloussement retentit derrière le masque.

– Demain à midi, quand le soleil sera au zénith, la plus grande, l'ultime cérémonie purificatrice commencera.

CHAPITRE 12

La flotte de la Grande Bibliothèque

L ES VENTILATEURS DU PLAFOND, DONT LES HÉLICES vrombissaient comme des papillons agités au clair de lune, n'avaient que peu d'effet dans la grande salle de lecture pluviale. Au lieu de rafraîchir l'atmosphère étouffante, leur battement frénétique semblait rendre l'air encore plus brûlant. Au-dessous, sur les ponts et les nombreux portiques, les bibliothécaires (vêtements humides, visages luisants de sueur) travaillaient avec une détermination farouche.

D'une rive à l'autre, le long des tunnels tortueux, des groupes de professeurs à bonnet conique se précipitaient, les bras chargés de caisses, de coffres et d'énormes liasses de manuscrits. Des sous-bibliothécaires, robes ondulantes, faisaient la navette entre les portiques supérieurs et les canaux, transportant à plusieurs de lourds cylindres de toile imperméable. Sous les ordres énergiques des contremaîtres, les brique-lutrins enroulaient tour à tour, d'une main experte, les capricieux pupitres flottants. Ils les réunissaient en gros bouquets dansants, dans l'attente de les accrocher aux gigantesques navires qui prenaient forme sur les eaux : par centaines, bateliers des égouts et pilotes de radeaux arrimaient fiévreusement leurs embarcations pour constituer une flotte de cinq péniches massives.

Sur le pont en ricanier, le conseil examinait des plans manuscrits et des inventaires. Il y avait Fortunat Lodd, le Bibliothécaire supérieur, petit et brusque, un halo de boucles blanches lumineuses autour de la tête. Il y avait Violetta Lodd, capitaine des chevaliers bibliothécaires, étonnamment calme et concentrée dans sa combinaison de vol en cuir, malgré la chaleur ; rien n'échappait à ses yeux verts, qui lançaient des regards en tous sens. À côté d'elle, les professeurs de Lumière et d'Obscurité étaient en grande conversation : Magnus Centitax, dans son épaisse robe noire, et Ulbus Vespius, dont la cape luisait, blanche, dans les ombres.

Derrière eux tous, silhouette âgée, Spiritix Mirax sautillait d'un pied sur l'autre, incapable de contenir sa nervosité en voyant sa chère bibliothèque empaquetée et confiée aux eaux traîtresses de l'Orée. L'épreuve se révélait terrible.

Sa voix chagrine couvrit le vacarme alentour :

– C'est de la folie ! De la folie ! Nous allons nous noyer, tous, et cette Grande Bibliothèque, que nous avons défendue au prix de notre vie, sera perdue à jamais !

L'émotion lui brisa la voix tandis que des larmes ruisselaient sur son visage.

– Je vous en conjure, il doit exister un autre moyen…

Les membres du conseil se tournèrent et Violetta bondit vers le vieux professeur, qui tombait à genoux. Un silence gêné s'installa en contrebas : les sous-bibliothécaires, les professeurs, les bateliers des égouts et les pilotes de radeaux interrompirent soudain leur travail et levèrent les yeux vers le pont en ricaner.

– Il n'y a pas d'autre moyen, Spiritix, mon vieil ami, déclara une voix aussi fluette, mais empreinte, elle, d'une détermination tranquille, solide, qui trancha l'air étouffant et résonna dans la vaste salle.

Le conseil s'écarta et Séraphin, le Dignitaire suprême, paré du costume de sa fonction, s'avança jusqu'à la balustrade, les bras ouverts.

– Je sais que nombre d'entre vous répugnez à quitter notre havre, dit-il à la foule.

Il y eut des murmures et des chuchotements sur les portiques et dans les embarcations.

– Il nous a protégés de ceux qui, depuis si longtemps, cherchent à nous détruire. Certes, les égouts ont été notre refuge, mais aujourd'hui, le malstrom noir approche et l'inondation est inévitable : tout ce pour quoi nous avons combattu et péri disparaîtra. Il nous faut donc quitter ce lieu (le seul que

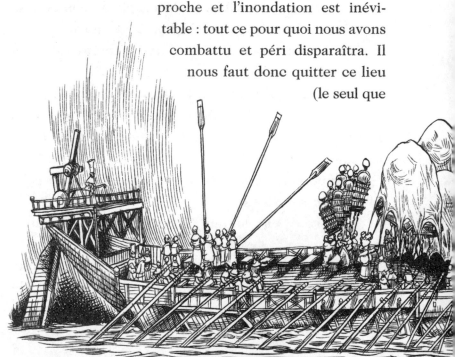

vous connaissiez, dans votre grande majorité), quitter notre foyer pour accomplir ce difficile et périlleux voyage. N'oubliez pas, continua Séraphin d'une voix qui allait crescendo, que la salle pluviale n'existera bientôt plus. Mais, grâce à votre concours, mes chers bibliothécaires pleins de vaillance, la Grande Bibliothèque survivra !

Personne ne disait mot. Tous les yeux étaient braqués sur le Dignitaire suprême. Au-dessus des têtes, le vrombissement monotone des ventilateurs semblait plus sonore que jamais. Sans crier gare, Fortunat Lodd se campa au côté de Séraphin et leva le poing.

– Longue vie à la Grande Bibliothèque ! tonna-t-il.

– La Grande Bibliothèque ! La Grande Bibliothèque !

Les mots résonnèrent tandis que l'assistance scandait en chœur ; les professeurs jetaient en l'air leurs bonnets coniques, les sous-bibliothécaires martelaient les planches des portiques et les bateliers agitaient bien haut leurs rames.

Puis Séraphin leva la main, et la clameur s'apaisa.

– Merci, vaillants bibliothécaires.

Maintenant, reprenez votre travail. La onzième heure approche.

Tous se remirent à la tâche avec une énergie renouvelée. Les cinq grands vaisseaux étaient quasi prêts. Larges et plats, consolidés au centre par d'épaisses lames en bois de fer, ils se terminaient en pointe effilée. Leur proue était équipée de poids et de grappins, leur poupe surmontée d'une plate-forme pour le timonier. Des rangées de bancs bordaient les flancs, déjà hérissés de rames. Au milieu de chaque péniche, les lutrins flottants, en cours de chargement, ballottaient et s'entrechoquaient, tandis que les bibliothécaires attachaient les filets destinés à les contenir.

– Les opérations se déroulent bien, assura Fortunat Lodd à sa fille.

Violetta, qui supervisait avec les professeurs de Lumière et d'Obscurité l'entreposage des fragiles esquifs sur la quatrième péniche, leva la tête.

– Oui, Père, répondit-elle. Malgré tout, j'aurais préféré voler en tête d'une escadrille au lieu de naviguer. Qui plus est, la flotte devrait avoir une protection aérienne.

– Beaucoup trop dangereux, objecta le professeur d'Obscurité. Même pour toi, Violetta.

– Magnus a raison, renchérit le professeur de Lumière. Dans la tempête qui se prépare, aucun esquif ne résisterait plus de cinq minutes.

– Et nous en aurons besoin plus tard, rappela le professeur d'Obscurité. Lorsque nous aurons quitté Infraville…

– Si nous la quittons un jour ! interrompit Fortunat. Quelle discussion sans fin ! Pour l'amour de la terre et du ciel, dépêchez-vous, tous. Violetta, tu as entendu les professeurs. Pas d'esquif ! Espérons simplement que nous ne rencontrerons pas de résistance sur notre chemin vers les portes du Bourbier.

– Vous n'en rencontrerez pas, je vous le promets, lança une voix.

Discrètement, un personnage enveloppé dans une cape avait débouché du tunnel obscur, à l'extrémité du pont en ricanier, et pénétré dans l'atmosphère fébrile de la grande salle pluviale. Le nouveau venu s'avançait maintenant à foulées audacieuses et rejetait le capuchon qui lui masquait le visage.

– Rémiz ! s'exclama Fortunat. Comme je suis heureux de te voir, mon garçon !

– Je suis enchanté aussi, monsieur le Bibliothécaire supérieur, répondit Rémiz. J'ai beaucoup à expliquer.

– Parle, invita Fortunat Lodd. Car tout dépend de ce que tu vas nous dire !

Le conseil entoura le jeune garçon blême, Séraphin lui offrit un tabouret en ricanier.

– Ne le bousculez pas, défendit Fortunat, quittant son pupitre.

Il appela un sous-bibliothécaire.

– Hep ! Apporte de l'eau à ce garçon.

– Assieds-toi, dit Séraphin, posant une main sur l'épaule de Rémiz, et reprends ton souffle, tout doux.

Rémiz s'assit, chancelant, et tenta de réprimer un frisson.

– C'était effroyable, commença-t-il. J'avais presque oublié combien les pies-grièches sont monstrueuses. La puanteur, le tapage… et la manière dont leurs yeux impassibles vous transpercent.

Il frissonna de nouveau.

– J'aurais juré qu'elles voyaient clair dans mon jeu…

– Tu as été intrépide, Rémiz, dit gentiment Séraphin. Tu ne crains plus rien à présent… Et, ajouta-t-il après un silence, si elles avaient deviné ton jeu, tu ne serais pas là.

Rémiz hocha la tête et parvint à sourire.

– J'ai repris le canevas que m'avait fourni Vox : ma haine des bibliothécaires, ma volonté de les trahir…

– Les pies-grièches comprennent la félonie, intervint Violetta. Elles y croient sans peine.

– Je leur ai indiqué où et quand attaquer la bibliothèque, comme convenu… poursuivit Rémiz, considérant tour à tour, avec gêne, le Bibliothécaire supérieur, les professeurs de Lumière et d'Obscurité.

– Impossible de reculer désormais, dit Fortunat, lorgnant le visage soucieux de Spiritix Mirax, qui secouait la tête avec tristesse.

Les professeurs de Lumière et d'Obscurité échangèrent un regard.

– La mère Griffedemule t'a-t-elle cru ? demanda le professeur d'Obscurité.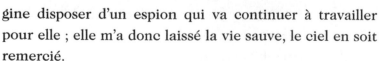

– Oui, quand j'ai exigé cinquante pièces d'or, répondit Rémiz. Lorsque je lui ai donné les détails, elle a offert, en prime, son équipage personnel pour m'escorter sur la route du Bourbier. Elle s'imagine disposer d'un espion qui va continuer à travailler pour elle ; elle m'a donc laissé la vie sauve, le ciel en soit remercié.

– C'est ce que je disais, murmura Violetta, les pies-grièches comprennent la félonie.

Séraphin se retourna vers Rémiz.

– Tu penses donc que la voie sera libre sur la Grand-Route du Bourbier ? dit-il.

– Oui, j'en ai la certitude, répondit le messager. En repartant, j'ai vu des foules de pies-grièches armées affluer du Perchoir est. La totalité de leurs troupes se rassemble. Elles comptent envahir les égouts à la onzième heure ; seuls les jeunes et les mâles chétifs garderont le portail du Bourbier.

– Des adversaires à notre mesure, dit fermement Violetta.

Séraphin se pencha et posa la main sur l'épaule de Rémiz.

– C'est parfait, dit-il. J'avais des doutes, mais le stratagème de Vox semble fonctionner.

– Ce gros mollusque... marmonna Fortunat Lodd d'un air sombre.

– Tu as rendu un grand service aux bibliothécaires, Rémiz, continua Séraphin. Repose-toi, puis descends sur la jetée. Une place t'est réservée dans l'une des péniches.

Rémiz sourit. Il aurait volontiers aidé à préparer le formidable exode s'il avait fallu, mais il était épuisé. Quoique fier de sa contribution au projet de Vox, il était soulagé d'en avoir fini.

Violetta s'avança et l'entraîna.

– Viens, Rémiz, dit-elle. Nous allons te trouver un petit casse-croûte.

Un cri modulé retentit alors à l'autre bout du pont en ricanier.

– *Ouaou-ouaou, Ré-ouaou-miz, Iouraloa. Ouarra !*

Rémiz comprit aussitôt.

« Bon retour parmi nous, Rémiz, celui qui a reçu la tige-poison. Tu nous as manqué. »

– Oh, les ours bandars ! s'écria-t-il.

Il y avait Molline, la vieille ourse, dont les quelques dents et la défense ébréchée luisaient dans un sourire tordu ; Oulig, l'énorme mâle pataud, avec sa terrible cicatrice à l'épaule ; Ouamalou, cette chère Ouamalou, à l'œil cerné et au curieux museau zébré, que Rémiz avait libérée de la Clairière des fonderies – recevant pour sa peine une flèche empoisonnée – ; enfin, surtout, son amie Ouaoumi. Combien de lunes s'étaient écoulées depuis leur toute première rencontre dans les Grands Bois ?...

Oubliant l'immense fatigue qu'il éprouvait encore quelques secondes plus tôt, Rémiz s'élança vers eux, les bras ouverts, et Ouaoumi l'accueillit dans une vigoureuse étreinte. Les autres ours se massèrent autour d'eux, étroitement enlacés, et formèrent un énorme dôme de fourrure.

Au beau milieu du cercle, Rémiz, presque étouffé, sentait l'odeur de mousse tiède, réconfortante, de leur pelage. Le parfum apaisa les battements anxieux de son cœur et réveilla des souvenirs vifs, bons et mauvais. Les ours bandars esclaves. Le grand congrès. Et cette ourse solitaire qui, des années auparavant, lorsque Rémiz était un petit orphelin, seul, perdu dans les Grands Bois, l'avait découvert et s'était occupée de lui, jusqu'au moment où un être humain l'avait emmené...

– Mes amis... murmura-t-il, alors qu'il tentait de se dégager de leurs bras puissants. *Ouarra-ouaou, mirala !*

« Mon cœur chante de vous retrouver ! »

– *Ouaou-ouaou !*

– *Ouarra-ouig !*

– *Larra-ouira-ouaou !*

Ils parlaient tous en même temps.

Ouaoumi les fit taire d'une légère inclinaison de la tête.

– *Ouaou-ouilla-loum*, dit-elle gravement. *Ouira-ouallara.*

« Nos cœurs sont heureux d'être avec toi, Rémiz. Mais ils sont peinés aussi qu'il nous faille te quitter. »

Rémiz fit un pas en arrière.

– Me quitter ? demanda-t-il, posant sa main ouverte sur sa poitrine et inclinant la tête. Pourquoi devez-vous partir alors que nous venons juste de nous retrouver ?

Ouaoumi tendit une grosse patte et, prenant le visage de Rémiz, l'attira tout près du sien. Il sentait sa respiration douce et voyait le chagrin dans ses yeux.

– *Ouarra-ouig, ouarra-oula*, dit l'ourse avec douceur.

« Nous devons emmener l'obèse jusqu'aux portes du Bourbier. L'accord est conclu. »

– C'est exact, confirma Violetta, qui apparut au côté de Rémiz. Tu sais que, parmi les termes de l'accord, figure l'obligation pour nous d'emmener Vox, ce gros malotru. Les ours bandars ont accepté d'aller au Palais des statues et de le transporter en lieu sûr, dans une chaise spécialement aménagée. Ce sera dangereux, mais nous avons donné notre parole de bibliothécaires.

– *Ouaou-ouaou ourala*, dit gentiment Rémiz.

« Cette mission est périlleuse. Personne ne vous reprocherait de la refuser. »

– *Ouarra-ouig !* rétorqua Ouaoumi, montrant les dents. *Ouarrou-lira !*

« Nos cœurs se briseraient de honte. »

Violetta sourit.

– Ils ne nous décevront pas, Rémiz. Et, si le ciel le veut, nous nous rejoindrons tous au portail du Bourbier.

Elle fit signe aux ours bandars, qui embrassèrent successivement Rémiz, puis quittèrent le pont.

Le jeune garçon se tourna et découvrit, dans les ombres du tunnel, une haute chaise à porteurs décorée. Elle comportait un large banc rembourré, entouré de rideaux en peluche, le tout monté sur un cadre sculpté. Quatre robustes perches vernies dépassaient, deux à l'avant, deux à l'arrière.

Les ours se baissèrent, saisirent les perches dans leurs grandes pattes griffues et, au commandement de Violetta, soulevèrent la chaise.

– *Ouaou-ouaou, ouirala-loug-ouaou*, murmura Molline, qui sourit bravement.

« Légère comme une plume, même pour un vieux sac d'os tel que moi. »

Rémiz lui rendit son sourire. Chacun d'eux était si vaillant. Les bibliothécaires avaient en effet de la chance que des créatures aussi nobles les aident. Pourvu que Molline réussisse à porter la chaise avec autant de facilité lorsque Vox Verlix, cette montagne de chair bouffie, y serait installé !

– *Ouaou-ouaou !* chuchota Rémiz, effleurant de la main sa poitrine et son front.

« Bonne route. »

Il avait les larmes aux yeux.

« Bonne route, Rémiz, lui répondirent les ours bandars alors qu'ils s'éloignaient dans le tunnel. Puisse la lune éclairer très bientôt nos retrouvailles. »

Rémiz avala sa salive, mais ne put chasser la boule douloureuse dans sa gorge. Ils se reverraient, tenta-t-il de se convaincre.

Non ?

Fortunat lui prit le bras et l'entraîna au bas du pont.

– Tu as fait merveille, Rémiz Gueulardeau, dit-il avec bienveillance. Restaure-toi, puis prends place dans l'un des vaisseaux, à côté de ton vieux professeur Spiritix Mirax. Il a besoin de s'appuyer sur une épaule solide. Va, et que la terre et le ciel accompagnent notre flotte de la Grande Bibliothèque !

CHAPITRE 13

Le garde troglo plouc

A LORS QUE XANTH FILANTIN QUITTAIT PAR L'ÉTROITE
échelle le socle fragile de la pointe couronnant la
tour de la Nuit, la sacoche à outils glissa de son
épaule. Elle heurta le montant avec fracas.

– Que le luminard te maudisse ! marmonna Xanth,
et il s'arrêta pour replacer la bandoulière.

La sacoche était lourde. Elle contenait des clés
anglaises, des brosses métalliques, une burette au bec
verseur effilé, ainsi que divers instruments plus délicats :
un niveau à bulle pour vérifier l'ascension verticale de la
pointe ; une pince qui servait à aligner les dents des nombreux rouages imbriqués ; enfin, surtout, un astrolabe
barométrique gradué, en cuivre, dont Xanth devait
recueillir les données avec soin et les communiquer à son
maître. Le Gardien suprême avait donné des instructions
expresses.

Rien ne devait aller de travers.

Un sourire déterminé aux coins des lèvres, Xanth
passa la main sur son front en sueur et continua sa descente. Il s'aperçut qu'il haletait.

Il s'était levé à l'aurore ce matin-là et, même si la journée ne faisait que commencer, l'air était déjà chaud, humide. La moiteur minait ses forces, provoquait chez lui une fatigue physique et l'empêchait de se concentrer.

En chemin, il jeta un coup d'œil à la ronde, s'accorda une halte pour admirer le plus beau panorama de toute la Falaise (seul un esquif permettait mieux). Il vit Infraville grouiller non pas d'Infravillois, mais d'innombrables gobelins. D'après les informateurs, le couvre-feu était établi, les gobelins arpentaient les rues désertes et se rassemblaient sur une grande place dans l'est de la ville. Loin de l'autre côté, Xanth distinguait tout juste les pies-grièches qui s'attroupaient elles aussi en masse et dont les bataillons colorés semblaient luire dans la lumière vaporeuse. Enfin, au-delà, les monceaux de nuages se fondaient peu à peu pour former une immense muraille de ténèbres tournoyantes.

Arrivé au bas de l'échelle, Xanth posa le pied sur la plate-forme de guet et ouvrit la sacoche. Il fouilla un moment son contenu avant d'en tirer une barre métallique à bout pointu, l'autre extrémité décorée par une tête de luminard. Il l'inspecta en vitesse, la retourna dans sa main, le même sourire déterminé aux lèvres. Soudain, une voix bourrue retentit, et les poils du jeune garçon se dressèrent sur sa nuque.

– Qui va là ?

Glissant l'outil métallique dans une poche, Xanth fit volte-face et se trouva nez à nez avec un gigantesque troglo plouc, dont l'énorme main velue effleurait la poignée de la grande épée incurvée pendue à sa ceinture. Le garde plissa ses petits yeux rouges et ses narines s'élargirent.

Xanth le fusilla du regard.

– C'est moi, lança-t-il, furieux. Xanth Filantin. Tu m'as interpellé quand je montais, gros balourd !

– Le mot de passe, grogna le troglo plouc, le visage impassible.

Xanth soupira.

– « Les démons des rochers hurlent », récita-t-il d'un ton blasé.

De sa voix bourrue, le garde grommela la réponse comme un automate :

– « Car ils seront bientôt libres. »

– Satisfait ? Tu as bien reconnu le Xanth Filantin que tu avais interpellé voilà une demi-heure, plus de doute ?

Les petits yeux du troglo plouc le fixaient, froids et durs. Il ne semblait pas disposé à livrer passage.

– Les règles sont les règles, grommela-t-il. Même pour le petit copain des bibliothécaires, chouchou du Gardien suprême…

– Pardon ? tonna Xanth, ses yeux violets lançant des éclairs. J'ai le mandat du Gardien suprême de la Nuit !

– Les règles sont les règles, marmonna le garde, un léger tremblement dans la voix.

– Je pourrais te faire jeter dans le plus sordide cachot de la tour, misérable insolent, et ne crois pas que je m'en priverais, continua Xanth, transperçant le troglo plouc du regard. Allez, inscris bien ma tête dans ta mémoire, et n'oublie pas, la prochaine fois que tu te montreras aussi insolent, c'est par le judas d'un cachot que tu la verras. Compris ?

Le troglo plouc baissa les yeux sur ses lourdes bottes ferrées, puis s'effaça devant Xanth.

– Compris ? répéta le jeune garçon.

– Oui, grommela le garde.

– J'aime mieux ça, dit Xanth, qui se précipita et disparut dans l'escalier tortueux.

Le troglo plouc le suivit des yeux.

– Xanth Filantin, gronda-t-il, crachant ses mots. Je n'oublierai pas ta tête, ne te tracasse pas.

La tour fourmillait de gardiens en cape noire. Ils faisaient le guet sur les logettes, manœuvraient les lance-harpons et les catapultes pivotantes sur les plates-formes de défense, dans l'attente vigilante d'une attaque. Xanth eut l'impression, tandis qu'il dévalait l'escalier sinueux, qu'à l'exemple des gobelins et des pies-grièches, les gardiens de la Nuit s'attroupaient eux aussi. Vraiment, toute la garde semblait de sortie ce matin.

– Écartez-vous ! ne cessait-il de crier en s'ouvrant un chemin vers les profondeurs de la grande tour. Reculez ! Le Gardien suprême m'a chargé d'une affaire importante !

Il laissa derrière lui les tourelles d'observation et les guérites de surveillance, puis la grande plate-forme au bout de laquelle brillait la sinistre cage nourricière. Les barreaux paraissaient trembler dans la chaleur miroitante. Il avait en effet, pensa-t-il avec amertume, une affaire importante, mais pas pour le compte du Gardien suprême, que le ciel le maudisse. En cet instant, l'affreux masque métallique dissimulait sans doute le rire du maître, qui savourait d'avance la cérémonie purificatrice prévue à midi.

Mais la cérémonie n'aurait pas lieu – pas si lui, Xanth Filantin, pouvait s'y opposer. Hors de question que Magda, son amie, serve d'appât aux démons des rochers ! Malgré tout, se dit-il (et son pouls s'accéléra), le temps jouait contre eux. Les minutes s'écoulaient, précieuses.

– Poussez-vous ! lança-t-il, bousculant un groupe de gardiens sur une plate-forme à ciel ouvert.

Alors qu'il poursuivait sa descente tambour battant, la tour s'élargit et une multitude d'autres escaliers apparurent. L'air s'alourdit, se fit plus oppressant, le parfum du bois récemment scié et l'odeur des corps malpropres devinrent perceptibles. Xanth passa devant les appartements d'Orbix Xaxis, des bureaux et des placards, des cellules et des salles d'interrogatoire, et atteignit enfin le niveau où la tour se divisait en deux parties bien distinctes. Du côté de la muraille, l'ensemble des pièces étaient pourvues de fenêtres et d'avancées extérieures aux dimensions variées, tandis qu'à l'intérieur, une paroi délimitait le puits central abritant les terribles rebords destinés aux prisonniers. Xanth se trouvait sur un haut palier rectangulaire, coincé entre la muraille et la paroi, faiblement éclairé par des lanternes à capuchon.

– Le mot de passe, demanda un grand gobelin à tête plate, surgi des ombres mouvantes.

– « Les démons des rochers hurlent », dit Xanth, qui peinait à retrouver son souffle, tant l'air était étouffant.

– « Car ils seront bientôt libres », récita le gobelin. Passe, gardien.

Sans même jeter un coup d'œil en arrière, Xanth continua sa route. Plus il s'enfonçait dans les profondeurs obscures, plus l'atmosphère devenait chaude et nauséabonde. Des soupirs et des plaintes sinistres résonnaient de l'autre côté de la cloison.

Moitié marchant, moitié courant, Xanth pénétra dans le labyrinthe de passages étroits et d'escaliers vermoulus qui zigzaguaient en tous sens autour de lui. Chaque volée de marches conduisait à une porte insérée dans la paroi. Derrière l'une de ces portes

croupissait Magda – et Xanth savait précisément laquelle. Il connaissait bien ce cachot : son vieil ami Séraphin y avait autrefois séjourné. Désormais, le lieu était réservé aux bibliothécaires promis à l'horrible cérémonie purificatrice.

Lorsqu'il arriva au pied des marches inclinées, familières, Xanth heurta de plein fouet deux robustes gobelins à tête plate debout devant une petite porte cloutée. L'un d'eux s'avança, une grosse masse à la main, tandis que l'autre levait son arbalète et la braquait sur la poitrine de Xanth.

– Halte, qui va là ? dit le premier.

– Xanth Filantin, répondit le jeune garçon hors d'haleine. Une affaire importante pour le compte du Gardien suprême.

Le garde fronça les sourcils.

– Mot de passe ?

Xanth claqua la langue, impatienté.

– « Les démons des rochers hurlent », dit-il.

– « Car bientôt »...

– Oui, oui, abrégeons ! coupa Xanth, aussi hardiment que possible. Orbix Xaxis lui-même m'envoie. Il souhaite interroger personnellement la prisonnière.

Les gobelins échangèrent un regard, puis l'arbalétrier secoua la tête, hésitant.

– Orbix Xaxis, ah bon, dit-il lentement. Nous n'avons été avertis de rien...

– Défiez-vous mon autorité ? grogna Xanth d'une voix sourde et menaçante. Si c'est le cas, soyez certains que le Gardien suprême aura vent de votre indiscipline.

Les gobelins échangèrent un nouveau regard. Xanth profita de l'occasion : il repoussa masse et arbalète et se glissa entre eux. Devant lui se dressait la porte du cachot, les noms des anciens détenus gravés dans le bois sombre, épais. *Séraphin Pentephraxis* apparaissait en tête. Au-dessous figuraient des chevaliers bibliothécaires qui avaient payé de leur vie leur loyauté inébranlable à la Grande Bibliothèque : *Torvalt Limbus, Micha Blix, Ernestine Flambel*... Et, en dernière position, comme espéré : *Magda Burlix*.

Xanth fit coulisser les verrous du haut et du bas. Puis, indifférent aux murmures préoccupés des gardes derrière lui, il se redressa, saisit la poignée d'une main ferme et poussa la porte. Le battant résonna contre la cloison avec un bruit sourd.

Xanth resta sur le seuil, pris de vertige, chancelant. Il ne s'habituerait jamais au vide qui béait devant lui, ni à l'odeur épouvantable d'égout et de mort. Les prisonniers perchés sur les rebords voisins, qui avaient entendu la porte s'ouvrir, tombèrent à genoux, joignirent des mains suppliantes et prièrent le nouveau venu de les délivrer.

– Ayez pitié, doux maître ! criaient-ils, les yeux implorants.

– Libérez-moi ! conjura un tractotroll borgne.

– C'est une erreur ! Une erreur funeste ! gémit un ancien professeur grisonnant, sa robe pailletée réduite en lambeaux crasseux.

Xanth s'arracha au spectacle des malheureux prisonniers et regarda, au pied de l'étroit escalier, le rebord en surplomb. Assise au centre, immobile, le visage détourné, ses longues tresses pendant sur sa combinaison de vol, se tenait Magda.

– Lève-toi quand un gardien entre ! vociféra Xanth alors qu'il descendait les marches.

Magda se retourna d'un air las.

– Debout, ordure ! commanda-t-il d'une voix froide, implacable. Viens avec moi. Le Gardien suprême souhaite t'interroger plus en détail.

Magda pivota, mais demeura assise. Xanth s'approcha et l'aiguillonna d'un coup de botte.

– J'ai dit debout ! répéta-t-il.

Elle ne bougea pas. Avec un grognement irrité, Xanth se baissa, lui empoigna les bras et la hissa sur ses pieds.

– Aaaïe-ouille ! hurla Magda lorsqu'il lui tordit le bras dans le dos. Tu me fais mal !

– Tais-toi, le ciel te maudisse, siffla-t-il à son oreille, et obéis-moi scrupuleusement.

En haut de l'escalier, il la poussa dans l'embrasure, entre les gardes, puis, avec la même rudesse, vers la nouvelle volée de marches. Le palier atteint, les gardes invisibles désormais, il relâcha enfin la pression sur son bras. Il se pencha en avant.

– Continue à marcher, lui chuchota-t-il. Et pas un mot.

Devant le cachot, les gobelins se tournèrent l'un vers l'autre.

– Cette histoire ne me plaît pas du tout, dit l'arbalétrier, caressant du doigt le mécanisme de tir. Que mijote Museau masqué, à ton avis ?

– Je me le demande, répondit son camarade.

De sa masse, il tapota sa paume ouverte, une, deux, trois, quatre fois, puis, d'un geste décidé, mit l'arme à sa ceinture.

– Je ne sais pas toi, mais moi, Gardien suprême ou pas, je vais trouver Leddix, annonça-t-il. Après tout, il est le responsable de la cage : au sens strict, la bibliothécaire est sa prisonnière.

Pendant ce temps, dans les sombres passages en contre-haut, Xanth et Magda s'étaient soudain arrêtés.

– Je n'irai pas plus loin ! déclara la jeune fille, tournée vers son compagnon.

Celui-ci la lâcha.

– Magda, dit-il doucement, j'essaie de te sauver la vie.

– De me sauver la vie ? souffla Magda, incrédule. Tu m'as frappée, souviens-toi. Tu m'as traitée d'ordure...

– Je m'excuse, dit Xanth avec rudesse. Mais il le fallait. J'étais surveillé. S'ils avaient soupçonné quoi que ce soit, je t'aurais rejointe dans la cage cérémonielle, autre appât pour les démons des rochers. Le risque pèse toujours, si nous ne nous dépêchons pas, ajouta-t-il.

– Tu m'as presque cassé le bras, se plaignit Magda, frottant son coude endolori.

– Magda, je t'en supplie, dit Xanth. Lorsqu'ils comprendront que tu t'es évadée, les cornes de tilde retentiront et nous serons fichus. Nous aurons toute la garde à nos trousses. Je t'assure que nous devons filer d'ici le plus vite possible.

– Mais pourquoi devrais-je me fier à toi, Xanth ? s'obstina Magda, ses yeux verts flambants de fureur. Tu as trahi les bibliothécaires au Débarcadère du lac. Tu sers le Gardien suprême. Tu as recours au mensonge, à la tromperie.

Elle secoua la tête.

– Pourquoi devrais-je croire quiconque arbore sur son vêtement ce maudit luminard ?

Xanth la regarda, ses yeux violets remplis de chagrin.

– C'est vrai, reconnut-il. J'ai commis beaucoup de mauvaises actions. Des méfaits terribles, impardonnables. Pourtant, tu as su – oui, toi, Magda – réveiller dans ma mémoire les souvenirs d'une vie meilleure et, avec eux, le rêve de quitter cet endroit pour toujours. Viens avec moi, Magda, je veillerai à ce que tu retrouves les bibliothécaires. Il est temps, dit-il d'une voix entrecoupée, que je répare les horribles méfaits que j'ai commis.

Magda fit la moue tout en dévisageant le jeune garçon au crâne rasé.

– Tu me ramèneras chez les bibliothécaires ? demanda-t-elle. Promis ?

Xanth sourit.

– Je te donne ma parole.

Magda lui tendit la main, et Xanth la prit, soulagé.

– Nous allons emprunter les paniers que les patrouilles de gardiens utilisent pour gagner Infraville, expliqua-t-il. Les paniers est. Nous arriverons ainsi près de la Falaise, non loin du Jardin de pierres. Je connais un chemin qui nous conduira jusqu'à Infraville sans que nous ayons à nous aventurer dans Ébouliville...

– Eh bien, en route, dit Magda, qui s'élança. Qu'attendons-nous ?

– Pas de ce côté ! la retint Xanth. Par ici !

Xanth en tête, Magda sur ses talons, tous deux zigzaguèrent dans le labyrinthe de passages et d'escaliers. À aucun moment Xanth n'hésita, virant tantôt à droite, tantôt à gauche, tantôt continuant tout droit, sans jamais se raviser. Dans ces profondeurs, à la base de la tour, nul gardien ne semblait présent ; guère étonnant, pensa Magda : l'air avait une telle puanteur qu'il était presque irrespirable. Xanth prit un virage serré sur la droite et s'engagea en hâte dans un long couloir étroit, au bout duquel filtrait de la lumière.

– La voici, annonça-t-il. La porte est.

Il s'arrêta brusquement et saisit le bras de Magda.

– J'ai failli oublier, chuchota-t-il. Les paniers sont surveillés.

Magda le regarda, perplexe, lever les bras et retirer sa robe noire à capuche. Une deuxième robe apparut dessous, en tout point identique à la première. Magda considéra le vêtement avec dégoût lorsque Xanth le lui tendit.

– C'est pour toi. Tu attireras un peu moins les regards, dit-il, le menton pointé vers la combinaison de vol verte.

Magda passa la tête dans la lourde robe, encore tiédie par le contact avec Xanth. Elle tira sur les poignets, lissa le tissu et frissonna, mal à l'aise, lorsque sa main effleura le luminard hurlant qui ornait désormais sa propre poitrine.

– Rabats la capuche, conseilla Xanth, montrant l'exemple. Et dehors, n'interviens pas dans la discussion.

Ensemble, ils franchirent le seuil et grimacèrent malgré eux, éblouis par la lumière si aveuglante après la lueur tamisée des lampes à l'intérieur de la tour. Au bout de la longue et large plate-forme s'alignaient une demi-douzaine de paniers, suspendus à des poulies fixées au sommet de portiques en surplomb, trois de chaque côté. Un seul garde, un gobelinet ratatiné, leva les yeux lorsque les fugitifs s'approchèrent.

Il portait une robe noire pareille à la leur, mais trop grande de plusieurs tailles. Il retroussa ses manches sur ses avant-bras maigres et empoigna son épée.

– Le mot de passe, dit-il.

– « Les démons des rochers hurlent », répondit Xanth.

– « Car »... « Car bientôt »...

Le gobelinet fronça les sourcils ; une expression confuse flotta sur ses traits.

– Très bien, dit-il d'une voix tremblante, comme s'il craignait une réprimande. Une obligation à Infraville, gardiens ?

– Ce n'est pas ton affaire, répliqua Xanth, qui avança, Magda derrière lui.

Le gobelinet s'écarta, trébucha sur l'ourlet traînant de sa robe. Xanth était déjà près des paniers. Il grimpa dans le plus éloigné, aida Magda à le rejoindre.

Il se jucha sur le haut siège de pilotage et décrocha la chaîne du piton.

– Cramponne-toi, chuchota-t-il à Magda.

Il fit coulisser la chaîne entre ses mains et posa les pieds sur les pédales de commande.

À l'entrée de la tour, le gobelinet les observait. Ancien combattant acharné, il avait livré bataille au côté de gobelins à tête plate et de gobelins-marteaux deux fois plus grands que lui, et avait souvent obtenu le plus beau trophée. Mais à présent, les assauts n'étaient plus qu'un lointain souvenir. Ses os étaient vieux, ses muscles rabougris. Trop faible pour combattre et trop myope pour manœuvrer les engins de guerre, il avait été nommé préposé aux paniers. Il occupait ainsi l'un des rangs les plus humbles de la hiérarchie, mais il bénéficiait de compensations. Leddix le payait bien pour ouvrir l'œil et prêter l'oreille.

Le gobelinet sourit lorsque les deux gardiens disparurent. Allons donc, une obligation à Infraville ! Il s'approcha du bord de la plate-forme et lança un long sifflement sourd.

En contrebas, inquiète des écarts et des cahots violents, Magda retenait son souffle alors que le panier dégringolait. Certes, elle avait une multitude de vols à son actif, mais voltiger sur son cher *Papillon des bois*, l'esquif qu'elle avait créé de ses propres mains et qui réagissait à ses moindres gestes, n'avait rien de commun avec osciller dans ce panier grinçant, au bout d'une chaîne à l'aspect dangereusement rouillé.

Plus ils descendaient, plus ils s'approchaient du rocher malade de Sanctaphrax. À un certain moment, Magda aurait pu toucher la roche effritée – elle aurait bel et bien tendu le bras, si elle n'avait pas craint de déséquilibrer le panier instable. La surface poreuse était sillonnée de crevasses et de fissures ; d'énormes pans menaçaient sans cesse de se détacher. Une petite créature grise, aux longues oreilles nerveuses, gambada sur la roche piquetée dans un tourbillon de poussière et disparut.

– Nous arriverons bientôt à hauteur de la forêt de Sanctaphrax, annonça Xanth.

Les pédales grincèrent faiblement alors que le panier pivotait.

Magda hocha la tête. Peu après, le sombre rocher abîmé laissa la place au vaste échafaudage de piliers et de traverses construit pour le soutenir.

– La forêt de Sanctaphrax, murmura Magda, sa voix tremblant d'effroi.

Ce surnom ne l'étonnait pas. La moitié des Grands Bois avait sans doute été sacrifiée à cet ouvrage. Devant les grands poteaux verticaux qui jaillissaient du sol comme de majestueux troncs d'arbres, cet enchevêtrement complexe d'étais et de supports, de croisillons, de chevrons et de poutres qui évoquait une ramure, Magda songea que le mot « forêt » décrivait ce lieu à la perfection.

Une forêt obscure. Une forêt infinie. Une forêt vivante…

Il semblait presque que l'esprit même des Grands Bois avait voyagé jusqu'ici en compagnie des arbres abattus.

La forêt, savait Magda, remplissait une double fonction. Son but initial : empêcher la roche malade d'écraser Infraville en contrebas. L'entreprise n'avait été qu'un demi-succès, comme en témoignaient les funestes ruines d'Ébouliville ; pourtant, grâce au talent de Vox Verlix et au labeur épuisant, interminable, des esclaves, les dégâts demeuraient limités. L'autre fonction était beaucoup plus contestée. Fait bien connu, les gardiens, à la différence des bibliothécaires, croyaient que, pour préserver ses chances de guérison par la foudre, le rocher ne devait pas toucher le sol. Ce désaccord avait provoqué la scission tragique entre gardiens et bibliothécaires, et continuait d'alimenter la haine des premiers envers les seconds.

Magda se tourna vers Xanth.

– Tu crois donc à la foudre sacrée ? dit-elle. Pour remédier à la maladie de la pierre…

Xanth hésita, leva les yeux. Le panier pivota encore.

– Oui, étant gardien, répondit-il, mais mes études chez les bibliothécaires, au Débarcadère du lac, ont ébranlé mes certitudes…

Il haussa les épaules et reprit la longue descente.

– Peut-être que nous nous trompons tous, dit-il un moment après. Peut-être qu'il n'existe absolument aucun remède à l'infection, ni dans le ciel ni dans les Grands Bois.

Magda secoua la tête.

– Étant chevalier bibliothécaire, il me faut croire qu'un remède se cache dans les Grands Bois. Ce qui m'échappe, c'est la raison pour laquelle cette conviction nous attire une telle haine de la part des gardiens. Au fond, nous souhaitons tous la même chose, non ?

Xanth détourna les yeux.

– Je le croyais aussi, Magda. Mais l'observation du ciel et l'envie ont empoisonné l'esprit des gardiens. Il n'y a pas que la roche qui soit malade... Si seulement je l'avais compris plus tôt... ajouta-t-il avec douceur.

Le panier pencha d'un côté, puis se redressa. Magda avala sa salive, nerveuse, et se cramponna si fort que ses articulations blanchirent. Alors que le panier pivotait lentement, elle découvrit les profondeurs opaques de la grande structure en bois ; un curieux froufrou sifflant lui parvint, comme de l'air s'infiltrant dans une étroite ouverture. Elle se tourna et aperçut un genre de chauve-souris, aux ailes hérissées de crochets et au long museau caoutchouteux, filer dans les ombres entrecroisées puis atterrir sur l'un des nids en piteux état occupant une large traverse. C'était un pourrivore nain.

Les froufrous sifflants s'amplifièrent, et Magda se rendit compte que la créature n'était pas seule. Derrière elle, des douzaines d'autres, enveloppées dans leurs ailes épaisses, peuplaient la pénombre. Une odeur âcre de fientes chatouilla le nez de la jeune fille. C'était manifestement le perchoir habituel de la colonie entière : l'endroit qu'elle regagnait tous les matins, pour s'y reposer en attendant le crépuscule – le premier individu devait être un retardataire...

Le panier fit un écart, perdit de l'altitude ; les pourrivores disparurent. Un nouveau bruit emplit l'air. Le bruit du labeur acharné. Des scies, des haches, le rythme changeant de nombreux marteaux qui tambourinaient – et, en fond sonore, une plainte basse, continue : la mélopée du désespoir.

– Bien, maintenant, réessayez ! tonna une voix grave et rauque. Et cette fois, déployez toute votre énergie !

Un fouet claqua et les plaintes enflèrent.

– Soulevez-la plus haut ! Plus haut !

– Une équipe d'esclaves, murmura Xanth, la mine sombre. Le chantier de la forêt ne cesse jamais.

La voix furieuse du contremaître résonnait dans l'air.

– Idiot ! brailla-t-il, et le fouet claqua encore plus fort. Ne recommence pas, sinon je te brise ton cou squelettique !

Magda frissonna.

Xanth continua à pédaler régulièrement et, tandis que le panier descendait, Magda se trouva nez à nez avec les esclaves eux-mêmes. Elle poussa un cri étouffé et plaqua ses mains sur sa bouche.

Elle savait, naturellement, que le sort des esclaves était cruel, surtout s'ils travaillaient dans la forêt de Sanctaphrax. Rien, pourtant, n'aurait pu la préparer au spectacle qu'elle avait devant les yeux, à ces malheureux si pitoyables.

Ils étaient environ une douzaine, venus des quatre coins de la Falaise. Sous la peau crasseuse et les cheveux emmêlés, elle distingua des nabotons, des gobelins de brassin, un troglo plouc, un tractotroll, deux gobelins à tête plate... Ici, de toute façon, leur origine n'avait aucune importance.

Simplement vêtus d'un pagne crasseux, en équilibre précaire sur un échafaudage branlant et des planches fragiles, les infortunés esclaves peinaient, les bras levés, sous le poids de l'énorme traverse en bois de fer qu'ils s'efforçaient de mettre en place. Magda les regardait, les yeux noyés de larmes. Leurs muscles tendus ressemblaient à des cordes nouées, leurs os proéminents à des baguettes ; car si les esclaves avaient un point commun, c'était bien celui-ci : tous mouraient de faim.

– Tu n'y peux rien, dit Xanth avec douceur.

Le visage de Magda se décomposa.

– Je sais, dit-elle. Et c'est le pire de tout.

Dans un flux et un reflux de plaintes, les esclaves essayaient, encore et encore, de hisser la lourde traverse à la hauteur souhaitée.

– Plus haut ! Plus haut ! tonna une voix, et un grand gobelin à tête plate, qui portait un casque cornu en cuivre et une épaisse cuirasse, sortit des ombres.

Il fit claquer son fouet.

– Avancez d'une demi-foulée ! rugit-il, pressant les esclaves.

À cet instant, un cri étouffé retentit, et Magda vit un gobelin de brassin trébucher, tomber à genoux. Ses compagnons gémirent et vacillèrent dangereusement, faisant l'impossible pour ne pas lâcher la poutre. Le contremaître s'approcha à grandes enjambées furieuses, saisit le gobelin tremblant par le col et le souleva dans les airs.

– Je t'avais prévenu ! siffla-t-il. Tu crées plus d'ennuis que tu ne rends service.

Il imprima un demi-tour à l'esclave terrifié et le coinça sous son bras. Puis, à l'adresse des autres esclaves :

– Vous allez devoir travailler plus dur désormais ! hurla-t-il.

Il prit la tête du gobelin et la tordit violemment vers la droite. Il y eut un craquement sec.

Magda laissa échapper un cri horrifié.

Le contremaître virevolta et la fusilla des yeux.

– Tiens, des gardiens ! ricana-t-il.

Magda baissa le front, heureuse que la robe à capuche dissimule son visage baigné de larmes.

– Compliments, le salua Xanth, qui s'arrêta une minute de pédaler. Quel plaisir de savoir que le rocher sacré de Sanctaphrax est dans des mains aussi expertes. Le Gardien suprême en personne sera informé de votre excellent travail.

Le contremaître jeta dans le vide le corps flasque de l'esclave et mit ses mains sur ses hanches.

– Tant que Museau masqué paiera, nous prendrons soin de son précieux rocher, grogna-t-il.

Un sourire tordu, tout en dents cassées et en malveillance, s'épanouit sur sa figure.

– Peut-être que vous aimeriez rejoindre notre équipe…

Xanth ne répondit rien. Il appuya sur les pédales avec une énergie renouvelée.

Magda était incapable de parler. Le sort des esclaves, condamnés à trimer jusqu'à l'effondrement, l'avait bouleversée, et la brutalité insouciante du contremaître défilait sans relâche dans sa tête. La plainte des esclaves se dissipa bientôt, alors que le panier reprenait sa descente ; mais leur souvenir, lui, persisterait à jamais.

– Magda, dit Xanth, se tournant vers la jeune bibliothécaire, qui ne bougea pas, perdue dans ses pensées. Magda ! Nous sommes arrivés.

Le panier toucha terre avec un son mat et Xanth serra le frein avant que la chaîne puisse se dérouler davantage. Il quitta le siège d'un bond et sortit du panier.

– Magda, dit-il pour la troisième fois, et il lui saisit les épaules à deux mains. Nous y sommes presque. Le pire est passé.

– Pour nous, peut-être, répondit Magda d'un ton lugubre.

Avec l'aide de Xanth, elle enjamba le bord du panier. Elle regarda autour d'elle, l'air égaré.

– On cherche quelque chose ? lança une voix bourrue.

Magda recula, stupéfaite. Xanth fit volte-face : un garde troglo plouc était campé devant lui, ses bras épais croisés sur sa poitrine.

– « Les démons des rochers hurlent », dit le jeune garçon.

Le garde l'observa avec dédain, la bouche ricaneuse.

– Je reconnais cette tête, dit-il avec un regard mauvais.

Il décroisa les bras et tira une grosse masse de sa ceinture. Des clous terribles brillèrent sous le soleil ardent.

– Hors de mon chemin immédiatement ! ordonna Xanth, d'une voix scandalisée. Je suis Xanth Filantin, aux ordres personnels du Gardien suprême. S'il devait apprendre…

Il y eut alors un mouvement dans les ombres derrière lui et un individu sec, aux cheveux raides et aux traits de fouine, s'avança dans la lumière.

– Le Gardien suprême l'apprendra bien assez tôt, affirma une voix grêle.

– Leddix... souffla Xanth, qui devint pâle comme un linge.

– Étonné de me voir, hein, Xanth ? demanda le responsable de la cage. Tu n'avais donc pas remarqué que je te faisais surveiller ?

Il eut un petit rire.

– J'attendais ce moment depuis longtemps, mon perfide ami. Depuis très longtemps...

– Vous... vous commettez une énorme erreur, Leddix, dit Xanth. Je vous préviens.

– Tu me préviens, toi ? dit Leddix, le visage plissé par l'amusement. Oh, pas facile de t'attraper, Xanth Filantin. Tu lèches les bottes du Gardien suprême, tu lui empoisonnes l'esprit avec tes mensonges déloyaux sur mon compte.

Son visage se durcit.

– Mais cette fois, je te tiens, comme un gros limonard frétillant au bout d'une ligne...

– Comment osez-vous ! s'exclama Xanth, avec toute la colère froide qu'il put rassembler.

Leddix claqua des doigts et le garde troglo plouc bondit en avant, sa masse levée, tournoyante.

– Attention ! cria Magda.

Trop tard. La lourde masse cloutée frappa Xanth à la nuque dans un craquement horrible. La dernière image que vit Xanth fut le sourire révoltant de Leddix, cruel dans sa victoire. Des lèvres minces. Des dents marron. Des yeux éteints...

Puis plus rien.

CHAPITRE 14

Ambrephile

SEUL UN ÉCOUTINAL POUVAIT COMPRENDRE À QUEL POINT c'était difficile, songea Ambrephile avec amertume. Ses barbillons frémirent tandis qu'il traçait un cercle dans la poussière épaisse qui recouvrait l'armoire à pharmacie encombrée, près de son fauteuil flottant.

– Besoin d'un coup de chiffon !

Sa pensée glaciale trancha la confusion dans l'énorme tête de son infirmière.

Un cri strident retentit dans la pièce voisine, accompagné par le bruit de chute d'un bouchon en verre.

– Ooh ! Combien de fois devrai-je vous le répéter, Ambre chéri ? lança Flambusie. Nounou n'aime pas que vous fouiniez dans sa tête !

– Désolé, Flambusie, chuchota l'écoutinal d'un ton piteux.

Pas même Flambusie – la belle, robuste Flambusie, qui le soignait, apaisait ses maux et soulageait ses douleurs – pas même elle ne comprenait la difficulté à être un écoutinal. Toutes ces pensées dans toutes ces têtes, qui chuchotaient, gémissaient, criaient, sans une seconde de répit…

Quatre-vingts ans plus tôt, dans le sombre pays marécageux des écoutinals, aux confins des territoires connus de la Falaise, la situation était bien différente. Les yeux d'Ambrephile se ternirent et un sourire fit trembler ses barbillons. Il se souvint du silence délicieux qui avait enveloppé son enfance : si vide, si réconfortant – uniquement rompu par le rare chuchotis d'un autre spectrinal, quelque part, là-bas, dans le lointain.

Ambrephile soupira.

Comme tant d'autres avant lui, il avait émigré à Infraville, attiré par la promesse d'une vie meilleure et de richesses dépassant l'imagination. Beaucoup n'avaient trouvé que la misère et le désespoir. Mais pas Ambrephile.

Le sourire de l'écoutinal s'élargit et ses yeux pétillèrent.

Il avait trouvé du travail. Car du travail s'offrait toujours à un écoutinal intelligent qui savait se taire et guetter. Ambrephile avait ouvert ses immenses oreilles et s'était bien vite procuré un emploi lucratif à l'école de la Lumière et de l'Obscurité, à épier les universitaires cancaniers au profit de son maître, un ambitieux professeur supérieur.

Mort depuis longtemps, pensa Ambrephile avec tristesse.

Ce professeur avait été le premier d'une longue série de maîtres, tous intéressés par ce qu'il entendait dans la Vieille Sanctaphrax bavarde, babillarde, constamment bruyante. Et prêts à payer le prix. Tant de pensées ! Tant de vacarme !

Ambrephile se pencha pour gratter une zone de peau écailleuse, desséchée, qui le démangeait derrière le genou.

Mais il avait vite appris : appris à masquer le babil incessant et à prêter une oreille sélective. La tâche était difficile. De nombreux écoutinals perdaient la raison au bout de quelques années à Infraville. Mais pas Ambrephile. Il était fait d'un bois plus solide ; sans oublier qu'il avait ses médicaments.

Un toussotement secoua son corps frêle alors qu'il parcourait des yeux les rangées de récipients poussiéreux entassés dans la pharmacie. Les gros bocaux contenaient les élixirs, mixtures puissantes qui soulageaient ses pauvres oreilles fatiguées. Des onguents et des baumes remplissaient les grands vases minces. Il y avait enfin les embrocations, grasses et noires ; quel plaisir quand les mains rêches de Flambusie les appliquaient...

Ambrephile laissa échapper un petit rire rauque, et fut pris d'une quinte de toux qui, cette fois-ci, ne parut pas devoir se calmer.

– Oh, diable, diable ! s'exclama Flambusie, qui entra d'un air affairé, ses lourdes semelles claquant sur les dalles de marbre. Ne puis-je donc jamais avoir une minute de tranquillité ?

Elle se précipita vers l'écoutinal tremblant, tout en débouchant un pot bleu ventru. Une odeur âcre de menthe résineuse et de camphre des bois se répandit.

– Allons, chemise en l'air, dit-elle calmement, que Nounou imprègne cette poitrine d'embrocation vaporeuse.

Elle lui ouvrit sa robe, écarta la chemise d'une main, plongea l'autre dans le pot et se pencha sur lui. Alors que les doigts dodus et délicieusement rêches de l'infirmière faisaient pénétrer l'embrocation dans sa peau blême, tachetée, Ambrephile sentit ses poumons s'apaiser. La toux diminua. Il se cala contre le dossier du fauteuil, les yeux fermés.

Il distinguait les pensées de Flambusie en arrière-plan : embrouillées, confuses et... qu'était-ce donc ?

Il interrompit son exploration (il savait qu'elle détestait de telles intrusions) et s'efforça de penser à autre chose.

Les professeurs ! Quel ramassis bruyant et querelleur ils formaient tous, avec leurs plaintes mesquines et leurs antipathies insignifiantes... Mais ensuite, il avait fait la connaissance de Vox Verlix, débutant au Collège des nuages : grand et dogmatique, un vantard tyrannique, qui n'aimait rien tant qu'imposer son autorité. Vox avait beau être un blanc-bec, Ambrephile avait néanmoins senti une dimension chez lui – au-delà de la pure ambition, des désirs abjects...

L'écoutinal sourit. C'était l'esprit de Vox, esprit brillant, insondable, qui l'avait fasciné. Il avait su dès le début qu'il pourrait vraiment travailler avec ce professeur – il s'était d'ailleurs mis aussitôt à la tâche.

– Voilà qui devrait suffire pour le moment, annonça Flambusie.

Elle rabattit la chemise de l'écoutinal et lui renoua sa robe.

– Mais ne vous avisez pas de vous échauffer encore. Vous savez que ça ne vous vaut rien.

– Une tisane, murmura Ambrephile, dont les paupières s'ouvrirent un instant. J'aimerais une bonne tisane.

– Tout à l'heure, répondit Flambusie, et elle se détourna. Nounou est trop occupée dans l'immédiat. Reposez-vous, Ambre chéri.

Ambrephile hocha la tête avec résignation et referma les yeux.

295

Oh oui, ces premières années où il était l'assistant de Vox… Elles avaient été si riches en événements : la Mère Tempête, la perte de la Vieille Sanctaphrax, la naissance du nouveau rocher. Quelle époque ! Ambrephile se balança d'avant en arrière dans son fauteuil flottant.

Vox avait gagné la confiance de Séraphin Pentephraxis, ce jeune imbécile de Dignitaire suprême. Il avait feint de croire à toutes ces fadaises sur l'égalité entre les érudits et les Infravillois. Durant tout ce temps, lui, Ambrephile, ouvrait grand ses oreilles et faisait ses rapports à Vox ; ainsi, lorsque l'occasion s'était présentée, tous deux étaient prêts, à l'affût.

La maladie de la pierre avait frappé la Falaise, le nouveau rocher de Sanctaphrax avait commencé à s'effriter, la flotte des ligueurs, jadis puissante, avait été décimée par la ruine des roches de vol. Infraville et la Nouvelle Sanctaphrax étaient en émoi, Séraphin au désespoir. Vox avait élaboré un brillant projet : l'édification d'une vaste et unique tour sur le rocher de Sanctaphrax, afin de remplacer les bâtiments plus modestes qu'avaient construits les diverses écoles et académies en conflit. Les érudits terrestres (dont le nombre et l'influence augmentaient) disposeraient des étages inférieurs pour leur Grande Bibliothèque. À partir de là, ils pourraient continuer leur exploration des Grands Bois, en quête d'un remède à la maladie. Les érudits du ciel occuperaient les étages supérieurs, où ils installeraient leurs laboratoires et leurs salles de travail, et, plus important, superviseraient la mise en place d'une pointe majestueuse. Selon eux, cette dernière exploiterait la puissance de la foudre et guérirait la roche contaminée au-dessous.

Un projet magistral. Comme tous les projets de Vox. Mais c'était lui, Ambrephile – négociateur, manipulateur, violateur de pactes –, qui avait, comme toujours, veillé à sa réalisation.

Le sourire s'élargit sur le visage blafard du spectrinal. Il avait été rusé ; très rusé. Il avait convaincu les principaux ligueurs d'Infraville d'affecter leurs quelques navires restants au transport d'une ultime cargaison de bois. Ensuite, la réserve épuisée, il avait organisé des bandes d'Infravillois chargées de démolir des quartiers entiers pour fournir le matériau manquant. Et, bien sûr, pendant qu'il servait Vox, Ambrephile avait eu soin de prélever sa part d'honoraires et de commissions. Les érudits avaient frôlé la faillite, mais la tour de la Nuit avait été achevée.

Dans l'antichambre, des liquides glougloutèrent, qu'une cuiller cliquetante remua. L'écoutinal ouvrit les yeux et regarda autour de lui, plein d'espoir ; mais Flambusie, avec ou sans tisane, demeura invisible. En face, par la fenêtre, le contour flou de la haute tour imposante semblait presque se moquer de lui, derrière le rideau de dentelle gonflé.

– Ah, ciel, la tour de la Nuit, murmura-t-il, attristé. Notre premier grand chef-d'œuvre.

Sa voix était sourde et rauque.

– Comment la situation a-t-elle pu si mal tourner ?

Rétrospectivement, bien sûr, la réponse coulait de source. Les érudits terrestres avaient abominé la tour dès le début, et les chevaliers de l'Académie s'étaient divisés en deux factions, céleste et terrestre. Une fois la bibliothèque installée, les chevaliers qui partageaient les idéaux des érudits terrestres avaient rejoint ces derniers. Ensemble, ils avaient composé les rangs des bibliothécaires. S'étaient opposés à eux les érudits célestes, rassemblés sous la conduite d'un personnage aux yeux vairons,

au teint terreux, appelé Orbix Xaxis. Ils avaient pris pour
nom les gardiens de la Nuit.

Les bibliothécaires et les gardiens : les deux camps
s'étaient préparés à l'épreuve de force.

Ambrephile gloussa. Il n'avait jamais entendu un
pareil vacarme ! Tant de pensées sinistres et d'émotions
intenses ! Il avait recommandé à Vox de s'allier aux gardiens – et, en prime, exigé d'Orbix une coquette somme
pour ses bons offices.

Quelle nuit ç'avait été ! pensa Ambrephile, s'ap-
puyant contre le dossier de son fauteuil. La nuit des lumi-
nards.

Dans leurs nouveaux uniformes noirs, ornés des
funestes créatures hurlantes, les gardiens étaient passés à

l'offensive. Tous les partisans déclarés de Séraphin avaient été chassés du pouvoir, assassinés pour beaucoup d'entre eux, tandis que le Dignitaire lui-même disparaissait.

Vox, se souvint Ambrephile, s'était autoproclamé nouveau Dignitaire suprême, et l'avait désigné, lui, chancelier. L'écoutinal tremblait rien que d'y penser. Un petit spectrinal originaire des Grands Bois, haut chancelier de la Nouvelle Sanctaphrax et d'Infraville !

Mais où était sa tisane ? Il pivota vers l'antichambre et pianota avec impatience sur les bras de son fauteuil flottant. Pourquoi Flambusie était-elle si longue à venir ?

Bien sûr, la situation n'avait pas duré. Les gardiens ne s'étaient pas arrêtés en si bon chemin…

– Maudits ingrats ! siffla Ambrephile, amer.

Il aurait dû s'y attendre, évidemment. Il aurait dû lire les sombres pensées d'Orbix Xaxis avec plus de soin mais, ivre de pouvoir, il était devenu négligent. C'était plus par chance que par sagesse si, cette nuit fatidique où Orbix avait porté son attaque et envoyé des gardiens précipiter dignitaire et chancelier du haut de la plate-forme supérieure, il avait été vigilant…

Orbix voulait la tour pour lui seul et complotait le massacre des bibliothécaires, de plus en plus obstructionnistes, toujours à critiquer et à récriminer, à contrecarrer ses projets. C'était Ambrephile qui, devinant qu'ils pourraient néanmoins se révéler utiles, les avait avertis, juste à temps ; et, tous ensemble, ils avaient fui vers Infraville.

Vox et Ambrephile s'étaient réfugiés dans le Palais des statues : depuis l'effondrement des grandes ligues marchandes, l'édifice déserté restait vide. Ambrephile avait alors pris possession de sa précieuse petite chambre...

L'écoutinal eut un soupir las. Où les années avaient-elles donc filé ?

Les premières saisons dans le palais s'étaient révélées prospères. Les Infravillois avaient accepté Vox, nouveau Dignitaire suprême, et, comme son chancelier Ambrephile gérait le commerce et les impôts, l'or avait très vite afflué. Les gardiens de la Nuit se tenaient à l'écart, perchés dans leur tour de la Nuit, et attendaient leur tempête sacrée. Un équilibre délicat semblait régner.

Mais Ambrephile savait bien que cette embellie ne pouvait pas durer : Infraville était presque coupée des Grands Bois. Les transactions avec les pirates du ciel avaient continué quelque temps, mais bientôt (à mesure que la maladie de la pierre, dans son avancée inexorable, frappait leurs navires), les affaires d'Infraville avaient cessé. Les achats en catastrophe avaient fait place au pillage. Des gangs avaient investi les rues. L'économie était au bord du chaos total...

Alors que midi approchait, que le soleil atteignait son zénith, les grains de poussière voltigèrent, telles des paillettes d'or, dans les rayons de lumière qui entraient à flots. Ambrephile sentit sa gorge le chatouiller et mit un mouchoir devant sa bouche pour filtrer l'air, maudissant la piètre ménagère qu'était Flambusie. La pièce entière avait besoin d'un bon nettoyage. Jadis, il ôtait lui-même le moindre flacon de médicament, le moindre pot d'élixir, époussetait chacun avec un soin méticuleux. Mais plus maintenant…

Ambrephile soupira, ferma les yeux pour ne plus voir la pièce négligée. Vox ! pensa-t-il. Quel talent d'inventeur incroyable !

Il se rappelait son visage, une fin de soirée où le dignitaire lui avait rendu visite, la chevelure en bataille, les yeux brillants d'exaltation. Il avait tiré d'un tube un

rouleau de parchemin et l'avait étalé sur le pupitre d'Ambrephile : y figurait le plan d'une longue construction complexe, montée sur pilotis.

– C'est un viaduc. Il s'étendra des Grands Bois jusqu'à Infraville. Je l'appellerai la Grand-Route du Bourbier, avait expliqué Vox dans des gestes enthousiastes. Imagine ça, Ambrephile. La liaison entre Infraville et les richesses sylvestres. Je me suis déjà assuré l'aide des bibliothécaires, trop heureux de renouer les liens avec les Grands Bois. Nous aurons besoin de leurs compétences ; tu les connais, ils savent tout : quel gland germe en été, quelle est la partie la plus solide du bois de fer...

– Je m'excuse d'émettre des réserves sur votre brillant projet, avait répondu Ambrephile. C'est bien beau de construire un viaduc pour franchir le Bourbier, mais comment pensez-vous traverser la forêt du Clair-Obscur ?

– Les pies-grièches ! s'était exclamé Vox, le regard enflammé. Nous allons conclure un accord avec les pies-grièches ! Elles sont insensibles à la forêt traîtresse. Elles pourront y bâtir une route qui rejoindra notre viaduc ! Ambrephile, les richesses des Grands Bois seront alors entre nos mains.

– Et dans les serres des pies-grièches, avait ajouté Ambrephile d'un air sombre.

– Tu peux obtenir cet accord, Ambrephile, avait répliqué Vox. Toi, plus que quiconque.

Vox avait raison. Ambrephile s'était entendu avec la mère Gosierplumeux, vieille oiselle coriace aux yeux jaunes. La mère coquelle de la vaste colonie nomade avait accepté (contre une belle somme, il fallait le reconnaître) d'édifier le tronçon de route à travers la forêt. Et gagné le droit d'établir, en compensation, un futur impôt sur cette portion.

Tout s'était déroulé à merveille, se souvint Ambrephile. La route au cœur de la forêt avait été achevée en six mois, permettant de nouveaux arrivages de matériaux des Grands Bois, si bien que les bibliothécaires et les Infravillois avaient pu entreprendre le chantier au-dessus du Bourbier. Les travaux avaient duré trois ans. La mère Gosierplumeux avait prélevé son impôt (à la fois en or et en nature) et Ambrephile, comme toujours, s'était octroyé une jolie commission.

– Ah, une époque heureuse ! soupira-t-il d'une voix étouffée par le mouchoir. Une époque heureuse…

C'était seulement après la mise en place de l'ultime portion de route, aux limites d'Infraville et du Bourbier, que Vox avait découvert le véritable prix de l'aide des pies-grièches. Les premiers chariots commençaient tout juste à rouler qu'une armée d'oiselles avait envahi les lieux et fait main basse sur la Grand-Route entière.

Pourtant, ç'aurait pu être pire, concéda Ambrephile. Certes, les pies-grièches contrôlaient désormais la voie d'accès aux Grands Bois, mais Vox et lui avaient encore, au moins, les citoyens d'Infraville à pressurer. Et ils ne s'en étaient pas privés. Ambrephile était devenu plus riche que jamais : il avait imposé aux négociants et aux commerçants une taxe sur les matériaux des Grands Bois dès leur entrée dans Infraville, puis une deuxième taxe sur la marchandise (tissus raffinés, outils et armes) qui sortait de leurs ateliers et voyageait en sens inverse. Une fois qu'ils s'étaient, de surcroît, acquittés auprès des pies-grièches, leur bénéfice était presque nul. Pas étonnant qu'ils aient émis des plaintes continuelles.

Ambrephile avait écouté les murmures, les menaces et les imprécations. L'humeur était devenue exécrable. Il courait des rumeurs de rébellion, de révolution, d'un soulèvement des Infravillois pour renverser Vox. Et, à la tête de ce désordre, à encourager l'insurrection et à semer les graines du mécontentement, se trouvaient les bibliothécaires, le ciel les maudisse !

Ambrephile fronça les sourcils. La collaboration des bibliothécaires au chantier avait sans conteste été précieuse, mais ensuite, des idées de grandeur s'étaient emparées d'eux. En outre, croyant toujours à cette absurde égalité entre érudits et Infravillois prêchée par Séraphin, ils se révélaient aussi dangereux qu'insensés. Les arrêter devenait nécessaire.

Ambrephile quitta des yeux la tour de la Nuit pour regarder le rocher croulant, soutenu par la forêt de Sanctaphrax.

Ç'avait été une bonne affaire. Aujourd'hui encore, Ambrephile en demeurait persuadé. Par hasard, il avait appris la tenue d'une grande réunion au Palais des offrandes, ce splendide édifice au bord du fleuve, devenu le quartier général des bibliothécaires. Les principaux marchands d'Infraville y participeraient, ainsi que toute la faculté de la Bibliothèque. L'occasion était trop belle pour la laisser

passer. La vermine traîtresse détruite d'un seul coup...
Mais il fallait une armée de tueurs impitoyables pour per-
pétrer la boucherie.

Ambrephile se détourna de la fenêtre.

– Orbix Xaxis et les gardiens de la Nuit, marmonna-
t-il.

Oui, une bonne affaire. Il en avait convaincu Vox.

Il entendait encore son maître déclarer à Orbix
Xaxis, lors de cette rencontre fatidique entre les deux
ennemis :

– Le rocher sacré perd de la hauteur. Mais je peux
l'arrêter avant qu'il ne touche le sol. Réfléchissez, Orbix.
Cette catastrophe que vous redoutez tant : le rocher sacré
qui entre en contact avec la terre ; je vous propose de
l'empêcher.

– Comment ? avait demandé la voix rauque sous le
masque métallique.

– Grâce à un immense ouvrage en bois, la forêt de
Sanctaphrax, qui maintiendra le rocher sacré. Vous savez
que je peux le construire, Orbix... Si j'en décide ainsi.

– Et quel prix devrai-je payer ? avait grogné Orbix.

– Oh, voilà qui va vous plaire, avait gloussé Vox, tandis que son triple menton tressautait (car il avait déjà
grossi à cette époque, se souvenait Ambrephile). Vous n'au-
rez qu'à massacrer toute la faculté des bibliothécaires et
leurs vieux amis, les marchands. J'ai bon espoir que vous
accomplirez cette mission, Xaxis, mon cher camarade.

Ambrephile frissonna. Xaxis l'avait accomplie en
effet. Trois nuits plus tard, ses gardiens avaient encerclé
le palais où les bibliothécaires s'étaient réunis, et il y
avait eu un gigantesque carnage. Des ruisseaux de sang
avaient rougi les rues alentour, et pourtant...

Il semblait toujours y avoir un « et pourtant », se dit Ambrephile avec amertume.

Et pourtant, certains bibliothécaires avaient réussi à s'échapper, puis à disparaître dans les profondeurs des égouts, où ils étaient restés, comme des rats tachetés, jusqu'à ce jour.

– Le ciel protège les bibliothécaires, sourit Ambrephile.

Car, même aujourd'hui, ils avaient leur utilité...

– J'arrive d'ici cinq minutes, mon chou, annonça Flambusie dans l'antichambre. L'eau commence juste à bouillir.

Ambrephile toussota. La tisane était précisément ce qu'il lui fallait pour apaiser sa gorge sèche. Il promena les yeux sur la pièce. À propos, avait-il tout ce qu'il lui fallait ? Ce serait un long voyage... Oui, tout était là. Flambusie rangerait la pharmacie dans son grand sac en un clin d'œil. Chère, douce Flambusie. Bien sûr, elle devait l'accompagner. En aucun cas il ne pouvait la laisser. Oh non ! Il y en avait une foule dont il se féliciterait d'être débarrassé, cependant...

Le général Banderille, pour commencer.

Ambrephile se rappela le jour où il avait fait la connaissance de cette vieille brute rusée. C'était son associé dans la Clairière des fonderies, Romuald Bulleux, qui avait effectué les présentations. Romuald gérait le commerce d'Ambrephile avec les Grands Bois, secteur devenu lucratif, lui aussi.

– Voici Banderille, avait annoncé Romuald, souriant. Il nous vient des Nations gobelines, et je crois qu'il pourrait être celui que vous cherchez.

Ambrephile avait regardé le visage de Banderille couvert de cicatrices, ses oreilles entaillées par les coups d'épée, ses bras tatoués, son armure bosselée. Il avait été impressionné.

Inutile de le préciser, mettre les bibliothécaires hors d'état de nuire n'avait pas vraiment apporté l'amélioration espérée. Car, même sans leur influence, la population d'Infraville se montrait peu coopérative à un degré exaspérant ; or les gardiens avaient exigé que le chantier de la forêt de Sanctaphrax commençât sans plus tarder. Il y avait des absences répétées, des exigences salariales, des grèves. L'ensemble nuisait beaucoup aux affaires.

Bien sûr, Vox n'avait pas semblé le remarquer. Il se concentrait sur ses schémas et sur ses plans, ridiculement heureux d'avoir un nouveau grand projet en cours. Non, comme d'habitude, la réalisation concrète était la tâche d'Ambrephile. Une seule solution se présentait...

Un petit frisson parcourut le dos chétif de l'écoutinal.

– L'esclavage, chuchota-t-il.

Puisqu'ils n'étaient pas disposés à travailler de leur plein gré, les Infravillois trimeraient de force. Ils en prenaient à leur aise depuis trop longtemps. Ambrephile avait décidé de les asservir. Mais, dans ce but, il lui fallait des gardes-chiourme, une armée de gardes-chiourme.

– J'ai une armée, avait déclaré Banderille, dans les Nations gobelines. Et pas une racaille de spécimens velus et huppés. Il s'agit de gobelins-marteaux entraînés, de gobelins à tête plate aguerris... Mais je vous préviens, monsieur le haut chancelier, avait-il ajouté, sinistre. Nous travaillons à prix d'or.

– Oh, il y aura des trésors pour nous tous, avait ri Ambrephile. Envoyez votre armée à Infraville et je vous promets de jolis gains pour votre peine.

Au cours des semaines suivantes, les gobelins avaient emprunté la Grand-Route du Bourbier, par petits groupes, déguisés en rémouleurs et en rempailleurs, en tailleurs et en tisseurs, en marchands de toutes sortes. Les pies-grièches n'y avaient vu que du feu. Le chancelier spectrinal était présent pour les accueillir et compter les effectifs. Bientôt, disséminée dans chacun des quartiers, une immense armée de gobelins avait attendu son heure – le moment où Ambrephile donnerait le signal au général Banderille.

L'écoutinal se balança dans son fauteuil, frottant ses mains fuselées l'une contre l'autre à ce souvenir. La semaine sanglante ! Sept jours durant, des rafles systématiques avaient permis d'arrêter tous les Infravillois, sans exception. Les inaptes au travail – vieux ou infirmes – avaient été tués sur-le-champ. Les autres étaient devenus esclaves. Ils allaient devoir construire la forêt de Sanctaphrax ; mais avant, il y avait des fosses communes à creuser…

Ambrephile bâilla.

– La fin et les moyens, marmonna-t-il, mordillant un ongle plus meurtri que le reste.

Il eut un petit sourire vaniteux. Vox s'était félicité de la tournure des événements. Et lui, Ambrephile, avait fait fortune !

Et pourtant...

Encore une fois. Ambrephile cessa de se balancer, laissa ses mains retomber, molles, sur ses genoux. Si seulement Banderille n'avait pas été aussi cupide. Lors de la première entrevue, il aurait dû deviner cette cupidité chez le général gobelin. Elle avait tout gâché. Banderille ne s'était pas satisfait de partager les bénéfices des ateliers, des fonderies, et d'alimenter en main-d'œuvre la forêt de Sanctaphrax : il voulait la totalité pour lui seul.

Il avait simplement expulsé du circuit Vox et Ambrephile. Depuis lors, il entretenait la forêt de Sanctaphrax et dirigeait Infraville sans aucune aide. La rumeur avait couru (elle était arrivée aux oreilles d'Ambrephile) que Banderille convoitait la chaîne de fonction de Vox, afin de se proclamer Dignitaire suprême.

Quel toupet ! pensa l'écoutinal indigné. Un grossier individu des Nations gobelines, Dignitaire suprême ! C'était absurde. Mais il savait aussi que Banderille n'aurait de cesse que Vox et lui soient morts. Ambrephile secoua la tête. Ces deux meurtriers gobelins s'étaient dangereusement approchés...

D'où les tristes circonstances actuelles. Vox était prisonnier dans le Palais des statues, avec une poignée de domestiques fidèles pour veiller sur lui et une série de pièges et de chausse-trapes pour tenir les gobelins à distance. Peut-être que cette situation convenait à Esther l'empoisonneuse, entichée de son maître ; à Lumiel, idiot mais loyal – en tout cas, elle ne convenait pas à Ambrephile. Il avait un trésor en réserve auprès de Romuald Bulleux dans la Clairière des fonderies ; or pas moyen d'y accéder.

Vox était condamné. Infraville était condamnée. Il était grand temps que l'écoutinal s'occupe de ses intérêts personnels.

À cet instant, Flambusie refit irruption, une tasse de tisane fumante dans une main, une assiette de gaufrettes dans l'autre. Elle les posa toutes deux sur une haute table gracile et approcha le fauteuil flottant d'Ambrephile.

– Voilà, dit-elle. La tisane et une petite gâterie. Mais d'abord, vous allez être sage et boire votre médicament spécial.

Elle sortit un petit flacon de son tablier, ôta le bouchon et versa une cuillerée de liquide rouge sombre. Puis elle remit le flacon dans sa poche et se dirigea vers l'écoutinal.

– Ouvrez grand ! pépia-t-elle.

– Sûrement pas, Flambusie.

La pensée glaciale d'Ambrephile pénétra dans la tête de l'infirmière.

– Il faut que j'aie les idées claires. Alors, pas de médicament spécial, pas aujourd'hui. Compris ?

– Mon cher Ambre, protesta l'infirmière. Arrêtez, vous savez que je n'aime pas quand vous…

– Compris, Flambusie ?

L'écoutinal plissa les yeux et les barbillons frémirent aux coins de sa bouche fine.

– Chassez ce fouillis. Videz votre tête… complètement…

Flambusie lâcha la cuiller et s'affaissa sur les genoux dans une plainte.

– Donnez-moi le médicament.

La pensée de l'écoutinal engourdit le cerveau de Flambusie Frangipane. L'infirmière tendit le flacon et une main effilée le prit.

– Emballez toute ma pharmacie, à présent – avec soin, s'il vous plaît. Puis vous m'emmènerez chez Lumiel. J'ai une dernière petite course à lui confier.

Il regarda le flacon dans sa main et lança un rire sinistre.

L'énorme tête hébétée de l'infirmière oscilla.

– Parfait, dit Ambrephile, souriant. Et Flambusie, ma mignonne…

L'infirmière hésita, les yeux vides et fixes.

– Dépêchez-vous, le temps presse.

CHAPITRE 15

Sabreur, Sécate et Styx

I
L'armée gobeline

IL EST L'HEURE, SABREUR, LA COLONNE SE FORME ! L'appel bourru fut suivi d'un petit coup de botte dans les jambes. Le gobelin-marteau bistré leva les yeux et aperçut au-dessus de lui son camarade Duroc.

– Remue-toi ! grogna ce dernier.

Sabreur s'assit.

– J'ai dû m'assoupir, marmonna-t-il.

Il se hissa sur ses pieds avec raideur et, encore engourdi par sa courte sieste, attrapa le lourd bouclier arrondi et le casque cornu distinctif de la troupe d'élite. Il attacha le casque entre ses yeux très écartés, mit le bouclier à son épaule.

– Je suis prêt, annonça-t-il.

Duroc acquiesça de la tête.

Autour d'eux, sur la vaste esplanade ténébreuse, s'entassaient des gobelins de toutes les espèces et de toutes les tailles : des gobelinets râblés, ramassés, dans leur armure simple ; des têtes plates robustes qui portaient de lourdes masses ; des gobelins huppés et velus, équipés d'arcs recourbés et de carquois hérissés de flèches ; des fronts saillants, des oreilles tombantes et des dents de scie avec leurs lances sculptées caractéristiques. Chacun arborait les tatouages, les marques ou les anneaux de sa tribu ; chacun était prêt au combat.

À leur tête, les troupes de gobelins-marteaux constituaient une redoutable colonne, large de deux cents individus, épaisse de trois cents, dont les boucliers se chevauchaient pour former un mur impénétrable.

Au premier rang, Sabreur se tenait à côté de son camarade Duroc, comme toujours. Ils avaient livré de nombreuses batailles ensemble dans les Grands Bois. Duroc lui avait sauvé la vie lors du grand massacre des pies-grièches, et Sabreur l'avait sauvé à son tour durant la conquête des gobelins huppés un an après.

Ils étaient des gobelins-marteaux. Ils vivaient pour guerroyer. Mais ici, à Infraville, l'existence était beaucoup plus terne. Ici, c'étaient des exercices interminables, l'ennui de longues heures dans les Cornets, une rare escarmouche avec un esclave en fuite ou un contremaître dévoyé comme seule distraction. Cette nuit, pourtant, serait différente ; cette nuit, l'ennemi n'aurait nulle part où fuir, nulle part où se cacher.

– Infâmes bibliothécaires, grogna Sabreur.

Devant lui, le chef de la colonne, dans l'attente d'un ordre, regarda vers le socle en pierre où était juché le général Banderille. Celui-ci leva son épée incurvée.

– Colonne ! rugit-il. En avant !

Sabreur eut un grognement approbateur tandis qu'il se mettait en marche avec les autres. Fini les exercices, fini les patrouilles, fini les médiocres escarmouches. Enfin, la grande bataille promise à tous était sur le point de commencer. Alors que la bruyante colonne quittait l'esplanade et descendait la grande avenue, Sabreur dressa la tête avec fierté. Il aimait la sensation de ses muscles, puissants et fermes, durant la marche au combat. Leurs picotements, leur tension, leur impatience à relever le défi d'une féroce lutte armée. Il aimait le poids de son armure, le martèlement solide de ses bottes, et le fait que le sol même tremblait sous les pas cadencés d'une telle multitude. Mais, par-dessus tout, il aimait l'effet que produisait la grande armée sur les habitants d'Infraville.

Comme les guerriers longeaient les constructions branlantes, faisant trépider les portes et tomber les tuiles, Sabreur apercevait d'innombrables Infravillois, tirés de leur sommeil, jeter un coup d'œil furtif derrière les volets rabattus. Leurs visages étaient remplis de confusion, de peur, d'effroi…

Sabreur rit sous cape. Voilà qui était mieux ! Comme au bon vieux temps, il se sentait invincible !

La colonne vira sur la gauche et se dirigea vers une deuxième place, plus petite que l'esplanade du rassemblement, dominée par une voûte immense. Un bouillonnant canal à ciel ouvert suivait le pourtour de la place, passait sous la voûte et sombrait, telle une cascade, dans le puits profond en contrebas. Avec les flammes sculptées au sommet de sa voûte et sa rangée de barreaux, c'était ici l'abominable grande entrée est des égouts d'Infraville. La colonne s'arrêta devant.

– Je ne comprends pas, Sabreur, chuchota Duroc, abrité par le bouclier de son camarade. Quiconque emprunte la grande entrée est s'expose à une mort certaine. Tout le monde le sait.

Sabreur hocha la tête. Duroc disait vrai. Après la grille d'entrée, le torrent d'eau se déversait entre les parois verticales jusqu'à un vaste réservoir obscur : le bassin aux noyades. De nombreux gobelins y avaient péri en cherchant à s'introduire dans les égouts ; et les bibliothécaires avaient abattu sommairement les rares rescapés. Aucun gobelin n'avait jamais pu franchir l'obstacle.

– Alors, pourquoi sommes-nous ici ? siffla Duroc.

– Je n'en sais rien, Roc, mon ami, répondit Sabreur, secouant la tête.

À cet instant précis, le général Banderille remonta les rangs, accompagné par un gobelin craintif. Ils s'immobilisèrent face à un petit abreuvoir derrière lequel se dressait un grand obélisque incurvé, ciselé, une plaque sombre boulonnée sur sa face antérieure.

Sabreur regarda, perplexe, le général s'adresser au gobelin, qui s'avança. Qu'allait-il faire ?

Sans dire un mot, le gobelin leva les bras et, des deux mains, appuya énergiquement sur la plaque. Il y eut un petit cliquetis, le crissement de surfaces pierreuses l'une contre l'autre, et l'obélisque pivota : un long puits obscur apparut au-dessous. Le général fit signe au chef de la colonne, qui s'approcha et reçut ses ordres avant de revenir vers la troupe des gobelins-marteaux.

D'une voix sourde et pressante, le chef déclara au premier rang :

– L'accès secret aux égouts s'ouvre enfin devant nous. Mais les bibliothécaires sont ingénieux. L'entrée est si étroite que nous devons y pénétrer en file indienne. Vous, le premier rang de la troupe, avez l'honneur d'ouvrir la voie !

Sabreur passa sa langue sur ses lèvres et se mit en marche, Duroc sur ses talons, suivi par le reste du premier rang. À l'entrée du puits, le chef de la colonne fourra une torche enflammée dans la main de Sabreur.

Ce dernier s'accroupit, le bouclier sur l'épaule, et serra fermement la torche. Puis, après un baiser porte-bonheur sur l'amulette en os accrochée à son cou, il s'enfonça dans l'ombre. Au lieu de l'échelle attendue, il découvrit un toboggan métallique très incliné ; alors qu'il dévalait la pente, la flamme de sa torche vacilla et menaça de s'éteindre.

Au bout de quelques secondes interminables, déconcertantes, ses bottes heurtèrent le dallage en contrebas avec un bruit mat, et la torche redevint éclatante. Sabreur haussa le bras, se redressa et avança, prudent. Il constata qu'il se trouvait dans une vaste salle voûtée, avec des tunnels obscurs qui partaient dans différentes directions. Il entendait, derrière lui, le grondement de la cascade qui se déversait dans le bassin aux noyades. Devant lui, une énorme arbalète surélevée défendait le tunnel. Le tireur

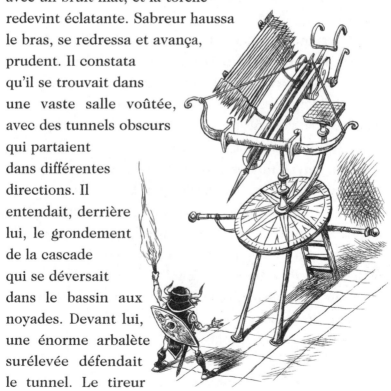

317

ne semblait pas à son poste – mais il valait mieux se méfier…

Sabreur mena une inspection précautionneuse, illumina de sa torche les moindres recoins et renfoncements ténébreux. Il n'aimait pas cette salle souterraine, sombre, suintante. Ce n'était pas un endroit pour lui, le gobelin-marteau d'élite. C'était un endroit pour les rats – d'égout comme de bibliothèque…

– Inutile de vous cacher, gronda-t-il. Je vous dénicherai, où que vous soyez.

À cet instant, quelque chose bougea sur sa gauche. Il l'entendit et l'aperçut du coin de l'œil. Tirant son épée, il fit volte-face, frappa – et trancha la tête d'un rat tacheté famélique. Il laissa échapper un soupir sonore et sourit, soulagé.

Pour autant qu'il pût en juger, les lieux étaient déserts. Il écarta le rat mort d'un coup de pied, au moment même où Duroc dévalait le toboggan dans son dos.

– La voie est libre ! cria Sabreur par-dessus son épaule, et sa voix résonna sous la voûte.

Presque aussitôt, un troisième gobelin-marteau apparut, suivi d'un autre, et d'un autre encore, à mesure que la troupe d'élite glissait jusqu'à la salle souterraine. Bientôt, toussotements, grognements, raclements de bottes retentirent alentour, tandis que le reste de l'armée entrait et prenait place : gobelinets, têtes plates, gobelins huppés, dents de scie… Ils recomposèrent leurs bataillons respectifs et la colonne se reforma rapidement.

Sabreur sourit. L'heure de la bataille allait sonner. Le sang tambourinait dans ses tempes ; son cœur battait la chamade. Oui, c'était comme au bon vieux temps. Près de lui, il devinait la même fièvre chez Duroc qui, les yeux flamboyants, passait sa langue sur ses lèvres et serrait son bouclier à s'en faire blanchir les doigts.

Enfin, le tout dernier gobelin franchit l'entrée exiguë et pénétra dans la grande salle. Le général Banderille se planta en tête, dégaina son épée, la brandit bien haut. Il renversa le cou comme pour hurler son commandement, mais lorsqu'il donna le signal, ce fut presque dans un chuchotis :

– Colonne, en route pour la bataille !

Ses paroles sinistres sifflèrent entre les murs luisants.

– Mort aux bibliothécaires !

II
Les unités ailées

Perchée sur un pilier en surplomb, la sœur Sécate gratta les houppes de plumes à la base de son bec ; par cette chaleur, les puces des bois parasites étaient plus actives que d'habitude. Elle braqua ses yeux jaunes, qui ne cillaient pas, sur le dos du gobelin armé au-dessous d'elle : l'un des rares gardes que le général Banderille avait laissés près du portail de la Grand-Route, côté Infraville.

Il avait dû prévoir que les pies-grièches ne remarqueraient rien de ce que lui et l'armée gobeline mijotaient, pensa la sœur Sécate, avec un gazouillis joyeux. Il avait mal prévu.

Elle entendit alors, derrière elle, un sifflement sourd. C'était la sœur Panache, qui avait atteint son poste au pied de la tour gauche. Par un appel en écho, la sœur Stridane annonça qu'elle était prête également.

La sœur Sécate poussa un cri aigu, quitta le pilier du portail et se posa en territoire infravillois, contrôlé par les gobelins. Le garde à tête plate virevolta, un air de stupéfaction sur ses traits brutaux. Il esquissa un geste vers son épée, un autre vers son couteau. En pure perte. La sœur Sécate le devança.

Dans un mouvement gracieux, elle s'élança, toutes pattes griffues dehors. Les serres tranchantes comme des rasoirs fendirent le ventre du gobelin, dont les viscères apparurent. Puis, alors qu'il trébuchait en avant, les mains vainement plaquées sur ses entrailles répandues, elle le frappa encore. Son cou se brisa et sa tête ballotta, retenue par un seul nœud de tendons filandreux.

À droite et à gauche, les sœurs Panache et Stridane avaient tué leurs gardes respectifs avec la même efficacité impitoyable. D'autres gobelins arrivaient, épées dégainées, masses tournoyantes, mais il était déjà trop tard. La sœur Sécate avait retiré la chaîne qui fermait le portail de la Grand-Route et poussé les battants. Une immense armée de pies-grièches sanguinaires s'engouffra dans l'ouverture et anéantit les gardes infortunés.

La mère Griffedemule, resplendissante dans sa tenue or et violet, à califourchon sur un gigantesque rôdailleur magnifiquement paré, conduisait la formidable volée. Tandis que les gobelins périssaient tout autour, elle tira sur les rênes et fit pivoter sa monture.

– Venez, mes sœurs ! hurla-t-elle. Cette nuit, les cœurs des gobelins et les foies des bibliothécaires seront notre régal ! Vous savez toutes ce que vous devez faire. En avant, mes sœurs ! En avant !

La sœur Panache réunit son unité, la sœur Stridane l'imita, et toutes deux partirent vers les docks sud. Dans des sifflements sourds et des gloussements gutturaux, la sœur Sécate rassembla sa propre volée de combattantes. Elles devaient gagner les docks flottants par le nord, débusquer et détruire tous les gobelins sur leur passage, afin qu'il n'en reste aucun susceptible ensuite de leur barrer la route. Après un dernier comptage et les ultimes instructions, la sœur Sécate se mit en marche et, derrière elle, le portail de la Grand-Route se referma.

Une foule disparate d'oisillonnes, au plumage encore gris et duveteux, se tapirent dans les ombres et pépièrent, encourageantes. À côté d'elles, les mâles chétifs secouèrent leurs fines chaînes d'argent avec de faibles cris rauques.

En rangs serrés, l'unité de pies-grièches quitta la plateforme de la Grand-Route et pénétra dans Infraville même. Dès leur arrivée dans le réseau labyrinthique, les combattantes se divisèrent en petits groupes. À chaque embranchement rencontré, elles se séparaient de nouveau : deux par deux, elles inspectaient les ruelles et venelles ténébreuses, gardant le contact au moyen de sifflements ténus et d'appels assourdis, puis se rejoignaient à l'extrémité. Rue par rue, boyau par boyau, elles ratissèrent tout le secteur. Excepté les Infravillois peureux qui scrutaient par les fenêtres de leurs maisons délabrées, elles ne virent personne.

Dans ce quartier au moins, il n'y avait pas un seul gobelin. La sœur Sécate en aurait mis sa tête à couper.

Leur patrouille achevée, les pies-grièches suivirent un petit sentier qui descendait vers l'Orée entre de hauts bâtiments de bois. Ayant atteint la jonction entre le mur ouest et la rivière, elles se dirigèrent vers les docks flottants.

Loin devant, la sœur Sécate distingua les autres unités aux couleurs vives, déjà massées sur les berges boueuses, près des tuyaux qui crachaient à flots ou étaient au contraire à sec. Puis elle discerna la mère Griffedemule en personne, juchée sur son rôdailleur de combat. Lorsqu'elle fut à portée de voix, elle constata que la mère coquelle avait entamé sa harangue :

– Trompeurs... Ne vous égarez pas... disait-elle, mais le vent grandissant détournait ses paroles.

La sœur Sécate se rapprocha en hâte, et le discours devint plus compréhensible :

– Il faut se méfier des tuyaux. Certains sont des impasses. Beaucoup sont piégés...

Sécate hocha la tête. En tant que sœur fauchard, elle était là lorsque ce jeune traître... (comment s'appelait-il ? Oui, Rémiz...) s'était présenté...

Elle ne se rappelait que trop sa description des égouts. Il avait expliqué que, grâce à un ensemble de valves, qui ouvraient ou refermaient chacune telle vanne précise, les bibliothécaires orientaient eux-mêmes l'eau dans les canalisations, selon un itinéraire toujours changeant. Ce système assurait leur sécurité depuis des années... Aucune pie-grièche n'avait jamais franchi ce dispositif élémentaire, mais meurtrier.

Toutefois, le jeune garçon leur avait donné une autre information. Une information cruciale. Qui, même à présent, faisait briller d'impatience les yeux de la sœur

Sécate. Il leur avait dit que, à dix heures ce soir-là, les bibliothécaires seraient tous dans la grande salle de lecture pluviale, pour une cérémonie. Et, jusqu'à la fin de cette réunion, les vannes demeureraient en l'état. Celles qui étaient ouvertes le resteraient ; celles qui étaient fermées le resteraient aussi. Par conséquent, les pies-grièches pourraient circuler en toute quiétude dans le réseau, sans craindre que l'eau les emporte et les noie. Elles devraient simplement trouver leur chemin jusqu'à la salle pluviale.

La sœur Sécate leva la tête et huma l'air. L'odeur de moisi des bibliothécaires émanait des orifices : sa langue frémit ; un sourire éclaira son visage.

Au signal lancé par la mère Griffedemule, les unités pénétrèrent dans les tuyaux, s'en tenant aux canalisations sèches ou presque sèches. Un petit filet coulait dans celle que choisit Sécate. Elle avait horreur de cette eau qui mouillait les plumes entre ses serres, mais elle savait que le ruisseau constituerait un bon guide.

Elle entraîna ses combattantes tantôt à gauche, tantôt à droite, sa vue perçante et son odorat infaillible lui apportant un précieux secours dans le dédale. À mesure qu'elle avançait, elle entendait l'eau bouillonner dans les tuyaux voisins ; un flux auquel jamais personne ne pourrait résister ; un jaillissement qui, en cas de modification des vannes, les noierait aussitôt et les rejetterait sur les bancs de boue des docks flottants.

Alors qu'elle longeait une nouvelle vanne derrière laquelle rugissait le torrent, la sœur Sécate gloussa, heureuse que les informations du jeune traître se révèlent fiables. Sa volée progressait bien, comme toutes les autres. Tour à tour, les unités ailées débouchaient dans une vaste salle souterraine, située à l'extrémité ouest du tunnel central. Certaines commençaient déjà à explorer les divers tuyaux qui en partaient.

La mère Griffedemule leva ses bras emplumés et réclama le silence.

– Attendez, mes sœurs, ordonna-t-elle. Attendez !

La sœur Sécate, prête à s'aventurer elle-même dans un conduit, s'arrêta et tenta de réprimer sa déception naissante. Attendre ? Alors qu'elles touchaient au but ? C'était presque trop demander. Elle flairait si distinctement l'odeur des bibliothécaires. Elle avait presque leur goût à la bouche ! Leurs cœurs gras et dodus... Leurs foies succulents...

– Nous devons nous maîtriser, mes sœurs : à la onzième heure, les gobelins frapperont, continua la mère Griffedemule. Nous devrons les laisser faire. Nous laisserons les prédateurs attraper leurs proies ; car ensuite, une fois repus, les prédateurs deviendront eux-mêmes des proies. Nos proies ! Et nous les dévorerons tous !

III
Les gardiens de la Nuit

Orbix Xaxis, le Gardien suprême de la tour de la Nuit, prenait bien son temps. Midi était arrivé, le délai avait expiré, pourtant la cérémonie purificatrice n'avait pas eu lieu. L'obscurité régnait maintenant, et Styx, un gobelinet trapu avec des touffes de poils dans les oreilles et une cicatrice qui courait de sa joue à son menton en galoche, se sentait faiblir. Presque dix heures qu'il patientait à son poste, qu'il attendait le signal pour abaisser la cage cérémonielle. Dix heures ! Il commençait à se demander si l'événement ne serait pas repoussé au lendemain…

Mais, à l'instant où une cloche d'Infraville sonnait neuf heures, loin au-dessous de lui, Styx remarqua un mouvement vers les portes de la plate-forme : Orbix s'avança d'un pas énergique, sa robe noire claquant derrière lui. Le gobelinet se redressa sur son siège à l'approche du maître. Impossible de savoir ce que pensait le Gardien suprême, dissimulé par son masque et ses verres fumés, mais le gobelinet ne voulait pas lui donner l'impression qu'il flanchait.

– C'est toi, Styx, que j'ai choisi pour cette mission, déclara Orbix. Je veux que la cage descende le plus régulièrement et le plus discrètement possible. Assure-toi que les réglages sont parfaits.

– Bien, monseigneur, murmura le gobelinet.

Il se pencha en avant sur son siège surélevé, au sommet du treuil qui commandait la cage. Il rembobina le surplus de corde tressée, vérifia les poids.

Derrière lui, Leddix apparut sur la plate-forme, suivi de quatre robustes gardes à tête plate. Styx se tourna. Les gardes escortaient deux prisonniers. Une jeune fille pâle

aux traits tirés, les yeux enfoncés, les lèvres tremblantes, ses nattes tombant, molles, sur ses épaules. Et un garçon. Mince. Vigoureux. Contusionné. Il frottait d'une main hésitante son crâne rasé. Styx le reconnut : c'était l'un des conseillers spéciaux du Gardien suprême. Comment s'appelait-il ?

– Courage, Magda, l'entendit murmurer Styx tandis que les deux condamnés, flanqués de leurs solides geôliers, marchaient vers la cage. Ne leur donne pas ce qu'ils espèrent. Tu vaux mieux qu'eux, ne l'oublie pas !

Orbix Xaxis les dévisagea.

– Tu crois ? railla-t-il, mettant son masque sous le nez du garçon. Tu m'as déçu, Xanth, dit-il d'une voix sifflante. Déçu à un point inimaginable.

Il désigna Magda du menton et ajouta, désapprobateur :

– C'est une honte que tu aies laissé cette ordure de bibliothécaire t'aveugler.

Xanth baissa la tête, mais ne répondit rien.

– Malgré tout, il te reste une petite chance. Car c'est la chair tendre des bibliothécaires dont raffolent les démons des rochers. Si tu abandonnes cette gamine, tu réussiras peut-être à t'échapper. Que vas-tu faire, Xanth ? gloussa-t-il. La planter là et sauver ta peau ? Ou rester avec elle et périr dévoré ?

Xanth ne répondait toujours pas.

Orbix grogna, irrité.

– Enfermez-les ! cria-t-il. Que la cérémonie commence !

Les gardes poussèrent la pâle jeune fille et le garçon mince dans la cage, qui oscilla dangereusement lorsque le responsable claqua la porte et la verrouilla. Les narines du gobelinet frémirent.

« De la chair fraîche, pensa-t-il. Les démons des rochers seront contents. »

Le Gardien suprême leva les bras.

– Salut à la Grande Tempête ! tonna-t-il. Abaisse la cage !

Styx saisit les manivelles du treuil et se mit à tourner. Après un cahot initial, la cage entreprit sa descente, lente, régulière et totalement silencieuse ; car, suivant les instructions du Gardien suprême, Styx avait passé des bandes de tissu dans les maillons de la chaîne, pour étouffer les cliquetis révélateurs. Il ne fallait pas éveiller prématurément l'attention des démons.

– Salut à la Grande Tempête ! Salut à la Grande Tempête ! scandèrent le Gardien suprême, le responsable de la cage et les quatre gardes.

Styx frissonna. Il savait que la prudence s'imposait. Non seulement la cage devait descendre sans bruit, mais il s'agissait aussi de calculer le moment précis où actionner les freins. Un instant trop tôt, et les prisonniers tomberaient dans le vide. Un instant trop tard, et la cage s'écraserait contre la paroi de l'abîme. Dans un cas comme dans l'autre, les démons seraient alertés avant que les prisonniers aient le temps de prendre la fuite. Et rien de tel, avait insisté Orbix Xaxis, les yeux flambants derrière ses lunettes noires, ne devait se produire.

– Il faut que je réussisse mon coup, murmura Styx, anxieux. Surtout pas de maladresse.

Après sa dernière erreur, Leddix lui avait infligé une telle correction que la peau entaillée de son dos avait semblé ne jamais devoir guérir. S'il ratait cette manœuvre…

– Salut à la Grande Tempête ! Salut à la Grande Tempête !

– Doucement, chuchota Styx, soucieux de rester concentré malgré le refrain des gardiens lorsque la brise croissante agita la cage. Attention à ce rocher. Voilà… Un peu plus bas. Encore un tout petit peu…

Il actionna le frein et, lorsqu'il regarda au-dessous de lui, soupira de soulagement. La cage s'était immobilisée sur un rocher plat, à moins de cinquante foulées du trou sombre, déchiqueté, dans la paroi de l'abîme.

– Parfait, souffla-t-il.

Orbix, qui, penché sur la balustrade, longue-vue en main, contrôlait les opérations, se tourna vers le gobelinet.

– Ouvre la cage ! ordonna-t-il.

Styx leva le bras, dénoua la corde tressée, lui imprima une bonne secousse. Il entendit un cliquettement et constata que la porte pivotait. Puis, les yeux toujours fixés sur le gouffre, osant à peine respirer, il vit les deux condamnés sortir. Ils s'arrêtèrent. Ils regardèrent autour d'eux et, durant une minute, Styx pensa qu'ils allaient se séparer…

– Venez, démons des profondeurs, entonna Orbix Xaxis. Venez à présent…

Apparemment décidés à rester ensemble, tout bien réfléchi, les deux minuscules personnages se mirent en route, laissant la cage derrière eux. Ils n'avaient pas dû remarquer le trou dans la paroi, se dit Styx, car ils partaient en sens inverse. Il s'épongea le front avec inquiétude. Ce serait sa faute si quelque chose allait de travers…

Une seconde plus tard, il eut l'œil attiré par un éboulement, l'oreille avertie par un hurlement plaintif. Des formes sombres surgissaient des profondeurs de l'abîme et ondulaient vers la lumière.

Les deux condamnés les avaient sans doute aperçues, car ils prirent soudain leurs jambes à leur cou. En outre, ils changèrent de cap. Renonçant à l'idée de gravir la pente, ils se dirigeaient maintenant tout droit vers l'entrée du tunnel.

– Merveilleux, se félicita Orbix Xaxis, et Styx crut deviner un sourire derrière le masque et les lunettes noires du Gardien suprême. Courez, courez aussi vite que vous le pourrez, chuchota-t-il.

Au moment précis où Xanth et Magda disparaissaient dans le tunnel, un lointain éclair illumina le ciel au-dessus de la Falaise, et Orbix s'écria :

– Salut à la Grande Tempête ! Salut aux démons des profondeurs. Débarrassez le ciel de ses profanateurs, jusqu'au dernier !

La première forme atteignit alors l'entrée obscure. Elle s'arrêta, flaira les alentours avec méfiance. D'autres arrivèrent derrière elle : une douzaine, une vingtaine, une cinquantaine…

Styx vit les démons des rochers pénétrer en masse dans le tunnel. Leurs hurlements avaient pris une intensité aiguë qui, malgré la chaleur torride de la nuit, glaça l'échine du gobelinet. Il ne pouvait s'empêcher d'espérer que les jeunes condamnés en réchapperaient. Bibliothécaire ou non, personne ne méritait un sort aussi effroyable.

Il sentit une main sur son épaule. C'était le Gardien suprême de la nuit, Orbix Xaxis lui-même.

– Bravo, Styx, roucoula-t-il derrière son masque. Grâce à ton habileté, tu as scellé le destin des bibliothécaires.

CHAPITRE 16

La tête de pierre

RÉMIZ CRAMPONNA SON SIÈGE AVEC IMPATIENCE. SPIRITIX Mirax aurait dû être assis près de lui, mais la place était vide. Rémiz n'avait pas vu son vieux professeur depuis l'embarquement.

La péniche fit un écart vers la droite, puis vers la gauche. Elle était presque sortie des égouts. Devant elle, les quatre autres barges de la Grande Bibliothèque

avaient déjà quitté le réseau souterrain pour les flots vigoureux de l'Orée. Rémiz distinguait tout juste leurs équipages qui ramaient avec frénésie à contre-courant, dansaient et zigzaguaient dans leur lutte acharnée vers l'amont.

Malgré le spectacle des péniches précédentes, Rémiz ne s'attendait pas à cette secousse brutale lorsque l'eau clapoteuse frappa le navire à bâbord. L'embardée violente projeta la cargaison sur le côté, tandis que le bois de la péniche craquait et grinçait en signe de protestation. Rémiz se retrouva trempé.

– Coupez le filet des lutrins flottants ! s'écria le maître de manœuvre.

Plusieurs bibliothécaires bondirent, couteaux à la main. Ils tranchèrent le filet et les lutrins se mirent à voleter au bout de leurs chaînes. La barge se rétablit. Puis, de retour à leurs bancs, les bibliothécaires saisirent leurs rames et firent graduellement pivoter la péniche, nez vers l'amont – le tout, sous les ordres tonitruants de leur supérieur.

– Ramez ! Ramez ! Ramez ! criait-il. Dix degrés à bâbord… Allez, ramez ! Ramez !

Lentement mais sûrement, la péniche entama sa progression, à la suite du reste de la flotte. Mais la tâche était rude : outre le courant contraire, les bibliothécaires devaient combattre le puissant vent debout qui agitait les lutrins flottants et menaçait d'entraîner la lourde péniche vers la cascade sans fin qui plongeait de la Falaise.

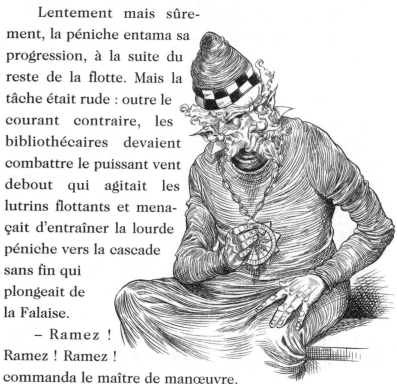

– Ramez ! Ramez ! Ramez ! commanda le maître de manœuvre.

Rémiz s'emplit les poumons et regarda autour de lui. Sur la berge d'en face, les lumières clignotaient. La flotte voguait au beau milieu de la rivière, dans la zone la plus profonde. Il ne fallait pas s'échouer. Loin, loin devant, les hautes tours de la Grand-Route du Bourbier se dessinaient à peine. Une main toucha l'épaule de Rémiz, qui leva les yeux et découvrit le Dignitaire suprême.

– Je vois que tu as un siège libre, dit-il. Puis-je m'asseoir ?

Rémiz haussa les épaules.

– C'était la place de Spiritix, répondit-il, mais je l'ai perdu de vue lorsque nous avons embarqué.

Séraphin secoua la tête avec tristesse.

– C'est bien ce que je craignais, mon garçon, dit-il en s'installant à côté de Rémiz.

– Quoi ?

– Il n'a pas pu se résoudre à quitter sa chère bibliothèque, dit simplement Séraphin.

– Vous voulez dire qu'il est resté, malgré…

Rémiz sentit les larmes le picoter au souvenir de son vieux professeur.

– Oui, malgré l'imminence de la onzième heure, termina Séraphin. Les gobelins sont sans doute déjà arrivés. Quant aux pies-grièches, elles ne vont pas tarder. Nous avons pu fuir à temps, grâce au ciel.

Rémiz acquiesça d'un air lugubre, et tous deux levèrent la tête. Les nuages noirs se tordaient et s'enroulaient dans le clair de lune affaibli.

– Nous atteindrons notre destination, n'est-ce pas ? demanda le jeune garçon au Dignitaire suprême.

Autour d'eux, les bibliothécaires gémissaient en manœuvrant les rames sous les cris de leur chef.

Séraphin garda les yeux rivés sur le ciel. Qui s'assombrissait.

– D'après les calculs de Vox (il me les a montrés), le malstrom noir frappera à la onzième heure sonnante.

Rémiz sentit son estomac tressaillir, incommodé, mais les oscillations de la péniche n'y étaient pour rien. Quelque chose d'autre le tourmentait. Une chose essentielle qu'il ne parvenait pas à saisir.

– Le meilleur élève que le Collège des nuages ait jamais formé, disait Séraphin. Vox était brillant... d'où le choix d'en faire mon adjoint il y a tant d'années. Si telle est la conclusion de Vox, telle sera la réalité.

– Ramez ! Ramez ! Ramez ! criait le maître d'équipage, de plus en plus insistant.

– La tour de la Nuit, la route du Bourbier, la forêt de Sanctaphrax, énumérait Séraphin, montrant l'horizon d'Infraville. On dira ce qu'on voudra sur ce misérable obèse, il a bel et bien laissé son empreinte.

Le vieux professeur baissa les yeux sur sa médaille de fonction et la tripota, l'air égaré. Il se rembrunit.

– Contrairement à quelqu'un que je connais.

Ce fut alors Rémiz qui toucha l'épaule du Dignitaire suprême.

– Ne vous dépréciez pas. Il a laissé son empreinte sur Infraville ; mais la vôtre, c'est dans le cœur des gens que vous la laissez. Je sais ce qui vaut le plus.

– Le ciel te protège, mon garçon, dit Séraphin, qui releva la tête en souriant. J'en ai parfois douté, quand j'étais dans les cachots de la tour.

Rémiz brandit le poing.

– La tour de la Nuit, pan ! La route du Bourbier, pan !

Il rit, et Séraphin se joignit à lui pour la suite :

– La forêt de Sanctaphrax, pan ! Le bébé de Vox, pan !

Séraphin cessa de rire.

– Le bébé de Vox ? demanda-t-il.

– Oui, répondit Rémiz, hilare. Son dernier projet en date : une énorme sphère, remplie de glands de carnasse et de poudre de phrax.

– De la poudre de phrax… souffla Séraphin, perdant ses couleurs.

– Un matériau horrible, enchaîna Rémiz. J'ai eu un vilain accident avec dans la cuisine d'Esther Prunelline. Quelques grains, une goutte d'eau et boum ! Une explosion retentissante.

– Et il en a bourré une sphère entière, dit Séraphin d'une voix faible. Par le ciel, tout s'éclaire ! Les boules de feu, Rémiz : c'est l'une d'elles qui a frappé ton esquif, aucun doute ! Vox mène forcément ses expériences depuis quelque temps déjà.

Sa voix s'affaiblit encore.

– Mais je ne croyais personne, pas même Vox Verlix, capable d'un geste pareil. Il est fou ! Complètement fou !

– Je… je ne comprends pas, dit Rémiz, malheureux, assailli par la culpabilité.

Il avait participé au nourrissage du bébé. Mais qu'avait-il donc fait précisément ?

– Ne le vois-tu pas, Rémiz ? reprit Séraphin. Si ce « bébé » de Vox, gorgé de phrax et de glands pulvérisés, est aussi explosif que tu le dis…

Rémiz confirma.

– Le faire éclater, continua Séraphin, pourrait bien déclencher…

– Le malstrom noir, chuchota Rémiz.

Un éclair crépita tandis que les nuages avançaient. Dans les hauteurs du ciel, un corbeau blanc tournoyait sans fin.

– C'est donc pour cela qu'il savait prédire l'heure exacte, murmura Séraphin. Parce qu'il compte, depuis le début, tout déclencher lui-même. J'ai été si naïf, Rémiz, aveuglé par les cartes du ciel et les calculs...

– Ce n'est pas votre faute, dit Rémiz. C'est moi qui n'ai pas mesuré l'immense danger que constitue le bébé de Vox, qui n'ai alerté aucun d'entre vous.

– Non, Rémiz, persista Séraphin, quittant son siège. Tu ne pouvais pas le deviner. Nous sommes peu nombreux à nous être penchés sur l'esprit impénétrable de Vox, et nos rares essais se sont soldés par des échecs lamentables.

Séraphin s'effondra, la tête dans les mains, avec une plainte sourde. Rémiz bondit sur ses pieds.

– Qu'y a-t-il, Dignitaire suprême ? demanda-t-il, pressant. Qu'y a-t-il ?

Séraphin tourna vers lui un visage blême et hagard comme jamais.

– Vox a insisté pour que les ours bandars l'emmènent dès dix heures au portail du Bourbier, dit-il, alors que le malstrom prévu ne devait frapper qu'à onze. Je n'ai pas noté ce détail quand j'ai examiné ces maudites cartes et opérations, mais maintenant...

– Maintenant, nous savons qu'il a le pouvoir de provoquer lui-même le malstrom noir, et que nous, les bibliothécaires, avons assuré son transport vers un endroit sûr ! s'exclama Rémiz.

– Oui, dit Séraphin, considérant le ciel ténébreux et l'Orée impétueuse. Rien ne pourra l'empêcher de lancer son bébé, de provoquer le malstrom et de tous nous détruire à l'instant !

– Oh, mais si, répliqua Rémiz avec détermination.

Il y avait de l'acier dans sa voix.

– J'arrêterai le lancement... ou je mourrai dans la tentative.

Il abandonna son siège et se précipita vers le flanc de la péniche. Il leva les bras.

– Rendez-vous au portail du Bourbier ! annonça-t-il. Si la terre et le ciel le veulent !

– Non, Rémiz ! s'écria Séraphin. Je ne peux pas te demander de neutraliser Vox !

– Je le dois ! rétorqua Rémiz, et il plongea dans l'Orée tourbillonnante.

Haut dans le ciel, le corbeau blanc poussa un cri rauque, vira et partit à tire-d'aile au-dessus d'Infraville.

– Bonne chance, mon garçon !

La voix tremblante de Séraphin flotta sur les eaux agitées de la rivière tandis que les péniches de la bibliothèque continuaient leur route difficile vers le refuge en amont. Rémiz serra les dents. Il aurait besoin de toute la chance possible.

Il se mit à nager en direction d'Infraville, espérant qu'il éviterait, cette fois-ci, les limonards perfides. Au bout de quelques minutes, ses bottes rencontrèrent le fond vaseux. Il reprit son aplomb, se pencha dans le courant et pataugea vers la berge. Il émergea, frissonnant d'épuisement – mais il n'y avait pas une minute à perdre.

Après un dernier regard sur la flotte à l'horizon, il se mit péniblement debout et gravit la pente boueuse. Il distinguait, dans le lointain, les contours déchiquetés du Palais des statues.

Il se rapprocha des bâtiments du quai, guidé par leurs fenêtres éclairées sous le ciel obscurci. Il s'engouffra dans l'une des ruelles. Le palais, calcula-t-il, devait se trouver quelque part sur sa droite. Il prit un virage serré, un autre encore, traversa en toute hâte une place déserte. À l'angle, il passa sous une voûte étroite, déboucha sur une artère vaste, imposante... et poussa un cri de joie.

– Le ciel soit remercié !

Dressé devant lui, le Palais des statues baignait dans les ombres et la lumière. Toutes les fenêtres diffusaient une lueur dorée qui mettait en relief les statues des balcons et des socles extérieurs. Et, au sommet de l'édifice, un énorme rayon circulaire émanait du dôme vitré de la chambre des ligues, telle une grande cheminée de lumière sur décor de nuages tourbillonnants.

– Plus que quelques mètres... haleta Rémiz. Juste quelques foulées...

Enfin arrivé au palais, il monta comme une flèche l'escalier de marbre et tambourina contre les lourdes portes en chêne. Le martèlement résonna à l'intérieur de l'édifice, puis cessa. Il n'y eut pas de réponse.

Rémiz gémit. Bien sûr que personne ne répondait ! C'était le travail de Lumiel, or le vieux domestique se préparait, là-haut dans la chambre des ligues, à lancer le bébé – Rémiz, qui attendait là, fermé dehors, ne le savait que trop.

Il redescendit l'escalier au plus vite et, longeant le palais, inspecta les murs. Ce fut seulement à l'arrière de l'édifice qu'il trouva ce qu'il cherchait.

L'une des statues du rez-de-chaussée avait basculé sur le côté et restait appuyée contre la partie lisse, aveugle, du mur inférieur. À condition qu'elle ne tombe pas, Rémiz pourrait s'y jucher puis atteindre le balcon au-dessus de la tête usée. Ensuite, jugea-t-il, le nez en l'air, l'ascension jusqu'au sommet ne devrait pas être trop compliquée.

La statue bougea sous le poids de Rémiz. Elle se révélait glissante et instable. Il escalada les énormes genoux de pierre, franchit la taille et, grâce à un pli des robes sculptées du ligueur, qui lui servit de prise, il grimpa sur les épaules. Arrivé là, il leva de nouveau les bras, empoigna la balustrade et se hissa sur le balcon.

Un fracas retentit au-dessous de lui, tandis que la statue pesante perdait l'équilibre et s'écrasait sur les dalles.

Rémiz s'essuya le front et observa la façade. À travers la brume qui s'épaississait, il devina les statues. Les centaines de statues. Elles occupaient les niches, les rebords, s'alignaient sur les arcs-boutants et tapissaient les murs…

Il bondit vers la statue à sa droite, escalada le corps de pierre et gagna un rebord étroit au-dessus.

Jusque-là, tout se passait bien.

Il escalada encore deux autres statues et atteignit, moite et brûlant, un arc-boutant mince où il s'arrêta pour reprendre haleine. La brume, presque un brouillard, tournoyait dans le vent grandissant, qui sifflait entre les membres des statues et piquait les doigts de Rémiz, reparti à l'assaut du palais.

Il montait, montait. Il restait quatre étages avant la chambre des ligues, au sommet. *Simenon Xintax. Abélard Beaubras. Alerex Argile.* Les plaques au pied des statues indiquaient leurs noms : des ligueurs, tous sans exception.

Le chalumeau et la truelle de pierre que Lindus Linoleum (ancien maître des Plombiers et Plâtriers) serrait dans ses mains facilitèrent beaucoup la tâche de Rémiz. Et pourtant, une fois perché sur la toque à pointes, une sensation de malaise l'envahit soudain. Un instant plus tard, ce fut la catastrophe.

La tête remua.

Rémiz poussa un cri, sauta en l'air et réussit, de justesse, à saisir la jambe tendue d'une statue jaune pâle au-dessus de lui. Il se hissa jusqu'au rebord exigu qui la soutenait et, baissant les yeux, le cœur battant la chamade, vit la tête du ligueur dégringoler.

Par-derrière, il sentit quelque chose lui presser le dos. Quelque chose de froid. Quelque chose de dur... La statue jaune pâle ! Quoi d'autre sinon ? Et elle essayait de l'expulser du rebord !

Agitant les bras en tous sens, Rémiz s'écarta tant bien que mal et attrapa le coude d'une statue voisine. Derrière lui, la statue jaune pâle piqua du nez vers le sol. Au même instant, il y eut un craquement sec, et le coude auquel se cramponnait Rémiz lui resta dans les mains... gare à la chute !

Avec un cri horrifié, le jeune garçon se retourna. Il lâcha le bras cassé, se colla au mur et regarda le fragment de pierre sculptée décrire une spirale dans l'air opaque. Un fracas terrible retentit et, à la faveur d'une trouée dans la brume, Rémiz vit le bras en miettes parmi les débris des autres statues qu'il avait délogées.

Il inspira profondément et se ressaisit, puis considéra le chemin restant et les statues qu'il devait encore escalader.

– Ce ne sont pas des ligueurs morts, mais des statues, se répéta-t-il en continuant son ascension. Rien de plus. Uniquement des blocs de pierre.

La brume tournoyait autour de sa tête, vapeur sulfureuse et nocive qui le faisait larmoyer, lui irritait la gorge. Enfin, il atteignit une statue si proche du sommet qu'après l'avoir escaladée, il put gagner le toit proprement dit. Il franchit la balustrade ciselée et se trouva en sécurité sur l'immense toiture de la chambre des ligues.

Il scruta par les carreaux du dôme vitré. Il vit l'échafaudage en bois ; il vit la plate-forme circulaire avec le bébé sphérique sur son support. Mais où était donc Lumiel ?

Il se hâta vers la zone où les vitres étaient brisées. De là, il découvrit une table ronde cassée, une grosse tête de pierre au milieu. Son sang se glaça lorsqu'il rencontra le regard fixe de la statue. Il contemplait le visage sculpté de Vox Verlix lui-même.

À cet instant, il entendit résonner la voix sifflante du majordome :

– Il est temps que bébé quitte le nid. Le vieux Lumiel le sait. Il ne décevra pas le maître, oh non. L'heure a sonné. La dixième heure...

Rémiz se pencha et aperçut le gobelin qui s'approchait du support et plongeait un entonnoir dans la sphère. Le majordome prit la bouteille d'eau à côté de lui, la déboucha et s'apprêta à la vider dans l'entonnoir...

Rémiz se mordit la lèvre. Une seule goutte d'eau suffirait : le bébé serait propulsé dans le ciel.

– Non ! hurla-t-il, et il sauta par l'ouverture déchi-
quetée du dôme.

Il fendit l'air, les jambes pédalant en tous sens, et
atterrit avec lourdeur sur la table brisée.

Lumiel virevolta, hargneux, la bouteille dans une
main, un couteau dans l'autre.

– Qui s'oppose au vieux Lumiel à présent ? gronda-
t-il. L'esclave de la cuisine, hein ?

Il plissa ses yeux rouges.

Rémiz s'accroupit et s'empara de la tête sculptée à
ses pieds.

– Lâchez la bouteille d'eau, Lumiel ! ordonna-t-il.

Le gobelin hésita, puis revint vers l'entonnoir. Rémiz
fit un grand moulinet du bras et, grognant sous l'effort,
lâcha son projectile. La tête de Vox jaillit et alla s'abattre,
fracassante, sur l'infortuné gobelin. Lumiel s'affaissa dans
un geignement ; le contenu de la bouteille se répandit
près de lui.

– Les statues ont eu la peau du vieux Lumiel, suffo-
qua-t-il. Elles ont fini par avoir sa peau.

Ses yeux dévisagèrent un instant ceux de la tête
sculptée, puis devinrent vitreux, fixes eux
aussi. D'un pas titubant,
Rémiz se traîna jus-
qu'à la sphère. Il tou-
cha la paroi de métal
lisse et regarda l'en-
tonnoir fiché dans le
bébé de Vox. La cha-
leur moite était
étouffante. Une goutte
de sueur ruissela au bout de son
nez… ploc ! dans l'entonnoir.

Rémiz recula, vacillant.

– Qu'ai-je fait ? souffla-t-il.

Alors même qu'il parlait, un grondement sinistre et
une série de cliquetis subits se firent entendre : l'échafaudage entier parut bouger. Rémiz leva des yeux angois-

346

sés. Une seconde plus tard, un craquement retentit, et les poutres horizontales qui bloquaient jusque-là le mécanisme à ressort se dressèrent avec une force incroyable : le bébé fusa de son support, transperça le dôme dans une pluie de verre brisé et poursuivit sa trajectoire, là-haut, dans le ciel nocturne.

Durant une minute, un silence intense vibra dans l'air. Puis...

Une soudaine lumière aveuglante et...

Boum !

Les ondes de choc qui suivirent l'éclair se propagèrent dans un souffle rugissant d'une violence inouïe. Des toits furent arrachés, des bâtiments s'écroulèrent, des statues culbutèrent – et Rémiz fut soulevé, balayé à travers la pièce...

Lorsque la poussière retomba enfin, Rémiz se remit debout avec peine. Abasourdi, effrayé, il regarda le ciel par le dôme éventré. La lumière avait rétréci, mais semblait curieusement tout absorber en elle, à mesure qu'elle rapetissait et s'intensifiait. Pour finir, minuscule étoile

éblouissante, elle disparut complètement, remplacée, en contraste, par un point d'une noirceur extrême.

Comme une tache d'encre, le point grossit, grossit, envahit le ciel. Il teinta les nuages en noir et plongea le paysage dans une obscurité totale. D'énormes gouttes de pluie commencèrent à tomber. Elles s'abattirent, lourdes, sur Infraville, dans la cour du Palais des statues, par les carreaux brisés du dôme...

Très vite, le ciel parut se changer en rivière majestueuse. La pluie devint torrentielle, de véritables colonnes d'eau. C'était, pensa Rémiz alors qu'il courait s'abriter, comme se trouver sous une immense cascade.

Il vit la cour en contrebas déjà submergée, vaste lac léchant les statues tombées de la façade. Alors, si le cataclysme menaçait Infraville, quel désastre devaient donc subir les péniches de la bibliothèque sur les eaux de l'Orée ? Y en aurait-il une pour atteindre la sécurité du Bourbier ?

– Que la terre et le ciel vous protègent, murmura Rémiz avec douceur.

Il se tourna vers la porte et pataugea dans la pièce inondée.

– Que la terre et le ciel nous protègent tous !

CHAPITRE 17

Carnage sans nom
sur le pont en noirier

LE GARDIEN SUPRÊME SAISIT LA BALUSTRADE DE LA
plate-forme supérieure et tendit son cou osseux
vers le ciel. Un reniflement s'échappa de son
masque métallique.

– Il est l'heure, murmura-t-il. Il est l'heure.

À cet instant où il observait le chaudron bouillonnant du ciel, les démons des rochers devaient infester les
tuyaux souterrains, en quête de chair de bibliothécaire.
Les égouts seraient nettoyés, la Grande Tempête vien-
drait guérir le rocher sacré.

– Il est l'heure.

Tous les muscles se crispèrent dans le corps d'Orbix.

Aux étages inférieurs, des foules de gardiens silencieux occupaient les plates-formes en surplomb, le regard
fixé sur le ciel houleux. Les gros amoncellements de
nuages tourbillonnants qui encerclaient Infraville depuis
des mois formaient à présent une masse monstrueuse,
pareille à une gigantesque enclume. L'air était si dense et
si lourd que la respiration devenait difficile.

Soudain, une plainte sourde se propagea sur les plates-formes bondées. Orbix baissa les yeux. Une énorme boule de feu fendait l'atmosphère épaisse, décrivait un arc au-dessus d'Infraville et s'approchait du centre de l'enclume.

Il y eut une exclamation étouffée derrière le masque.

– Gloire au ciel, souffla Orbix.

La boule de feu disparut au sein du nuage tournoyant et, durant une minute, il régna un silence surnaturel. L'air brûla les poumons du Gardien suprême lorsqu'il prit une inspiration sifflante.

Soudain, du cœur même de l'enclume, une explosion cataclysmique déchira le ciel – blancheur éblouissante, puis noirceur d'encre. Assourdi par le choc tumultueux du coup de tonnerre magistral, Orbix leva les bras.

– Salut à la Grande Tempête ! hurla-t-il.

– Salut à la Grande Tempête ! Salut à la Grande Tempête ! répondit le chœur des voix sur l'édifice entier. Salut à la Grande Tempête !

Alentour, le nuage noir pétillait et crépitait, alors que des filaments de lumière zigzaguaient en tous sens, réseau de veines embrasées, aveuglantes et déchiquetées. À mesure que les différents éclairs s'éteignaient, le tonnerre étourdissant roulait dans le ciel, comme une formidable débandade de hammels à cornes.

– La pointe de Minuit ! rugit Orbix Xaxis au-dessus du vacarme.

Il leva les yeux vers la silhouette de Mollus Leddix qui, en équilibre sur le socle couronnant la plate-forme, attendait le signal.

– Dresse la pointe !

Mollus acquiesça d'un geste et s'accroupit près du treuil. Orbix, qui l'observait en contrebas, reçut en plein visage une énorme goutte de pluie. Alors qu'il l'essuyait avec sa manche, une autre s'écrasa sur son masque, puis une autre, et une autre encore.

En quelques minutes, la pluie devint torrentielle, et l'enclume aplatie prit l'aspect d'un immense disque tournoyant au-dessus de la tour, telle la roue d'une énorme charrette. Des serpents de lumière dansaient et sifflaient sur son pourtour.

– Salut à la Grande Tempête ! criaient les gardiens exaltés. Salut à la Grande Tempête !

Il n'y avait pas de temps à perdre. Il fallait exploiter le pouvoir de guérison de la foudre. Orbix abattit son poing sur la balustrade.

– Plus vite, Leddix ! rugit-il. Plus vite !

Leddix jura entre ses dents tandis qu'il actionnait le treuil. En principe, ce travail incombait à Xanth, le morveux blafard, pas à lui ! La pointe sortit lentement de sa gaine huilée, s'éleva dans l'air bouillonnant. Leddix s'efforça de reprendre haleine.

– J'y suis presque, haleta-t-il. Presque…

Gling !

La pointe était dressée au maximum, le treuil lui tirait sur les bras. Leddix tendit la main vers la tige de verrouillage, suspendue à un crochet voisin. Mais ses doigts ne rencontrèrent que le vide.

– Quelle est cette plaisanterie ?
glapit-il, peinant pour empêcher la
manivelle de repartir en
arrière pendant qu'il tâton-
nait. Ce n'est pas possible.

La tige de verrouillage
(longue, pointue d'un côté,
décorée de l'autre par un luminard brillant) avait disparu. Leddix
renversa la tête et la pluie frappa son
visage hargneux.

– Le ciel te maudisse, Xanth
Filantin ! fulmina-t-il.

Incapable de retenir bien longtemps le lourd mécanisme sans la
tige, Leddix lâcha prise. La manivelle glissa de ses mains moites
et tourna en arrière avec fracas. Au-
dessus de lui, la pointe redescendit
lentement dans sa gaine.

Gling !

Le ciel grésilla et s'illumina. La silhouette masquée
du Gardien suprême apparut sur le socle de la pointe, battant l'air dans une fureur démoniaque.

– Je t'avais dit de dresser la pointe, Leddix ! hurla-t-il
au milieu des grondements assourdissants du tonnerre.

Il saisit entre ses mains griffues son subalterne tremblant et plaqua son masque contre le visage blême de l'infortuné.

– Imp… Imp… Impossible, gémit Leddix. La t… La
tige… Perdue !

– Eh bien, tu es perdu toi aussi !

Les mains griffues resserrèrent leur étau, soulevèrent à bras tendus Leddix qui se démenait et le jetèrent du haut de la tour. Son hurlement de détresse fut noyé par un nouveau coup de tonnerre.

Les cris des gardiens devenaient frénétiques :

– Salut à la Grande Tempête ! Salut à la Grande Tempête !

Au-dessus de l'édifice, les nuages tourbillonnaient, comme un vaste chaudron de soupe noire remuée par une louche colossale. Les éclairs convergèrent et s'entrelacèrent pour former une boule de lumière crépitante.

– Salut à la Grande Tempête...

Orbix n'aurait pas le temps de dresser à nouveau la pointe, il le savait, mais il ne pouvait pas laisser passer la tempête sans agir. Poussant un cri de rage et de désespoir, il bondit au sommet du mécanisme et s'y planta, les bras écartés.

À cet instant, la tempête culmina dans une explosion de lumière aveuglante. Un unique éclair, spirale chargée d'électricité, jaillit au-dessous du malstrom déchaîné. Il fendit l'atmosphère noire comme une flèche majestueuse.

– Salut à la Grande Tempête ! s'écria Orbix. Salut...

L'éclair s'abattit avec une telle violence que la tour de la Nuit trembla du sommet jusqu'à sa base, tandis que ses murs s'effondraient et que ses plates-formes se détachaient. Les gardiens épouvantés furent précipités de leur perchoir dans l'air bleu, étincelant. Et, tandis que la puissance magistrale de la foudre, éphémère, enveloppait tout dans son étreinte mortelle, la tour en bois se consuma, le rocher malade sur lequel elle était bâtie crépita et suinta – et, tout là-haut, Orbix Xaxis, Gardien suprême de la tour de la Nuit, laissa échapper un cri terrible, inhumain...

– Crois-tu que nous les avons semés ? chuchota Magda.

Xanth s'agenouilla près d'elle, dans la petite canalisation au-dessus de la transverse sud.

– Je me demande, répondit-il. Je... Je pense que oui, conclut-il après une hésitation.

Il ruisselait de sueur. Maintes fois, les démons des rochers sur leurs talons, il avait cru qu'ils ne leur échapperaient pas. Mais Magda, le ciel la protège, avait étudié le réseau souterrain aussi sérieusement que le reste. Elle avait cherché refuge dans les tuyaux les plus étroits et les plus malcommodes, tandis que leurs poursuivants, trop gros, hurlaient de frustration, relégués derrière eux dans les conduites plus larges. Et maintenant, comme Magda l'avait annoncé, ils débouchaient au-dessus de la traverse sud, tout près du tunnel central et de la salle pluviale elle-même.

– Quel est ce bruit ? chuchota Xanth.

Magda fronça les sourcils. Elle l'avait entendu aussi. Dans les hauteurs résonnait un martèlement sourd, régulier, auquel se superposaient d'étranges cliquetis, évoquant du métal entrechoqué. Tous deux écoutèrent. Xanth se tourna vers Magda, le visage blême.

– Mais qu'est-ce donc ? chuchota-t-il.

Magda secoua nerveusement la tête. Ils ne pouvaient pas rebrousser chemin, pas avec les démons à leurs trousses. Elle saisit la main de Xanth et ils avancèrent vers l'extrémité du tuyau transversal. Un filet d'eau coulait sous leurs pieds.

Au carrefour avec le tunnel central, ils s'arrêtèrent de nouveau et risquèrent un coup d'œil. Par un toboggan pentu qui aboutissait directement à la conduite principale, des bataillons affluaient : gobelins à tête plate, huppés, velus et, massés près de l'entrée est de la grande salle de lecture pluviale, la troupe d'élite en armure des gobelins-marteaux.

– Une armée gobeline ? souffla Magda, si horrifiée qu'elle plaqua ses mains sur sa bouche. Aux portes de la Grande Bibliothèque ?

– Les gobelins devant, les démons des rochers derrière, chuchota Xanth. Nous sommes bloqués !

Magda s'affaissa sur les genoux, le visage dans les mains. Des sanglots silencieux la secouèrent.

– C'est fini, Xanth, dit-elle d'une voix pleine de larmes. Impossible de continuer.

– Mais il le faut, dit une voix frêle dans leur dos.

Xanth virevolta, le poing brandi ; mais Magda lui retint le bras lorsqu'un très vieux bibliothécaire sortit des ombres.

– Spiritix ? Est-ce vous ?

Magda s'élança vers le professeur et l'embrassa, reprise par les sanglots.

– Allons, allons, dit gentiment Spiritix en lui caressant les cheveux. Je craignais que nous ne t'ayons perdue, comme Rémiz, mais je vois que tu es revenue, tout comme lui.

Magda cessa de sangloter et s'écarta.

– Vous voulez dire que Rémiz est vivant ?

– Oui, ma chère jeune bibliothécaire, répondit Spiritix. Non seulement il est vivant, mais grâce à lui, notre Grande Bibliothèque est à l'abri de ces hordes barbares.

– Je… je ne comprends pas, commença Magda, mais le doigt levé de Spiritix lui imposa le silence.

– Tu auras tout le temps pour les explications lorsque vous rejoindrez les bibliothécaires au portail du Bourbier, lui dit-il. Mais vous devez vous dépêcher. Les égouts commencent à déborder.

Xanth baissa les yeux. C'était vrai. En l'espace des quelques minutes qu'ils avaient passées dans l'étroite canalisation, le filet d'eau à leurs pieds s'était transformé en ruisseau continu. Spiritix s'avança et scruta par l'ouverture.

– Toi, mon garçon, dit-il, s'adressant à Xanth lui-même pour la première fois. Crois-tu que toi et Magda puissiez traverser le tunnel central et gagner ce petit conduit là-bas ? Il vous mènera à une grille d'égout dans l'est d'Infraville.

Xanth regarda.

– Mais les gobelins ! répliqua-t-il. Nous serons juste sous leurs yeux...

– Je me charge des gobelins, mon garçon, lui dit Spiritix. Veille seulement à ce que vous atteigniez tous les deux le portail du Bourbier. La Bibliothèque a besoin de jeunes âmes vaillantes pour la réussite du voyage jusqu'aux Clairières franches.

– Non, Spiritix ! s'écria Magda, qui embrassa de nouveau le professeur. Nous ne pouvons pas vous laisser ici.

– Je suis vieux, dit-il avec un sourire triste. J'ai presque toujours vécu dans notre bibliothèque souterraine. Tenez, j'ai participé, avant votre naissance, à la construction du pont en noirier. Je ne peux pas quitter ce lieu, même dans les circonstances présentes.

Des larmes coulaient sur son visage.

– Allez, partez !

Sur ces mots, il se faufila entre eux et descendit le tunnel central à grandes enjambées, en direction de la salle pluviale, tambourinant contre les parois avec son bâton levé.

– Longue vie à la Grande Bibliothèque ! cria-t-il aux rangs de gobelins massés devant lui.

Dans son dos, deux silhouettes que personne ne remarqua (l'une courbée, soutenue par l'autre) traversèrent à pas feutrés le tunnel central et disparurent dans un petit conduit de l'autre côté.

– Saisissez-le !

L'ordre du général Banderille résonna depuis les portes de la salle pluviale, menacées par les coups d'un énorme bélier.

Un bataillon de gobelins huppés cerna le vieux bibliothécaire, leurs lances tranchantes comme des rasoirs pointées sur sa gorge. Un gobelin-marteau trapu s'ouvrit un chemin dans la foule, qui continuait d'affluer par le tunnel central. Il mit la main sur Spiritix, qu'il souleva dans les airs à bras-le-corps et emmena vers l'entrée de la pièce. Banderille sourit lorsque le prisonnier atterrit brutalement à ses pieds.

– Notre premier bibliothécaire, ricana-t-il, tourné vers les rangs de gobelins-marteaux en nage, qui tenaient l'énorme bélier bien haut, prêts à frapper. Ses congénères sont tapis derrière ces portes minables. Nous allons tous les réunir ! Il sera notre bannière de combat !

Il claqua des doigts et deux porte-étendards à tête plate bondirent, empoignèrent Spiritix et attachèrent son corps frêle à une longue perche couronnée par un aérover.

– À l'attaque ! rugit le général, tandis que le vieux bibliothécaire se retrouvait à flotter au-dessus de la masse grouillante des troupes.

Les gobelins-marteaux s'élancèrent et assénèrent un coup de bélier d'une puissance incroyable contre les portes de la bibliothèque, qui volèrent en éclats.

– Victoire aux gobelins ! tonna Banderille.

– Victoire aux gobelins ! tonna la grande armée en réponse, alors qu'elle envahissait la salle de lecture pluviale. Victoire aux gobelins !

La troupe d'élite des gobelins-marteaux ouvrait la voie, avec son mur impénétrable de boucliers joints et, en son milieu, Spiritix, au sommet de l'étendard. Elle s'engouffra sur le pont en noirier tandis que, de leur côté, les gobelins huppés et velus submergeaient les portiques et le pont en ricanier, leurs rangs hérissés de lances et d'arbalètes.

Banderille et ses capitaines franchirent les portes fracassées, promenèrent leur regard sur la salle.

– Je ne comprends pas, marmonna le général, qui leva la tête vers Spiritix. Où sont les bibliothécaires ?

Des centaines de gobelins braquèrent leurs yeux sur le vieux professeur. Durant une minute, le silence fut complet. Puis le rire frêle, flûté de Spiritix retentit.

– Ils sont en sécurité ! gloussa-t-il. La bibliothèque a été sauvée ! Longue vie à la Grande Bibliothèque...

À cet instant, il y eut un mouvement flou sur l'un des portiques en surplomb, puis un éclair jaune et bleu fendit l'air. Et un autre. Deux flèches se plantèrent dans le cœur du vieux bibliothécaire.

Stupéfaits, les gobelins posèrent un regard incrédule sur leur bannière : la tête de Spiritix s'affaissa et du sang coula sur sa poitrine.

– Des flèches de pies-grièches, rugit le porte-étendard, le poing brandi vers le portique d'en face. Elles venaient de là-h...

Il n'eut pas le temps de terminer sa phrase qu'une flèche à empenne éclatante se ficha dans son cou. Il tomba sur les genoux, du sang gargouilla de la blessure ouverte...

– Quelle est cette trahison ? s'indigna le général Banderille, dont la voix résonna dans la grande salle. Supprimez ces ordures de pies-grièches !

Comme si elles répondaient en personne aux ordres du général, les pies-grièches, casques et plastrons brillants, s'avancèrent sur les moindres portiques. Elles poussèrent des cris aigus, levèrent leurs arcs et une volée de flèches siffla dans l'air. À l'autre bout du pont en noirier, Sabreur le gobelin-marteau s'agenouilla et ramena son arbalète en avant.

– Protège-moi, siffla-t-il à son camarade.

Duroc leva son bouclier. Sabreur amorça l'arbalète et regarda par le viseur. La poitrine rebondie d'une pie-grièche aux couleurs vives apparut derrière la croix de la mire. Sabreur sourit et pressa la détente.

La flèche atteignit son but. La poitrine colorée explosa dans un jaillissement de plumes et de sang. L'oiselle tomba du portique comme une masse et atterrit avec un fracas épouvantable sur le pont en noirier.

– Première victime ! cria Sabreur.

Il leva son arbalète une deuxième fois, veillant à rester protégé par le bouclier de Duroc alors que les flèches ennemies s'abattaient de toutes parts.

Il réarma son arbalète. Il visa. Il appuya doucement sur la détente et…

Soudain, les grandes portes à l'extrémité ouest du pont s'ouvrirent, impétueuses. Sabreur étouffa une exclamation. Devant la colonne de gobelins-marteaux, les pies-grièches arrivaient en masse. Elles étaient des centaines. Toutes armées jusqu'aux dents, disposées en unités de combat hurlantes, houleuses.

Derrière le mur de boucliers, Sabreur s'arc-bouta et dégaina son épée : un magnifique espadon qu'il tenait à deux mains.

– Par le ciel, ma vieille Pourfendeuse, tu boiras du sang de pie-grièche cette nuit !

Autour de lui, les autres gobelins-marteaux de la troupe tiraient leurs armes dentelées et marmonnaient leurs propres serments de guerre. Devant, les volées de combattantes enflaient comme une haute vague prête à déferler sur la berge compacte des boucliers. Les pies-grièches portaient des arcs et des flèches, des piques, des fouets et des fléaux – mais Sabreur savait que le plus redoutable était leurs becs luisants et leurs serres étincelantes.

Le flot ailé frappa le mur de boucliers puis reflua dans un hurlement assourdissant, alors que des jets de

sang vif aspergeaient les premiers rangs. Ici et là, devant Sabreur, des gobelins-marteaux s'effondrèrent sur les genoux, avec des plaintes sourdes et la même expression d'horreur et de lent étonnement, en découvrant que le sang qui inondait leurs plastrons était le leur ; qu'ils avaient le cou tailladé.

– Viens, Duroc, gronda Sabreur, avançant pour combler la brèche. Les revoilà !

Une nouvelle unité assaillit la colonne des gobelins-marteaux – et la dévasta.

Sabreur se retrouva face à deux yeux jaunes tandis que, de chaque côté, les têtes sectionnées de ses camarades volaient dans les airs et que leurs corps s'affaissaient sur le pont en noirier, rougissant le bois. Duroc se précipita, et son bouclier détourna la serre acérée qui menaçait la gorge de Sabreur.

Avec un rugissement rageur, ce dernier envoya un coup d'épée à l'énorme oiselle au-dessus de lui. La pie-grièche au plumage éclatant s'écarta sur la gauche et Pourfendeuse décapita, derrière elle, sa compagne au fléau tournoyant.

Sabreur entendit Duroc gémir par-dessus son épaule : il se tourna et découvrit le plastron troué de son camarade, perforation d'où le sang giclait. Le bec de la sœur combattante ruisselait encore lorsqu'elle attaqua Sabreur.

– Non ! hurla-t-il, aveugle de fureur.

Il asséna un coup d'épée si vif et si puissant qu'il trancha l'oiselle en deux, avant que le bec meurtrier puisse frapper de nouveau.

Il baissa les yeux vers Duroc. Son ami était déjà mort. Maintenant, Sabreur voulait le venger.

– Rrroooaaa ! rugit-il, et il s'élança en avant.

Avec un cri strident, la sœur Sécate bondit, toutes serres dehors. Un air d'ahurissement total se répandit sur les traits lourds du gobelin face à elle, lorsqu'il découvrit son plastron coupé en deux, le sang qui jaillissait. La sœur Sécate avança et poussa sauvagement son adversaire avec sa pique. Le gobelin bascula par-dessus la balustrade du pont en ricanier et tomba dans les eaux qui ne cessaient de monter.

– Encore ! Encore ! gronda la pie-grièche, un filet de salive au bord du bec.

La faim la gagnait.

Du coin de l'œil, elle aperçut un éclair métallique : un gobelin velu faisait tournoyer une énorme plombée en direction de sa tête. La sœur Sécate recula et cracha, haineuse.

Sa bile verte éclaboussa le visage du gobelin velu dans un léger sifflement.

– Mes yeux ! hurla-t-il. Mes yeux !

Sécate donna un violent coup de bec qui ouvrit le gobelin du sternum à l'estomac. Redressant la tête avec brusquerie, elle arracha le cœur palpitant et l'avala tout rond. Oui ! La sœur Sécate frissonna, ses plumes se hérissèrent ; la faim la possédait !

Un gobelin-marteau colossal se précipita vers elle comme un ouragan. Son corps entier était couvert de sang – le sang d'autrui. La sœur Sécate se dressa, serres menaçantes, et tint bon.

Les yeux de Sabreur roulaient ; l'écume bouillonnait aux coins de ses lèvres. Il dévisagea l'oiselle bestiale, éclaboussée de sang, à travers un voile de fureur écarlate.

– Rrroooaaa ! rugit-il, et il se jeta sur la pie-grièche, Pourfendeuse serrée dans sa main ensanglantée.

Sécate bondit vers lui, frappant de ses huit serres à la fois.

Ils se heurtèrent en plein élan, au beau milieu du pont en ricanier, dans un choc effroyable.

Aux portes est, les rangs clairsemés de la troupe des gobelins-marteaux s'étaient regroupés autour de Banderille.

Aux portes ouest, les restes déguenillés des unités ailées lançaient des cris rauques et battaient l'air sous l'étendard de la mère Griffedemule. Sur le pont lui-même, des monceaux de cadavres couvraient les planches et, par endroits, s'élevaient au-dessus des balustrades. En contrebas, le canal central débordait de plus en plus ; le pont en ricanier était déjà submergé ; les gobelins comme les pies-grièches se cramponnaient aux portiques inférieurs tandis que les eaux montaient.

Le rugissement de Sabreur et le hurlement de Sécate se mêlèrent durant l'instant où ils se dévisagèrent. Pourfendeuse était enfoncée dans le gosier de Sécate aussi profondément que les serres avaient pénétré la gorge de Sabreur. Lentement, doucement, le gobelin-

marteau et la pie-grièche tombèrent à genoux et demeu-
rèrent ainsi, figés dans leur étreinte mortelle.

Un silence lugubre envahit le pont en noirier.

Loin au-dessus du carnage, des créatures sombres apparurent dans les crevasses du plafond voûté et s'avancèrent, rampantes. Noires sur la pierre blanche, elles s'accrochaient la tête en bas et reniflaient l'air chargé d'odeurs, les yeux flamboyants. S'appelant les unes les autres, elles furent rejointes, encore et encore, par de nouvelles, qui sortaient de la moindre crevasse et se répandaient sur la voûte.

Soudain, comme à un ordre inaudible, la volée entière de démons des rochers s'élança du plafond et piqua en vrille sur ses ailes raboteuses.

De part et d'autre du pont, les gobelins regardèrent les pies-grièches, les pies-grièches regardèrent les gobelins. Tous levèrent les yeux lorsque, tel un rideau noir tombant sur une scène rouge, les démons des rochers s'abattirent.

CHAPITRE 18

Les fantômes d'Ébouliville

NTRE LES HAIES DE STATUES, RÉMIZ DESCENDAIT AU PAS
de course, deux à deux, les marches du palais.
Dehors, il entendait le lointain fracas de la pierre
contre la pierre à mesure que le déluge dépouillait les
murs extérieurs de leurs sculptures. Il atteignit le dernier
palier dans un son mat, prit un virage en glissade... et
s'arrêta net. Esther Prunelline traversait en hâte le vestibule et s'approchait de l'escalier.

Rémiz recula d'un pas et heurta une statue qui vacilla
sur sa base, puis bascula, entraînant trois compagnes dans
sa chute.

– Esther ! Attention ! s'écria-t-il alors que les statues
tombaient vers le dallage en marbre.

La vieille gobeline ne leva pas les yeux. Elle ne ralentit pas non plus lorsque les statues se fracassèrent sur le
sol devant elle. Arrivée à l'escalier, elle se lança dans la
montée. Rémiz remarqua qu'elle avait perdu sa toque.
Son crâne croûteux et dégarni luisait ; ses vêtements
étaient imbibés d'eau.

369

– J'arrive, roucoula-t-elle, comme si elle apaisait un nourrisson. J'arrive, mon trésor…

Elle bouscula Rémiz au passage, ses petits yeux rouges le transpercèrent, aveugles, et elle continua de monter l'escalier. Elle serrait dans ses bras une grosse bouteille rouge qui portait l'étiquette *Oubli : cuvée spéciale*.

Sans se retourner, Rémiz dévala l'ultime volée de marches jusqu'au vestibule et faillit perdre l'équilibre sur les dalles mouillées, glissantes. L'eau bouillonnante montait de la cuisine et se répandait dans l'entrée. Recettes détrempées, pots, bocaux et bouteilles de potion flottaient à sa surface. Rémiz vit passer un flacon vert marqué *Cordial écœurant*.

Il pataugea jusqu'à la grande porte en chêne et saisit la poignée. De l'autre côté résonnait un sifflement qui, lorsque Rémiz ouvrit le battant, se changea en rugissement précipité, impérieux.

Un torrent venu de la rue envahit le vestibule, renversa Rémiz et le trempa jusqu'aux os. Au-dessus de lui, les statues de l'escalier tombaient par deux ou par trois dans les tourbillons, soulevant de grandes gerbes. Rémiz se redressa, titubant, revint tant bien que mal jusqu'à la porte et sortit du palais.

Il n'avait jamais vu une pluie pareille. Des trombes d'eau, un véritable déluge qui s'abattait si fort et si vite qu'il ressemblait à une myriade de fils d'argent, tendus entre le sol et le ciel tumultueux. Et, comme le vent déchaîné cinglait et tournoyait, les gouttes se mêlaient pour former des rideaux ondulants, mouvants, qui giflaient les façades des maisons et claquaient sur les flots gonflés en contrebas.

– Que le ciel me guide et veille sur moi, murmura résolument Rémiz, tandis qu'il pataugeait, de l'eau jusqu'aux chevilles.

La pluie qui tambourinait sur son crâne et ses épaules, qui ruisselait sur sa nuque, l'obligeait à baisser la tête. Il mit son bras en visière pour se protéger des cataractes et tenta de se repérer. Infraville était métamorphosée, ses rues et ruelles transformées en canaux profonds aux remous boueux. Dans le lointain, Rémiz distinguait à peine les tours des portes du Bourbier, qui pointaient au-dessus de l'horizon brouillé.

La flotte de la bibliothèque était-elle arrivée à destination ? se demanda-t-il.

Alors qu'il cheminait dans les rues inondées, il aperçut des silhouettes, floues et indistinctes derrière le rideau miroitant de la pluie. Qu'elles le précèdent ou le suivent, de chaque côté des passages et des venelles, toutes formaient un cortège grossissant qui avançait dans la même direction que lui.

– Les Infravillois, murmura Rémiz.

Un bruissement, juste au-dessus de sa tête, lui fit lever les yeux. Une tache blanche, mouvement confus, s'élança entre les deux rangées de toits pentus. Un sifflement aigu fendit le vacarme du déluge ; trois autres lui répondirent, plus haut dans la rue.

Rémiz continua de patauger, abrité une minute de la pluie cinglante par des troglos ploucs de carrure massive.

– Le portail du Bourbier ; là-bas, nous ne craindrons rien, Patapouf, disait l'un d'eux à son voisin. Les fantômes d'Ébouliville nous guideront, ne t'inquiète pas.

– Que dites-vous ? s'écria Rémiz, incapable de taire son enthousiasme.

Les troglos ploucs poursuivirent leur route sous les trombes d'eau sans lui prêter attention, et Rémiz sentit d'autres Infravillois le pousser dans le dos alors qu'ils le doublaient, impatients. Désormais entouré par une véritable foule, il devait lutter pour rester debout au milieu de cette cohue. Tout près de lui, une gobelinette, un bébé dans les bras, trébucha et poussa un cri en perdant l'équilibre.

Avant que Rémiz ait pu esquisser un geste, une silhouette blanche piqua d'un toit en face. Elle atterrit dans une gerbe d'eau, saisit la mère et l'enfant. Rémiz distingua une veste en cuir de paludicroque, blanchie et rapiécée, une casquette en peau de rat blanc, un grappin au bout d'une main blanche, osseuse.

– Allez, sauvez-vous, et faites bien attention, dit l'inconnu, reposant la gobelinette sur le sol.

– Merci mille fois, monsieur, murmura la gobelinette. Merci.

Bouche bée, Rémiz regardait l'inconnu.

– Vous êtes… vous êtes l'un d'eux… bafouilla-t-il, s'efforçant de résister à la pression de la foule. Un fantôme d'Ébouliville.

Durant une seconde, l'inconnu se tourna, et Rémiz découvrit le visage tanné d'un naboton dont les yeux bleus, perçants, se fixèrent sur lui.

– Circule, mon garçon, sourit le naboton qui, d'un gracieux moulinet du bras, fit décrire une courbe à son grappin.

Le crochet résonna sur un toit ; le fantôme tendit la corde et, grâce à l'effet de ressort, s'éleva dans les airs, comme propulsé par une catapulte.

– Attendez ! cria Rémiz. J'ai un ami, Félix. Peut-être que vous…

Le fantôme disparut au faîte du toit.

– … le connaissez.

Un peu plus loin, la rue débouchait sur une place et, à travers les rideaux claquants de pluie torrentielle,

Rémiz vit le portail du Bourbier dressé devant lui. La foule immense, venue des quatre coins d'Infraville, affluait là. Groupes de troglos ploucs, familles de gobelinets, artisans et marchands, anciens esclaves – tous guidés par les sifflements des silhouettes blanches, fantomatiques, qui se découpaient sur la crête noire des toits alentour.

Une matrone troglo plouc, enveloppée dans un imperméable noir, s'arrêta un instant pour vérifier que sa progéniture la suivait bien. Un tractotroll à l'air peureux, la joue entaillée, un bras enflé, la dépassa en hâte, marmonnant tout bas :

– Maudit sois-tu, Banderille. Maudits soyez-vous tous, gobelins-marteaux !

Derrière lui venait une gobelinette voûtée, aux yeux larmoyants, guidée par sa petite-fille – toute jeune, de courtes nattes blondes, un nez aplati, serrant contre elle une épée gainée.

Sur la place, les portes du Bourbier oscillaient d'avant en arrière, soumises à la pression des Infravillois, alors que, de l'autre côté, les mâles pies-grièches et les oisillonnes criaient et piaillaient.

Tout en se frayant un chemin dans la multitude, Rémiz tendit le cou pour mieux voir. Il lui fallait atteindre la jetée située immédiatement au-delà du portail car, à cet endroit où l'Orée rejoignait les limites vaseuses du Bourbier, il avait le fol espoir que la flotte de la bibliothèque, saine et sauve, l'attendait.

Des bruissements retentirent en hauteur, puis le choc mat des grappins qui se fichaient dans le bois des portes. Très vite, au sommet des montants, les fantômes blancs d'Ébouliville apparurent. Ils restèrent quelques

.

instants à se balancer avant de se laisser tomber, un à un, sur le territoire des pies-grièches.

Pendant une minute, les vivats des Infravillois se mêlèrent aux cris stridents des créatures ailées. Puis les immenses portes pivotèrent lentement.

Rémiz fut entraîné lorsque la foule s'engouffra dans l'ouverture et se répandit sur la vaste plate-forme en bois. Il leva la tête... et demeura stupéfait au spectacle de la Grand-Route qui serpentait, à perte de vue, dans l'immense plaine boueuse.

De ce côté-ci des portes, la pluie n'était qu'une bruine légère, et les Infravillois se dispersèrent en groupes euphoriques : certains dansaient de petites gigues triomphantes, certains s'embrassaient, tandis que d'autres s'agenouillaient simplement avec gratitude. Sur sa droite, Rémiz distingua une passerelle qui descendait en zigzags vers la jetée de l'Orée.

Il lança un regard en arrière et son cœur se serra lorsqu'il vit l'horizon d'Infraville se désagréger sous la sombre nuée tourbillonnante du malstrom noir et les rideaux de pluie impénétrables. Au loin, malgré le déluge, la tour de la Nuit flambait comme une puissante torche, l'incendie alimenté par les grands éclairs fourchus crépitant tout autour. C'était une scène de cauchemar – un cauchemar que lui, Rémiz, avait provoqué par mégarde.

Durant un instant, il oublia la flotte de la bibliothèque et tomba à genoux. Il avait, de ses propres mains, nourri le bébé de Vox, cette boule de feu terrible. Pire : c'était lui – lui, Rémiz Gueulardeau, bien qu'il ait tout tenté pour l'empêcher – qui avait déclenché le malstrom. Il martela les planches de la Grand-Route dans un accès de fureur, de détresse et de désespoir confondus. Au-dessus de lui, un corbeau blanc piqua et, suspendu dans les airs, laissa échapper un cri rauque :

– Kouarrrk ! cria-t-il. Salutations, Rémiz !

Rémiz leva les yeux lorsque le corbeau blanc se posa près de lui.

– Gaharn, dit-il avec un pauvre sourire.

Il sécha ses pleurs.

– Félix est-il avec toi ?

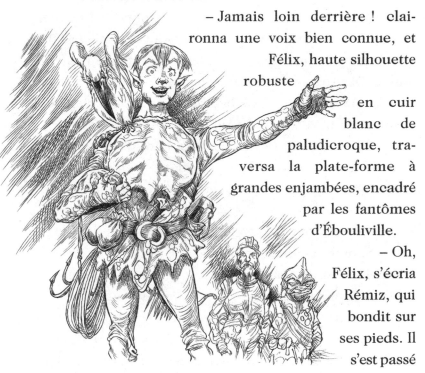

– Jamais loin derrière ! claironna une voix bien connue, et Félix, haute silhouette robuste en cuir blanc de paludicroque, traversa la plate-forme à grandes enjambées, encadré par les fantômes d'Ébouliville.

– Oh, Félix, s'écria Rémiz, qui bondit sur ses pieds. Il s'est passé tant de choses depuis notre dernière rencontre !

– Et comment, Rémiz, mon ami ! se réjouit Félix, serrant le jeune bibliothécaire par les épaules. Infraville est fichue. Notre avenir (le tien, le mien, celui de toutes ces âmes courageuses) est là-bas.

Il fit un grand geste de la main.

– Dans les Clairières franches !

Une clameur parcourut la foule réunie autour d'eux.

– Mais tu ne comprends pas, dit Rémiz, affligé. Tout est ma faute. J'aurais pu empêcher cette terrible tempête, mais j'ai échoué. Et, en plus…

Il se mordit la lèvre tandis que les larmes jaillissaient de nouveau.

Félix le réconforta d'une tape, le visage assombri par l'inquiétude.

– Je ne peux pas dire que je te comprenne, Rémiz, mais je vois que tu es très éprouvé. La tâche n'a pas dû être facile au fond des égouts, quand cette tempête a frappé. D'autres bibliothécaires ont-ils survécu ?

Rémiz sursauta. Les bibliothécaires ! Il fit volte-face et se précipita vers la passerelle menant à la jetée.

– Ils ont pu quitter les égouts à bord d'une flotte de péniches, puis gagner l'Orée, cria-t-il par-dessus son épaule. J'ai dit que je les retrouverais au portail du Bourbier si…

Il s'arrêta, se retourna lentement.

– Si nous en réchappions.

Félix s'adressa au corbeau blanc perché, comme de coutume, sur son épaule :

– Gaharn. Va voir et reviens !

Poussant un cri, le corbeau s'envola, décrivit une courbe et s'éloigna en direction des nuages noirs, au-dessus de la rivière.

– Viens, Rémiz, dit Félix d'une voix étranglée, montrant la passerelle. Tu as un rendez-vous à honorer.

Rémiz se pencha sur la balustrade et frissonna. Lors des patrouilles en esquif, il avait eu l'habitude de voir l'Orée sinueuse couler avec mollesse dans son lit de boue.

Mais, cette nuit, elle était devenue si large et si profonde qu'elle écumait, déchaînée, au-dessous de lui, menaçant à chaque instant d'arracher les pieux et de précipiter la jetée entière dans les flots tumultueux.

Malade d'anxiété, Rémiz scrutait la rivière, la berge, les passerelles surélevées – tous les environs, à la recherche du moindre signe de la flotte invisible. Les péniches auraient certainement dû être arrivées à cette heure ! Se cramponnant à la balustrade, il s'étira, le cou tendu, pour examiner le méandre de la rivière...

– Et ils voguent tous sur ces eaux ? demanda Félix, de la même voix étranglée. Le conseil au complet ? Violetta ? Mon père ?

– Oui, confirma Rémiz. Ils étaient tous les deux dans la quatrième péniche.

Ils regardèrent en silence les ondes furieuses. Au-dessus d'eux, sur la plate-forme, les fantômes organisaient l'exode des Infravillois par la Grand-Route du Bourbier. Félix jeta un coup d'œil dans leur direction, puis se retourna vers l'Orée. Sous leurs pieds, la jetée vibra.

– Tu sais, dit-il lentement, nous n'avons plus beaucoup de temps, Rémiz. La jetée est en train de céder, la plate-forme du Bourbier suivra. Si nous ne partons pas bientôt, nous périrons tous...

– Encore un petit moment, implora Rémiz. Après tout, ce sont ta sœur et ton père qui voguent là-bas, Félix. Et tu as l'air de t'en moquer !

Félix baissa les yeux vers le sol, les muscles de sa mâchoire se crispèrent et se relâchèrent.

– Tout ce que j'ai toujours voulu, dit-il avec douceur, c'est que mon père soit fier de moi, Rémiz. Et maintenant que je pourrais avoir une chance de gagner son estime, il est en perdition sur cette rivière. Ne crois-tu pas que je voudrais, moi aussi, attendre encore ?

Il frappa du poing la balustrade.

– Pardon, s'excusa Rémiz. C'est juste que...

– Je sais, je sais, dit Félix, en s'éclaircissant la voix.

La jetée tressauta de nouveau. Au-dessus d'eux, des cris retentirent et un groupe de fantômes descendit la passerelle, escortant deux gardiens en robe noire qui se débattaient.

– Nous avons trouvé ces deux-là près du portail du Bourbier, Félix, expliqua le fantôme naboton. Devons-nous leur trancher la gorge et balancer leurs cadavres dans l'Orée ? Ce sera plus charitable que de les livrer aux Infravillois.

Les gardiens cessèrent de se débattre lorsque Félix s'avança et leur retira leur capuche.

Rémiz étouffa une exclamation.

– Magda ! Et... Xanth !

– Relâche-les, Clopin ! ordonna Félix. Celle-ci a une combinaison de vol sous sa robe ; c'est une bibliothé-caire, espèce d'idiot ! Et celui-là...

– Je peux répondre de lui, affirma Magda avec audace, les yeux flamboyants.

– Vraiment ? dit Rémiz.

– Il m'a sauvé la vie, Rémiz.

– Félix, dit le fantôme naboton, pressant. Il faut partir d'ici...

– Je sais, Clopin, répondit Félix, qui se mit en route.

Rémiz quitta la balustrade à regret, la tête basse. Magda vint à sa hauteur tandis qu'ils remontaient la passerelle en direction de la plate-forme.

– Rémiz, qu'est-il arrivé ? Où sont-ils tous ? demanda-t-elle. Les démons des rochers infestent les égouts et une armée de gobelins a envahi la Grande Bibliothèque. Nous pensions rejoindre la flotte ici...

– Je le pensais aussi, dit Rémiz. Oh, Magda... Les bibliothécaires...

Une clameur s'éleva :

– Les bibliothécaires ! Les bibliothécaires !

La foule des Infravillois fourmillait sur la plate-forme, criait et gesticulait, enthousiaste.

– C'est la flotte de la Grande Bibliothèque ! Ils ont réussi !

La première péniche négocia le méandre dans un éclat de rames et un fracas de lutrins flottants, au rythme imprimé par le maître de manœuvre qui pressait l'équipage. Un corbeau blanc les accompagnait, croassant à pleins poumons. La deuxième péniche apparut, puis la troisième, la quatrième, la cinquième – et Rémiz vit qu'elles étaient toutes reliées par de longues cordes.

Si typique des bibliothécaires, pensa-t-il. Tous devaient arriver à bon port – ou aucun.

Redescendant à toute allure la passerelle branlante, Rémiz mit ses mains en porte-voix et hurla à la première péniche :

– Lancez-moi votre haussière ! Vite, le temps est compté !

Il n'y eut pas de réponse, mais la péniche vira. Elle mit le cap sur la jetée.

– Ramez ! Ramez ! Ramez !

La voix bourrue du maître d'équipage résonnait au-dessus des eaux rugissantes.

Les fantômes d'Ébouliville se ruèrent sur la jetée pour, dès l'arrivée de la flotte, saisir les rouleaux de haussières que lançaient les équipages et les attacher ferme-ment aux anneaux qui bordaient les parois.

Un par un, les bibliothécaires débarquèrent. Ils paraissaient exténués. Silencieux, hébétés, les muscles

endoloris, ils titubaient sur la jetée prête à s'effondrer. Lorsque Fortunat Lodd quitta la quatrième péniche, les piliers plantés dans la boue émirent un craquement terrible et les planches tremblèrent.

– Déchargez les péniches ! tonna le Bibliothécaire supérieur, couvrant le chœur de plaintes moulues, fourbues. Aussi vite que vous le pourrez !

Les bibliothécaires se mirent au travail, aidés par les fantômes et un contingent de robustes troglos ploucs qui, grâce à leur vigueur, réglèrent les opérations en un clin d'œil. Rémiz, ainsi que Magda et Xanth, qui s'étaient débarrassés avec dédain de leurs robes noires dans les eaux tourbillonnantes de l'Orée, apportèrent également leur contribution. Alors que les derniers esquifs et lutrins flottants arrivaient sur la plate-forme, la jetée s'écroula et disparut, avec les péniches vides, dans l'obscurité profonde d'Infraville.

Le conseil au complet, encadré par les fantômes de Félix tenant des torches enflammées, se réunit alors au centre de la plate-forme. Magnus Centitax, le professeur d'Obscurité, Ulbus Vespius, le professeur de Lumière, et, à leur côté, Violetta Lodd. Séraphin, l'air plus vieux et plus hagard que jamais, était assis au milieu, sur une malle ciselée. Près de lui se dressait Fortunat Lodd, le Bibliothécaire supérieur, le bras levé pour réclamer le silence.

– Mes chers bibliothécaires ! commença-t-il d'une voix qui n'avait rien perdu de sa puissance ni de son autorité. La terre et le ciel soient remerciés de nous avoir guidés jusqu'ici. Nous avons encore un long voyage à effectuer, mais nous sommes vraiment heureux de pouvoir en partager les périls avec les braves Infravillois.

À cet égard, il nous faut tous remercier les… euh… je crois qu'on les appelle… les fantômes d'Ébouliville ! Et leur chef…

Une ovation des Infravillois salua l'entrée de Félix dans la lumière des torches.

– Oui, reprit Fortunat, leur chef, à savoir… Comment vous appelez-vous, mon vaillant jeune homme ?

Les yeux de Félix rencontrèrent ceux de son père.

Fortunat battit des paupières. Il resta bouche bée…

– Félix ?… bredouilla le Bibliothécaire supérieur.

Félix sourit, un air d'attente immense sur le visage. Il tendit les bras pour étreindre son père.

Une larme ruissela sur la joue de Fortunat Lodd.

– Je… je… je ne sais pas quoi dire…

Il devint rouge de confu-sion. Il s'éclaircit bruyamment la voix et tapota l'épaule de son fils avec raideur. Il y eut un silence gêné. Félix s'as-sombrit.

Était-ce tout ? se demanda-t-il. Les retrouvailles qu'il avait, pendant de si longues années, à la fois redoutées et désirées… Une tape sur l'épaule !

Violetta se précipita et embrassa son frère, mais il ne sembla pas la remarquer, les yeux toujours fixés sur le visage paternel, avec une expression meurtrie et déçue.

– Mes chers bibliothécaires, Infravillois et fantômes, déclara Fortunat, d'une voix redevenue claire et puissante. Notre voyage sera long et difficile, mais si nous unissons nos efforts et que nous prenons soin les uns des autres, nous trouverons à son terme la récompense : une nouvelle vie, non plus de bibliothécaires, d'Infravillois ou de fantômes, mais de Francs-Clairois, tous sans exception !

Rémiz se joignit aux vivats tandis que, alentour, les premiers endossaient leurs sacs et réquisitionnaient les charrettes des pies-grièches, les deuxièmes ramassaient leurs affaires et les troisièmes, avec leurs torches enflammées, se préparaient à la grande migration.

Rémiz, Magda et Xanth se mirent en route derrière Félix, dont la mine sombre laissait entendre qu'il ne voulait pas parler. Ils avancèrent en silence vers la tête du majestueux cortège. Alors qu'ils franchissaient les contrôleries désertées par les pies-grièches et s'engageaient sur la route elle-même, Rémiz poussa un soupir d'étonnement, puis un cri de joie.

Devant eux, à quelques dizaines de mètres, ses amis les ours bandars portaient la chaise de Vox.

– Oulig ! Ouamalou ! appela Rémiz. Ouaoumi ! Molline ! *Ouira-loa. Ouaou-ouaou ouiga !*

« Votre fardeau est lourd. Permettez que d'autres vous relaient ! »

Mais quelque chose n'allait pas. Au lieu de répondre à son salut modulé, les ours continuèrent leur marche lente, traînante, sur la route.

Les rideaux de la chaise à porteurs frémirent.

– Tout va bien, mes amis, dit une voix glaciale dans la tête de Rémiz. Poursuivons notre chemin…

Rémiz se tourna vers Félix et lui saisit les bras. Son ami avait un regard perdu.

– Tout va bien… murmurait-il. Ils poursuivent leur chemin…

– Non ! cria Rémiz.

Il empoigna le grappin de Félix et le lança en direction de la chaise. Le crochet s'enfonça dans un montant de bois et Rémiz sentit la corde se tendre alors qu'il fixait l'autre extrémité à une balustrade de la Grand-Route.

Les ours bandars persévérèrent, luttant contre la corde qui résistait, jusqu'au moment où, avec un fracas de bois fendu, le montant céda. Les ours s'affaissèrent sur la chaise cassée, dont ils écrasèrent le cadre et brisèrent les brancards en deux. Rémiz accourut, suivi de Magda, Xanth et Félix.

– Je ne sais pas ce qui m'est arrivé, dit ce dernier, secouant la tête.

– Je crois le savoir, répondit Rémiz, mais je ne suis pas sûr de bien comprendre. Il s'agit de la chaise envoyée par Séraphin pour transporter Vox loin du danger…

Les ours se relevaient tant bien que mal, secouaient la tête tour à tour avec de douces plaintes modulées.

– *Ouiga-ourra-loura*, murmura Ouaoumi, agitant les doigts.

« Un rêve de forêt sombre s'est dissipé comme la brume. »

– *Ouaou-ouaou, ougira. Lou-ouig*, ajouta Molline, qui frissonna.

« Mon esprit me revient. Il n'y avait plus que des échos balayés par le vent. »

Rémiz leur tapota le dos, rassurant.

– *Oueg-ouig. Ouigera, ouira, ouaou-ouaou*, les apaisa-t-il, et il toucha sa poitrine du bout des doigts.

« N'ayez pas peur. Votre marche somnambulique n'a rien causé de fâcheux, amis de mon cœur. »

– Vox ? dit une voix maussade derrière eux. Est-ce vous, Vox ? Nous avons respecté notre engagement, alors même que vous complotiez de nous détruire ! Quelle honte !

La silhouette frêle de Séraphin, le conseil tout entier sur ses talons, arrivait à pas furieux et contournait les débris pour rejoindre le petit groupe. Le Dignitaire suprême s'arrêta, regarda les ours et la chaise, alternativement.

– Oh, ma parole, dit-il, et un sourire naquit sur ses lèvres. Il y a eu un petit accident, semble-t-il. Des blessés ? Non ? Et vous, Vox ?

Séraphin écarta l'épais rideau qui recouvrait la gigantesque forme tremblotante. Là, berçant un spectrinal hébété dans ses gros bras rebondis, se tenait Flambusie Frangipane.

– Parlez-moi, Ambre, gloussait-elle. Parlez-moi !

Rémiz s'approcha de la balustrade et dénoua la corde. Il se tourna vers Infraville, presque totalement masquée par le terrible malstrom noir. Tout était fini, pensa-t-il, n'empêche qu'il se sentait délivré du poids énorme qui l'oppressait depuis des jours.

Ses plus chers amis l'entouraient : Félix, Magda, les ours bandars, et même Xanth. La plus grande aventure de sa vie s'annonçait.

Il serra un moment la balustrade, les articulations blanchies. Était-ce le Palais des statues qui s'écroulait dans le lointain ?

Il desserra les doigts et revint vers ses compagnons, le visage souriant. Les Infravillois, les bibliothécaires et les fantômes d'Ébouliville passaient devant lui sur la Grand-Route, cortège innombrable. Rémiz les suivit des yeux.

– Les Francs-Clairois, murmura-t-il.

– Ambrephile, dit Vox, presque chuchotant, lorsque l'horrible vérité se fit jour.

– Je lui ai donné un flacon de médicament spécial et, sur ses ordres, Lumiel l'a versé dans votre oubli, mon mignon, expliqua Esther en souriant. Puis il a emprunté votre chaise à porteurs. Flambusie m'a suppliée de venir avec eux, mais j'ai répondu que je préférais rester.

Elle sourit de nouveau, son visage plissé de rides inhabituelles.

– Je ne voulais pas vous abandonner, mon adoré. Non, jamais.

Le palais vibra lorsqu'un nouvel arc-boutant s'effondra dans le torrent houleux en contrebas. Toute la partie ouest de l'édifice manquait désormais, et le vent et la pluie mugissaient dans les immenses lézardes qui creusaient les murs.

– Trahi, murmura Vox.

Il s'affala par terre et se prit la tête dans les mains.

– Trahi !

Un énorme sanglot secoua son corps boursouflé.

Esther s'accroupit à son côté, lui posa une main timide sur le bras. Au-dessus d'eux, le plafond se crevassa, et un filet continu remplaça les gouttes suintantes. Les sanglots de Vox s'interrompirent soudain. Il leva la tête, ses petits yeux réduits à des fentes mauvaises, meurtrières.

– C'est toi, marmonna-t-il. C'est toi qui as donné à Ambrephile ton médicament spécial...

– Eh oui, mon adoré, confirma Esther, débouchant la bouteille étiquetée *Oubli : cuvée spéciale.*

– Donc, fulmina Vox, tu étais informée de ses projets, et tu ne m'as pas averti !

Esther saisit Vox par une bajoue tremblotante, dodue, et l'étau de ses doigts se resserra.

– Ooouille ! hurla Vox, dont les mains potelées tentèrent de chasser la gobeline.

– Bien sûr que je ne vous ai pas averti, mon adoré, roucoula Esther, enfonçant le goulot dans la bouche ouverte de son prisonnier.

Alors qu'elle maintenait la bouteille gargouillante, les mains de Vox cessèrent de s'agiter. Ses yeux devinrent ternes et se fermèrent, sa tête roula sur le côté. Au plafond, la crevasse s'étendit, gagna le mur et serpenta sur le plancher. La grande salle trépida.

– C'est ce que j'ai toujours voulu. Un rêve réalisé, Vox, mon mignon, dit Esther, amenant la grosse tête dans son tablier et la berçant avec douceur. Vous, mon adoré, pour moi seule.

TABLE DES MATIÈRES

11 • Introduction

16 • La patrouille de l'aube

29 • Ébouliville

56 • Le palais enseveli

84 • Le trou de misère

103 • Numéro onze

126 • Esther Prunelline

146 • Nourrir le bébé

169 • L'œil de Vox

200 • Les deux Dignitaires suprêmes

219 • La onzième heure

240 • Xanth Filantin

256 • La flotte de la Grande Bibliothèque

269 • Le garde troglo plouc

291 • Ambrephile

312 • Sabreur, Sécate et Styx

332 • La tête de pierre

349 • Carnage sans nom sur le pont en noirier

369 • Les fantômes d'Ébouliville

DANS LA MÊME SÉRIE

Chroniques
du bout du monde

Tome 1
Par-delà les Grands Bois

Lieu de ténèbres et de mystère, les Grands Bois offrent un asile rude et périlleux à ceux qui les habitent. Et ils sont nombreux : trolls des bois, égorgeurs, gobelins de brassin, troglos... C'est là que vit Spic, du clan des trolls des bois. Il est troll et pourtant...

Trop grand, trop maigre, il est différent. Tellement différent qu'il doit fuir, par-delà les Grands Bois. Mais surtout, surtout, sans jamais sortir du sentier. Jamais...

Chroniques
du bout du monde

Tome 2
Le Chasseur de tempête

Ville de mystères et de danger, Sanctaphrax peut tout offrir au visiteur : argent, bonheur, pouvoir, mort... Spic, nouvellement enrôlé dans l'équipage du Chasseur de tempête, est envoûté par la cité flottante. Mais Sanctaphrax est en danger... Sa survie dépend du phrax de tempête, une substance qui maintient son équilibre. Sans lui, la ville briserait ses amarres, et s'envolerait dans le ciel à tout jamais...

Or le phrax ne peut être récolté qu'au cœur même de la Grande Tempête, à l'instant où elle est la plus violente. Un seul navire est capable d'affronter une telle violence : *Le Chasseur de tempête...*

Chroniques du bout du monde

Tome 3
Minuit sur Sanctaphrax

Loin, très loin dans le ciel infini, un redoutable danger menace : c'est la Mère Tempête. Celle qui détruit tout sur son passage. Celle par qui tout meurt et tout renaît. Sanctaphrax se trouve sur son chemin, mais personne ne le sait. Seul Spic pourrait éviter le désastre.

Avec son nouvel équipage, le jeune pirate du ciel s'est aventuré bien au-delà du bout du monde. Il a découvert ce qui se prépare. Mais lors de son voyage, il est projeté au cœur du Jardin de pierres. Et Spic perd la mémoire...

Chroniques
du bout du monde

Tome 4
Le dernier des pirates
du ciel

Maladie de la pierre.

Quatre mots qui ont tout changé. Tout : la cité volante de Sanctaphrax ne flotte plus, les bateaux de la Ligue sont cloués au sol, les pirates du ciel ont disparu à jamais... Comble de malheur, une lutte à mort a placé l'usurpateur Vox Verlix au pouvoir. Les érudits, qui régnaient jadis en maîtres, sont désormais condamnés à vivre clandestinement, dans la fange des égouts d'Infraville.

C'est là, au cœur d'un dédale de salles souterraines, que vit Rémiz, un jeune sous-bibliothécaire de 13 ans. Orphelin, il ne sait rien de sa naissance. Il ne sait rien non plus de l'intérêt que les érudits lui portent. Et surtout, il ne sait rien du destin qui l'attend...

Chroniques
du bout du monde

Tome 5
Vox le Terrible

Vox Verlix. Dignitaire suprême de Sanctaphrax. Un tyran. Mais un tyran de papier, qui vit reclus dans un palais délabré. Un obèse alcoolique qui, dans ses moments de lucidité, élabore des plans de vengeance. Contre les pies-grièches qui règnent sur le Bourbier, les gobelins qui ont asservi Infraville, les gardiens de la nuit toujours aux aguets du haut de leur tour. Des plans découverts par Rémiz, le jeune chevalier bibliothécaire. Un Rémiz glacé d'effroi : car les projets de Vox pourraient bien détruire toute la Falaise.

**L'ordre des sorciers
Ravenscliff
Livre 1**
de Geoffrey Huntington

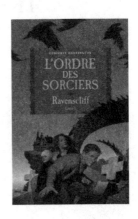

« Tu es plus fort qu'eux ! »
L'héritage de Devon March tient dans cette unique phrase, la dernière prononcée par son père avant de mourir. À 14 ans, c'est tout ce qui lui reste pour affronter les créatures et démons qui le poursuivent depuis son enfance. Qui sont-ils ? Pourquoi s'attaquent-ils à lui ? Devon l'ignore.

Mais il sait une chose : les réponses sont à Ravenscliff, le manoir où il doit vivre désormais. Ravenscliff, dont les murs sombres abritent des secrets terrifiants...

La sorcière des ténèbres
Ravenscliff
Livre 2
de Geoffrey Huntington

Isobel l'Infidèle.

Isobel la Terrible.

Isobel la Cruelle.

Accompagnée de sa horde de démons, elle fut en son temps la femme la plus redoutée d'Europe. Défiant sorciers et rois, elle faillit faire triompher le Mal...

Sur son bûcher, elle a juré de revenir.

Elle a tenu parole. La revoilà. À Ravenscliff. Toujours aussi puissante. Toujours aussi dangereuse. Toujours aussi ensorceleuse...

Face à elle, un jeune sorcier de 14 ans, Devon March. Il est le seul capable de la vaincre. À condition qu'il sache lui résister...

Lune de sang
Ravenscliff
Livre 3
de Geoffrey Huntington
(à paraître)

Devon le sait. Il le sent. Il est tout près du but. Tout près de découvrir qui il est vraiment. Mais pour que la vérité éclate, il faudra de nouveaux combats, de nouvelles victimes. Le jeune sorcier devra affronter les fantômes du passé. Plus vivants que jamais...

Les sortilèges d'Alinore
de Madeleine Crubellier
Illustré par Frédéric Pillot

Alinore est en danger. En grand danger. Sorcières, li-
cornes, magiciens, guerriers des royaumes des Terres
émergées... tous savent qu'il va falloir lutter contre le
Sans-Nom et ses rêves de conquêtes. Le Sans-Nom qu'on
ne peut nommer sans trembler. Le Sans-Nom qu'on ne
peut tuer, parce qu'il est déjà mort. La solution se trouve
dans un autre monde. Le Deuxième Monde.

Le livre des damnés
de Marcus Sedgwick

Tome 1
Les jours sombres

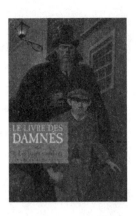

Cinq jours. Il ne reste que cinq jours à Valérian et Gamin pour trouver le Livre. Le Livre des damnés. Celui qui leur dira comment Valérian peut échapper à la mort. Car Valérian a conclu un pacte avec le diable, quinze ans plus tôt. Un pacte qui le condamne à mourir au soir du dernier des jours sombres. Les jours sombres... cinq jours entre Noël et le nouvel an. Règne des esprits, de la magie, du surnaturel et de la mort. Cinq jours pendant lesquels tout peut arriver...

Le livre des damnés
de Marcus Sedgwick

Tome 2
La nuit du Fantôme

Gamin a survécu aux jours sombres. Aux esprits, au surnaturel et à la mort. Mais il n'est pas hors de danger.
Capturé par les gardes de l'empereur, il est jeté dans les
oubliettes du palais où rôde un fantôme sanguinaire.
Tout ça à cause d'un livre. Le livre des damnés. Un livre
aux pouvoirs fascinants et terrifiants. À l'empereur, il
promet l'immortalité. À Gamin, la vérité sur ses origines.
Pour le récupérer, une lutte à mort commence...